Robert Muchamore • Top Secret
Das Manöver

cbt

DER AUTOR

Robert Muchamore, Jahrgang 1972, lebt in London und arbeitet dort als Privatdetektiv. Er hasst das Landleben, bärtige Frauen, Ketchup und Mayonnaise, Schnulzfilme und Leute, die zehn Minuten lang an der Bushaltestelle warten und erst dann anfangen, nach Kleingeld zu kramen, wenn sie vor dem Busfahrer stehen. Er hat einen sehr schwarzen Humor und seine Lieblingsfernsehserie ist *Jackass*.

Von Robert Muchamore ist bei cbt
bereits erschienen:

Top Secret 1 – Der Agent (30184)
Top Secret 2 – Heiße Ware (30185)
Top Secret 3 – Der Ausbruch (30392)
Top Secret 4 – Der Auftrag (30451)
Top Secret 5 – Die Sekte (30452)
Top Secret 6 – Die Mission (30481)
Top Secret 7 – Der Verdacht (30482)
Top Secret 8 – Der Deal (30483)
Top Secret 9 – Der Anschlag (30484)

Weitere Titel sind in Vorbereitung.

Robert Muchamore

Top Secret
Das Manöver

Aus dem Englischen von
Tanja Ohlsen

cbt ist der Jugendbuchverlag
in der Verlagsgruppe Random House

MIX
Papier aus verantwor-
tungsvollen Quellen
FSC® C014496

Verlagsgruppe Random House FSC-DEU-0100
Das für dieses Buch verwendete
FSC®-zertifizierte Papier *München Super Extra*
liefert Arctic Paper Mochenwangen GmbH.

2. Auflage
Deutsche Erstausgabe Juli 2012
Gesetzt nach den Regeln der Rechtschreibreform
© 2008 der Originalausgabe by Robert Muchamore
Die englische Originalausgabe erschien
unter dem Titel »CHERUB: The General«
bei Hodder Children's Books, London.
© 2012 der deutschsprachigen Ausgabe
bei cbt/cbj, München in der Verlagsgruppe
Random House GmbH
Alle deutschsprachigen Rechte vorbehalten
Übersetzung: Tanja Ohlsen
Lektorat: Kerstin Weber
Umschlagkonzeption: init.büro für gestaltung,
Bielefeld
KK · Herstellung: AnG
Satz: Uhl + Massopust, Aalen
Druck und Bindung: GGP Media GmbH, Pößneck
ISBN: 978-3-570-30818-9
Printed in Germany

www.cbt-jugendbuch.de

Was ist CHERUB?

CHERUB ist Teil des britischen Geheimdienstes. Die Agenten sind zwischen zehn und siebzehn Jahre alt. Meist handelt es sich bei den CHERUB-Agenten um Waisen aus Kinderheimen, die für die Undercover-Arbeit ausgebildet wurden. Sie leben auf dem Campus von CHERUB, einer geheimen Einrichtung irgendwo auf dem Land in England.

Warum Kinder?

Kinder können sehr hilfreich sein. Niemand rechnet damit, dass Kinder Undercover-Einsätze durchführen, daher kommen sie mit vielem durch, was Erwachsenen nicht gelingt.

Wer sind die Kinder?

Auf dem CHERUB-Campus leben etwa dreihundert Kinder. Unser 16-jähriger Held heißt James Adams. Er ist ein angesehenes Mitglied von CHERUB, der bereits mehrere Missionen erfolgreich abgeschlossen hat. Die gebürtige Australierin Dana Smith ist James' aktuelle Freundin. Zu seinen engsten Freunden auf dem Campus gehören Bruce Norris, Kerry Chang und Shakeel Dajani.

James' Schwester Lauren ist dreizehn und gilt bereits als eine der besten Agentinnen von CHERUB. Ihre besten Freunde sind Bethany Parker und Greg »Rat« Rathbone.

Das CHERUB-Personal

Die Größe des Geländes, die speziellen Trainingseinrichtungen und die Kombination aus Internat und Geheimdienststelle bringen es mit sich, dass CHERUB mehr Personal als Schüler hat. Dazu gehören Köche und Gärtner ebenso wie Lehrer, Ausbilder, Krankenschwestern, Psychiater und Einsatzspezialisten. CHERUB wird von der Vorsitzenden Zara Asker geleitet.

Die CHERUB-T-Shirts

Den Rang eines CHERUB-Agenten erkennt man an der Farbe des T-Shirts, das er oder sie auf dem Campus trägt. Orange tragen Besucher. Rot tragen Kinder, die auf dem Campus leben, aber zu jung sind, um schon als Agenten zu arbeiten. (Das Mindestalter ist zehn Jahre.) Blau ist die Farbe während ihrer hunderttägigen Grundausbildung. Ein graues T-Shirt heißt, dass man auf Missionen geschickt werden darf. Dunkelblau tragen diejenigen, die sich bei einem Einsatz besonders hervorgetan haben. Lauren und James haben ein schwarzes T-Shirt, die höchste Anerkennung für hervorragende Leistungen bei mehreren Einsätzen. Wenn man CHERUB verlässt, bekommt man ein weißes T-Shirt, wie es auch das Personal trägt.

1

Die als SAG bekannte Anarchistenorganisation Street Action Group **wurde 2003 gegründet. Damals stürmte ihr Anführer Chris Bradford bei einer Anti-Irakkrieg-Demonstration im Londoner Hyde Park die Rednertribüne. Er stachelte die friedliche Menge dazu an, Polizeibeamte anzugreifen und anschließend Strohpuppen von Premierminister Tony Blair und US-Präsident George Bush in Brand zu stecken.**

2006 verfügte die SAG bereits über eine große Anhängerschaft und war stark genug, ihre eigenen regierungsfeindlichen Proteste zu organisieren. Diese erreichten im Juli mit dem Chaos-Marsch **im Zentrum von Birmingham ihren Höhepunkt: Dutzende von Autos wurden zerstört und Fensterscheiben eingeschlagen. Man verhaftete über dreißig Demonstranten, wobei eine Polizeibeamtin mit dem Messer niedergestochen wurde.**

In den darauffolgenden Monaten wurden mehrere höhere Mitglieder der SAG, die an den Unruhen beteiligt waren, zu Haftstrafen verurteilt. Überall dort,

wo sich die SAG versammeln wollte, erschwerte ein hohes Polizeiaufgebot die Organisation gewalttätiger Proteste.

Chris Bradford sah diese Maßnahmen als »staatliche Unterdrückung« an und versuchte – wie ein MI5-Agent undercover entdeckt hatte –, Waffen und Bombenmaterial zu erwerben, um die SAG zu einer Terrororganisation umzustrukturieren.

(Auszug aus den Einsatzunterlagen
für James Adams, Oktober 2007)

Es war der 21. Dezember, der letzte Freitag vor Weihnachten. In den Fußgängerzonen von London baumelten Lichterketten zwischen den viktorianischen Laternenpfählen, und der Himmel leuchtete tiefrot. Die Pubs um die U-Bahnstation Covent Garden waren gerammelt voll, Büroangestellte standen rauchend in den Türen und im Body Shop besorgten gequält wirkende Männer Last-Minute-Geschenke.

Die rechteckige, aus Metallgittern errichtete Absperrung wurde sowohl von den Passanten als auch den Pub-Besuchern ignoriert – wenngleich ein paar von ihnen amüsiert bemerkten, dass die dreizehn darin eingepferchten Demonstranten von zwei Dutzend Polizeibeamten in Neonwesten bewacht wurden.

James Adams war einer der Demonstranten: in voluminöser Bomberjacke und hohen Doc Martens, mit an den Seiten kurz geschorenen Haaren und einem grün gefärbten Irokesen, der sich von seiner Stirn bis zum Jackenkragen erstreckte. Um die Kälte zu vertreiben, schlug er die behandschuhten Hände aneinander. Die Cops sahen ihn streng an.

Etwa dreißig Meter entfernt stand Chris Bradford, gut gebaut, mit kräftigem rotem Haar und einem ausgeleierten Kapuzensweatshirt, das er mit der Innenseite nach außen trug. Zwei Kameras waren auf ihn gerichtet. Bei der einen handelte es sich um einen mickrigen Camcorder in der Hand eines Cops, der um die Absperrung herumlief. Die andere war wesentlich beeindruckender und saß auf der Schulter eines BBC-Kameramannes. Ein darauf montierter Scheinwerfer leuchtete Bradford ins Gesicht.

»Nun, Mr Bradford«, sagte der BBC-Korrespondent Simon Jett und streckte Bradford ein Mikrofon entgegen. In seinem Mantel steckte ein seidener Schal. »Das heutige Ergebnis ist doch bestimmt eine herbe Enttäuschung für Sie. Viele Leute sagen, dass die Street Action Group schon auf dem letzten Loch pfeift.«

Bradford fielen fast die grünen Augen aus dem Kopf, als er mit seinen riesigen Händen nach den Mantelaufschlägen des Korrespondenten griff.

»*Wer* sagt das?«, knurrte er. »Geben Sie mir Namen und Adressen! Klar, es sind immer irgendwelche *sicheren Quellen*, aber *wer* genau soll das denn sein? Ich sag's Ihnen: Leute, die Angst vor uns haben.«

Jett war hocherfreut. Diese Mischung aus Cockney-

Akzent und angedeuteter Drohung machte sich im Fernsehen immer gut.

»Wie viele Demonstranten haben Sie denn heute hier erwartet?«

Bradford warf einen Blick auf die Uhr und fletschte die Zähne.

»Die meisten von uns liegen um drei Uhr nachmittags noch im Bett, das ist das Problem. Wahrscheinlich hab ich den Zeitpunkt ein bisschen zu früh angesetzt.«

Jett nickte mit falscher Ernsthaftigkeit.

»Hört sich ganz danach an, als würden Sie das alles auf die leichte Schulter nehmen. Aber Sie müssen doch selbst merken, dass man der SAG den Wind aus den Segeln genommen hat. Besonders, wenn man das Ergebnis hier mit den Tausenden von Menschen vergleicht, die letztes Jahr im Sommer auf die Straße gegangen sind.«

Bradford tätschelte das Kunststoffgehäuse der Kamera.

»Warten Sie's ab, Mr BBC«, knurrte er und hielt sein Gesicht direkt vor die Kamera. »Ungerechtigkeit provoziert Hass. Heutzutage herrscht in Großbritannien mehr Ungleichheit und Armut als je zuvor. Wenn Sie zu Hause in Ihrem hübschen Häuschen sitzen und sich Leute wie mich auf ihrem 32-Zoll-Bildschirm ansehen, merken Sie wahrscheinlich gar nicht, wie sich auf den Straßen die Revolution zusammenbraut. Aber denken Sie an meine Worte: Wir kriegen Sie noch!«

Jett konnte sich das Grinsen kaum verkneifen.

»Haben Sie dafür einen Zeitplan? Wann können wir mit dieser Revolution rechnen?«

»Vielleicht nächsten Monat, vielleicht nächstes Jahr, wer weiß?«, erwiderte Bradford achselzuckend. »Eines ist sicher: Noch bevor dieses Jahrzehnt rum ist, wird sich hier jede Menge radikal verändert haben. Aber bei dem bigotten Mist, den BBC sendet, werden Sie das erst bemerken, wenn Ihnen meine Jungs die Tür eintreten.«

Der Korrespondent nickte. »Chris Bradford, ich danke Ihnen für dieses Gespräch.«

»Verpiss dich«, knurrte Bradford, während der Kameramann das Licht ausknipste und sich die große Kamera von der Schulter lud.

Bradford ignorierte Jetts ausgestreckte Hand demonstrativ und stapfte schmollend zu einer einzelnen Frau auf der anderen Seite der Absperrung hinüber.

James hörte, wie Jett dem Kameramann befahl, vor ihrem Aufbruch noch ein paar Aufnahmen außerhalb der Absperrung zu drehen. Die Polizisten rückten die Metallbarrieren ein Stück zur Seite, damit die BBC-Crew hinaus konnte, und erkundigten sich eifrig, wann die Story gesendet werden würde.

»Machen Sie sich keine Hoffnungen«, winkte Jett ab. »Ich bin nur für den Fall hier, dass irgendetwas passiert. Aber ich habe es meinem Chef schon gesagt, als ich losgegangen bin: Die SAG ist Schnee von gestern.«

»Na hoffentlich«, erwiderte einer der Cops. »Die Polizistin in Birmingham hatte enorm viel Blut verloren. Sie hatte jede Menge Glück, dass sie überlebt hat.«

Jett nickte mitleidig. »Passen Sie auf sich auf, Officer, und frohe Weihnachten!«

»Ebenfalls«, lächelte der Beamte.

Als der Kameramann die Absperrung und die Polizeibeamten filmte, zog sich James die Kapuze seiner Bomberjacke tief ins Gesicht. CHERUB-Agenten wurden darauf gedrillt, sich von den Medien fernzuhalten. Um noch unauffälliger zu erscheinen, zog er sein Handy hervor und starrte nach unten auf das Display, um Dana eine SMS zu schicken.

HOFFE, ES GEHT DIR BESSER! SCHREIB MIR, ICH FÜHL MICH EINSAM!

Doch kaum hatte er die Nachricht abgeschickt, bereute er es auch schon. Auf seine letzte SMS hatte Dana nicht geantwortet, und *ich fühl mich einsam* ließ ihn wie einen Schwächling klingen. Er hatte keine Ahnung, was seine Freundin verärgert haben könnte, aber sie verhielt sich schon seit Tagen irgendwie seltsam.

An einem Ende der Absperrung wurden jetzt zwei Barrieren weggenommen. »Es ist halb vier, Leute! Zeit, zur Downing Street zu marschieren!«, rief die zierliche Polizistin, die für die Überwachung zuständig war.

Sie wusste, dass die Demonstranten sie gehört hatten, auch wenn sie sie ignorierten. Einer ihrer Kollegen reichte ihr ein Megafon und sie wiederholte: »Diese Kundgebung war bis fünfzehn Uhr fünfzehn angesetzt! Sie haben also bereits eine Viertelstunde mehr bekommen. Jeder, der den Versammlungsort jetzt nicht umgehend verlässt, wird wegen Verstoßes gegen die öffentliche Ordnung verhaftet. Also LOS JETZT!«

Bradford trat auf die Beamtin zu und sah auf seine Uhr. Ein Pressefotograf schoss ein Bild von dem großen Mann und der kleinen Frau mit dem Megafon und der Neonweste.

»Kommen Sie, Süße.« Bradford versuchte es auf die charmante Tour und tippte sich auf die Uhr. »Wir warten nur noch auf ein paar Leute. Ich hab 'nen Mann zur U-Bahn geschickt. Die Bahnen müssen Verspätung haben oder so was.«

»Sie hatten genug Zeit«, erklärte die Polizistin bestimmt und schüttelte den Kopf. »Meine Jungs wollen nach Hause. Also haben Sie jetzt die Wahl: Entweder Sie marschieren los und lösen die Versammlung friedlich auf, oder Sie fahren im Polizeiwagen mit. Aber Sie können nicht länger unsere Zeit verschwenden.«

Bradford spuckte auf den Asphalt, dann wandte er sich an das jämmerliche Häufchen hinter sich: »Ihr habt gehört, was die nette Dame gesagt hat. Also los, Leute.«

Erneut zuckte der Blitz des Pressefotografen auf, als die dreizehn SAG-Demonstranten sich in Bewegung setzten, eskortiert von den Neonwesten der Polizei, denen die kümmerliche Anzahl der Protestler ein amüsiertes Lächeln entlockte.

Unter den neugierigen Blicken der Passanten und Kinder, die das Grüppchen jetzt anstarrten, als würde ihnen irgendeine Showeinlage geboten, wurden die SAG-Leute von den Cops in raschem Tempo durch die Straßen um den Markt von Covent Garden geführt. Dabei fiel James eine Gruppe von Leuten in Rebellenuniform auf: einer Mischung aus Punk, Gothic-Style und Armeeausschussware, ähnlich seinem eigenen Aufzug. Manche schlossen sich dem Marsch an, andere liefen ein wenig entfernt mit.

Als sie den Marktplatz verließen und Richtung Strand marschierten, einer breiten Straße mit Läden, Theatern und Hotels keine fünfzig Meter vom Nordufer der Themse entfernt, holte Bradford die Polizistin ein. James befand sich jetzt ziemlich weit vorne, und Bradford zwinkerte ihm zu, als aus einer Nebenstraße plötzlich ein Haufen Jugendliche in Sportkleidung auftauchten.

»Scheint, als sei doch noch jemand gekommen«, bemerkte er. »Irgendjemand muss wohl die falsche Adresse auf unsere Einladungskarten geschrieben haben.«

Die Polizistin gönnte Bradford keine Antwort, aber James sah, dass sie nervös war. Sie griff nach dem Funkgerät und forderte Verstärkung an, da sich die Demonstranten offensichtlich über den polizeilichen

Befehl, sich an *einer* Stelle zu versammeln, hinweggesetzt hatten.

»SAG!«, schrie Bradford plötzlich und stieß seine Faust in die Luft, als sich die Trainingsanzüge und Turnschuhe unter die Dreadlocks und Parkas der SAG-Aktivisten mischten.

»SAG!«, antwortete ein jetzt ungefähr hundertstimmiger Chor.

James erschrak, als ihm ein Demonstrant in die Hacken trat.

»Sorry, Mann.«

Die Menge wurde immer dichter, und die Cops waren hoffnungslos in der Unterzahl. Jetzt marschierte hier dieselbe explosive Mischung aus hartgesottenen SAG-Anarchisten und aggressiven Jugendlichen, die auch die Unruhen in Birmingham vor siebzehn Monaten ausgelöst hatten.

»Oggy, oggy, oggy!«, schrie Bradford.

»SAG, SAG, SAG!«, rief die Menge zurück.

Als James am Strand rechts abbog, waren noch weitere fünfzig Leute zu ihnen gestoßen. Von der anderen Straßenseite erklang ein dumpfes Trommeln. Der kahl rasierte Trommler führte eine Gruppe von Demonstranten aus einer Seitenstraße vom Themseufer her zu ihnen.

Dem Cop neben James lief Spucke über den Rücken. Er hatte den Schlagstock gezogen, doch die Polizisten wagten es nicht, einzugreifen und zuzuschlagen. Sie waren definitiv unterlegen.

»Wir haben euer Megafon!«, ertönte es plötzlich laut. »Wir haben euer Megafon! Lah la la lah la!«

Alle lachten, als sich der Trommler mit seinen Leuten quer durch den Verkehr schlängelte und sich an die Spitze des Zuges setzte. Doch schon der nächste Schlachtruf klang bösartiger.

»Wir stechen alle Cops ab! Wir stechen alle Cops ab! Lah la la lah la!«

Ein Aufbrüllen war zu hören und James bemerkte, dass die Polizisten ihre Taktik änderten und sich hinter die Protestgruppe fallen ließen. Aus den umliegenden Straßen erschallten Sirenen, während sich der Marsch mit einer Vielzahl weiterer SAG-Sympathisanten vereinigte, die mit einem Mal aus einem Gelenkbus auftauchten.

Die Menge schwoll immer mehr an, breitete sich auf der Straße aus und mischte sich in den nur noch dahin kriechenden Verkehr. Hupen wurden laut. Einem ungeduldigen Autofahrer wurde der Außenspiegel abgerissen und das Seitenfenster eingetreten.

James beobachtete durch eine Lücke zwischen den Bussen, wie sich von der Themse her weitere Demonstranten näherten, während sich die Spitze des Zuges in Richtung Trafalgar Square bewegte.

Mittlerweile hatte er Chris Bradford und alle anderen SAG-Mitglieder, die er nach sechs Wochen Undercover-Einsatz kannte, aus den Augen verloren. Orientierungslos blickte er um sich; er war von einem

Haufen aggressiver Jungen umringt, die nicht viel älter sein konnten als er selbst. Sie brüllten, grölten und stießen sich gegenseitig an. Der BBC-Kameramann balancierte gefährlich wackelnd auf einem Betonpoller und versuchte, die grölende Menge von oben zu filmen.

»Ich hab dir doch gesagt, es lohnt sich«, grinste der Typ neben James und nahm einen Schluck aus seiner Bierdose. Etwas weiter weg zersplitterte Glas.

»Verdammt!«, lachte sein Kumpel. »Das war was Großes! Da hat sich wohl jemand einen Laden vorgenommen!«

Sein Freund nickte.

»Es geht los!«, rief es von irgendwo her, bevor ein weiterer »SAG! SAG! SAG!«-Chor durch die Menge gellte.

Keine fünf Meter von James entfernt schleuderten zwei Gothic-Girls – die eigentlich so aussahen, als hätten sie mit Gewalt nichts am Hut – den Metalleinsatz eines Mülleimers durch die Fensterscheibe einer Sandwichbar. Die Menge klatschte und johlte. »Nieder mit den Sandwiches!«, tönte es durch das gestohlene Megafon.

Die Aktion der beiden Mädchen stachelte wiederum ein paar Jungen an, selbst aktiv zu werden. Innerhalb weniger Sekunden gingen vier weitere Schaufenster zu Bruch und ein Mann in teurem Anzug wurde aus einem Taxi gezerrt, geohrfeigt und um seine Brieftasche und seine Rolex erleichtert.

Durch die Menschenmassen konnte James nicht viel erkennen, aber er hörte Hunderte von triumphierenden Stimmen und das Knirschen von Glas unter seinen Stiefeln.

Es ging los, und zwar gewaltig.

2

»Hört verdammt noch mal auf zu labern und haltet die Klappe!«, schrie die dreizehnjährige Lauren Adams und hielt sich die Ohren zu.

Das Bett in ihrem Zimmer auf dem CHERUB-Campus war auf die Seite gekippt, um auf dem Teppich mehr Platz für die Karten und Tabellen zu haben, um die Lauren mit sechs anderen Agenten herum saß: ihrem Freund Rat, ihrer besten Freundin Bethany, deren elfjährigem Bruder Jake, Rats bestem Freund Andy Lagan und zwei anderen Elfjährigen, die sie nur als Ronan Walsh und Kevin Sumner kannte.

»Wenn wir ausgewählt werden wollen, um nächsten Monat nach Las Vegas zu fahren, *müssen* wir jetzt unseren Plan fertig kriegen und diesen Sicherheitstest durchziehen«, fuhr Lauren bestimmt fort. »Das ATCC ist eine neue Einrichtung mit modernsten Sicherheitsstandards. Wir müssen ins Herz des Gebäudes vordringen und im Kontrollraum so viel Schaden wie möglich anrichten.«

Kevin war der Kleinste im Raum und sah nervös auf die Karten. »Und was davon ist das ATCC?«

»Der ganze Bau, du Blödmann«, seufzte Jake Parker laut. »ATCC: Air Traffic Control Centre. Flugüberwachungszentrum.«

»Oh«, sagte Kevin, »und ich dachte, es sei eines von diesen Alarmdingern.«

Bethany verpasste ihrem Bruder eine Kopfnuss. »Hör auf, ihn anzumeckern! Kevin ist noch klein.«

Jake zeigte seiner Schwester den Mittelfinger. »Er ist nicht mal ein Jahr jünger als ich, du Superhirn.«

Rat seufzte. »Fangt bloß nicht schon wieder an zu streiten, ihr zwei. Mann, was stinkt denn hier so?«

Alle drehten sich zu Ronan um. Der kräftig gebaute Junge war verrückt nach Rugby und Combattraining, hielt jedoch weniger davon, danach zu duschen. Gerade hatte er einen dreckigen Stiefel ausgezogen.

»Zieh den sofort wieder an!«, stieß Bethany hervor und wedelte mit der Hand. »Wie lange, bitte schön, trägst du denn diese Socken schon?«

»Mir tränen die Augen!«, beschwerte sich Andy.

»Höchstens eine Woche«, antwortete Ronan und vergrub die Nase zwischen den Zehen, um einen tiefen Atemzug zu nehmen.

»Lass das, du dreckiges Stinktier!«, kreischte Bethany.

»Ist doch völlig harmlos«, grinste Ronan und ließ seinen Stiefel vor ihrer Nase baumeln. »Alles nur natürliche Körpersäfte.«

Ein paar der Jungen lachten, aber Lauren trat entschlossen über die Karten hinweg und baute sich vor Ronan auf. »Wenn du nicht auf der Stelle diesen Stiefel wieder anziehst, werden Bethany und ich dich ins Bad schleifen, splitternackt ausziehen und dich mit der Klobürste abschrubben!«

»Krass!«, lachte Andy, »von zwei heißen Bräuten ausgezogen und geschrubbt zu werden!«

»Du meinst wohl, von zwei ekligen Walrössern«, widersprach Jake.

Doch Laurens finsterer Blick genügte, um die Jungen umgehend zum Schweigen zu bringen. Widerstrebend zog Ronan den Stiefel an. Obwohl es draußen bitterkalt war, riss Bethany die Balkontür auf, um frische Luft hereinzulassen.

Lauren hockte sich wieder vor die Karten und fuhr fort:

»*Ich* habe bereits ein schwarzes T-Shirt und einen guten Ruf.« Wie um ihre Worte zu unterstreichen, zog sie sich das T-Shirt glatt. »Mir macht es also nicht viel aus, wenn wir die Sache vermasseln. Aber wenn ihr drei Jüngeren irgendwann mal die Chance auf einen vernünftigen Einsatz bekommen wollt, dann müssen wir das hier durchziehen. Ihr habt die Wahl: Entweder ihr macht Blödsinn oder ihr beruhigt euch und fangt an, mal ernsthaft über diesen Plan nachzudenken!«

Kevin, Ronan und Jake gaben nicht gerne zu, dass Lauren recht hatte, aber es dauerte nicht lange, bis

sie unter ihrem eindringlichen Blick schließlich zustimmend nickten.

»Okay«, sagte Lauren zufrieden. »Da ich hier die
Einzige mit einem schwarzen T-Shirt bin, mache ich
mich mal selbst zur Vorsitzenden. Hat jemand was
dagegen?«

Eigentlich rechnete sie mit einem Aufstand. Doch
der blieb aus. Es war allen klar, dass jemand die
Sache in die Hand nehmen musste, wenn sie Erfolg
haben wollten.

Rat meldete sich brav und wartete darauf, dass Lauren nickte, bevor er sagte: »Ich sehe da ein Problem
bei unserem jetzigen Plan. Bethany und Lauren arbeiten vor dem Flugüberwachungszentrum, aber ich,
Andy und die drei Kleinen stehen hinten ohne Waffen
sechs erwachsenen Sicherheitsleuten gegenüber.«

»Wir brauchen Gewehre«, stieß Jake hervor. »Zumindest Betäubungspfeile oder Betäubungspistolen.«

»Warum lest ihr nicht erst mal die Einsatzunterlagen?«, seufzte Lauren. »Unsere Aufgabe ist es, die
Sicherheitsvorkehrungen zu überprüfen, die eine private Firma beim ATCC eingerichtet hat. Wenn die
Regierung Leute mit Skimasken und Maschinenge-
wehren haben wollte, hätte sie die Armee beauftragt.
Wir müssen uns so anziehen und so tun, als seien wir
normale Kids auf einem vorweihnachtlichen Ausflug.
Wir dürfen Handys benutzen, aber keine Funkgeräte.
Und wir können auch keine Abhörgeräte, Spreng-
stoffe, Schlossknackerinstrumente oder sonst was in

der Art mitnehmen, sondern nur relativ normale und unauffällige Sachen. Also auf gar keinen Fall Waffen!«

Bethany hob die Hand und wedelte mit ihren Einsatzunterlagen. »Aber hier steht auch, dass die Security-Leute von einem Team der Militärpolizei unterstützt werden.«

»Mit Waffen«, fügte Jake hinzu.

»Lest doch mal *genau*«, erklärte Lauren. »Das ist ein Einsatzteam, das auf einer acht Kilometer entfernten Royal-Air-Force-Basis stationiert ist. Wenn wir also der normalen Security keine Zeit lassen, Alarm zu schlagen, müssen wir uns nur um die privaten Wachleute und ihre Schlagstöcke und Pfeffersprays kümmern.«

»Wenn wir nur wüssten, was das für Leute sind«, überlegte Bethany. »Ich meine, es könnten sowohl klapprige alte Typen sein als auch Ex-Elitesoldaten.«

Lauren zuckte mit den Achseln. »Wenn dieses Kontrollzentrum nächstes Jahr eröffnet wird, wird es für jeden zivilen und militärischen Flug von den Midlands bis nach Schottland verantwortlich sein. Und wenn es in die Luft fliegt, könnten die Flugzeuge abstürzen.«

Ronan nickte ernst. »Also, wenn die Sicherheitsvorkehrungen nicht von völligen Idioten ausgearbeitet wurden, werden wir es nicht unbedingt mit Pfadfindern zu tun haben.«

»Vielleicht sollten wir zu Dennis King in der Einsatzvorbereitung gehen und sagen, dass wir mehr Informationen über das Security-Team brauchen?«, schlug Andy vor.

Lauren schüttelte den Kopf. »Diese Sicherheitsüberprüfungen sind zum Teil ein Einsatz, zum Teil aber auch eine Übung. Vielleicht gibt uns King tatsächlich mehr Informationen, aber eigentlich sollten wir unseren Plan anhand der Unterlagen ausarbeiten, die uns ausgehändigt wurden. Alles andere würde sich bestimmt nachteilig auf unsere Beurteilung auswirken.«

»Ich hab's!«, schrie Rat triumphierend und schlug sich mit der Faust in die Hand. »Steinschleudern!«

»Was ist damit?«, fragte Lauren.

»Kinder haben Steinschleudern«, erklärte Rat. »Als ich noch in Australien in der Arche gewohnt habe, war mir immer langweilig. Ich hatte nicht viel Spielzeug, aber eines davon war eine Steinschleuder. Ich hab einen Stein reingelegt und bin aus einem Tunnel oder Graben aufgetaucht, hab auf irgendwen gezielt und bin wieder verschwunden, bevor derjenige wusste, was ihn getroffen hatte. Ich hab mindestens ein Dutzend Gehirnerschütterungen verursacht, bevor ich erwischt und mir der Hintern versohlt wurde.«

»Klingt gut«, begann Lauren lächelnd, wurde jedoch von Jake unterbrochen: »Ich bin ganz gut mit der Steinschleuder – damit haben wir hinten auf dem Campus Eichhörnchen massakriert.«

Lauren mochte Jake nicht. Und mit dieser Aussage

konnte er bei ihr als Tierfreundin und Vegetarierin erst recht nicht punkten.

»Wie bitte?«, fragte sie wütend. »Was haben dir die Eichhörnchen auf dem Campus denn getan?«

»Das war doch nicht jetzt«, wand sich Jake, »sondern damals, als ich als kleines Rothemd im Sommer da draußen zum Zelten war.«

»Jungs«, seufzte Bethany kopfschüttelnd. »Die scheinen alle so eine Phase durchzumachen, in der sie immer nur irgendetwas abmurksen oder in Brand stecken können.«

»Das ist aber ziemlich sexistisch, Bethany«, widersprach Rat energisch. »Wenn ich solche Vorurteile in Bezug auf Mädchen aussprechen würde…«

Doch gleichzeitig rief Ronan: »Ich liebe es, Sachen in Brand zu stecken!«

»Okay, okay!«, rief Lauren und klatschte in die Hände. »Konzentrieren wir uns lieber wieder auf den Sicherheitstest, ja? Im Waffenlager sind bestimmt Steinschleudern und wenn ihr glaubt, dass sie uns helfen können, dann holt euch eben welche, *in Gottes Namen!*«

»Ist schon eine Weile her, dass ich mit der Steinschleuder geschossen habe«, meinte Rat und sah auf die Uhr. »Wir haben noch ein paar Stunden, bevor wir los müssen, deshalb würde ich ganz gern noch ein bisschen üben.«

Jake grinste. »Wir könnten uns die Enten auf dem Teich vornehmen.«

»Das ist nicht witzig, Jake«, grollte Lauren. »Wenn ich dich oder jemand anderen dabei erwische, wie er die Tiere auf dem Campus quält – dann schnapp ich mir denjenigen und schlage ihn so zusammen, dass er einen Monat lang Blut pinkelt.«

»Leere Coladosen wären doch auch ein gutes Ziel«, wagte Kevin einen konstruktiven Vorschlag.

»Besonders, wenn man Eichhörnchen drauf malt«, nickte Jake grinsend.

»Schon gut!« Lauren biss die Zähne zusammen und unterdrückte den Wunsch, sich auf Jake zu stürzen und ihn windelweich zu schlagen. »Ihr Jungs könnt von mir aus mit euren Steinschleudern spielen. Aber vorher sollten wir den ganzen Plan noch einmal von vorne bis hinten durchgehen. Ich will, dass ihr alle euren Part auswendig kennt. Bethany, fang du doch an, ja?«

3

Nach der gewalttätigen Demonstration in Birmingham im vergangenen Jahr hatte es die Polizei Chris Bradford fast unmöglich gemacht, mit seiner SAG erneut in Aktion zu treten: Hundert Demonstranten sahen sich zweihundert Polizisten gegenüber; größere SAG-Veranstaltungen wurden von den lokalen Behörden verboten; alle, die sich nicht an das Verbot hielten, fanden sich vor verschlossenen Bahnhöfen, abgesperrten Straßen und Polizisten wieder, die sofort jeden verhafteten, der aus der Reihe tanzte.

Schon seit Mitte der 80er-Jahre und ihrem ersten Einsatz gegen die Grubenarbeiterstreiks war es der Polizei mithilfe dieser rigorosen Taktik gelungen, Dutzende von regierungsfeindlichen Aufständen zu zerschlagen. Um dieser »staatlichen Unterdrückung« zu entgehen, hatte Chris Bradford im Laufe der Zeit den Eindruck erweckt, die SAG würde in sich zusammenfallen: Er veranstaltete immer kleinere Aktionen, zu denen immer weniger Menschen und noch weniger Polizisten kamen – und erreichte damit schließlich sein Ziel.

Denn sobald die Polizei nicht mehr so wachsam war, machte sich Bradford an die Planung seiner größten SAG-Aktion. Und dafür war Weihnachten der ideale Zeitpunkt: Die Schul- und Universitätsferien lieferten ihm genau die richtige Menge an gelangweilten jungen Menschen, um auf den Straßen Chaos anzuzetteln; die Cops waren vollauf mit Betrunkenen in Feierlaune beschäftigt und viele Beamte nahmen in dieser Zeit sowieso Urlaub. Doch das Wichtigste war ein medialer Spitzenplatz für seine Aktion, der ihm in der Vorweihnachtszeit – in der ansonsten aus Sicht der Zeitungs- und Fernsehjournalisten ziemlich wenig Spektakuläres passierte – garantiert war.

James Adams hatte die SAG erfolgreich unterwandert und kannte Bradfords Plan. Er hatte seinem Einsatzleiter John Jones darüber berichtet, ohne dass dieser die Information an die Polizei weitergegeben hätte. Denn James untersuchte die wesentlich größere Gefahr, dass die SAG sich in eine Terrororganisation verwandelte. Wäre Bradford also aus der U-Bahn in Covent Garden gestiegen und hätte sich Hunderten von Polizisten gegenüber gesehen, hätte er gleich einen Maulwurf in seiner Organisation vermutet.

Ein Problem, das jegliche Art von Geheimdienstarbeit mit sich brachte: Die undercover ermittelten Informationen konnten oft nicht eingesetzt werden, ohne die Sicherheit der Agenten zu gefährden. Doch als James nun sah, wie Hunderte von Demonstranten Richtung Trafalgar Square strömten, fragte er sich, ob sie wirklich die richtige Entscheidung getroffen hatten.

Es herrschte ohrenbetäubender Lärm. James war ein wenig nervös und zugleich elektrisiert von dem Gefühl, Teil einer so mächtigen Gruppe zu sein. Geschosse flogen über ihn hinweg, und auf beiden Seiten der Straße hörte man Glas splittern. In einem japanischen Restaurant kreischten die feiernden Gäste entsetzt auf, als ein Pflasterstein durch die Fensterscheibe krachte. Gleich darauf wurden das Bleiglasfenster eines georgianischen Theaters eingetreten, der Kartenschalter demoliert und die Plakate aus den Halterungen gerissen und in die Luft geworfen.

Passanten drückten sich in die Hauseingänge, während das Ladenpersonal schnell die Türen vor dem pulsierenden »SAG! SAG! SAG!«-Schlachtruf verschloss.

Die SAG-Sympathisanten stammten größtenteils aus den schlimmsten Stadtvierteln Londons und James staunte, wie Chris Bradford es geschafft hatte, eine so riesige Menge von Aktivisten und Unruhestiftern zusammenzutrommeln, ohne dass die Polizei davon Wind bekommen hatte. Bradford hatte behauptet, dass er sich über hundertfünfzig Demonstranten freuen würde. Doch jetzt waren es dreimal so viele. Sie verteilten sich über beide Straßenseiten und mischten sich in den zähen Verkehr auf den verstopften Fahrbahnen.

Zwei Minuten, nachdem sie den Strand erreicht hatten, war der Gehweg vor ihnen wie leer gefegt. Die Fußgänger hatten sich entweder in die Läden oder in eine der vielen Nebenstraßen geflüchtet.

Die Wenigen, die nicht rechtzeitig davongekommen waren, wurden zumeist einfach ignoriert, mit Ausnahme von ein paar Obdachlosen, die in der Gegend campierten und von den Aktivisten mit Münzen und Segenswünschen überschüttet wurden. Eine weitere Ausnahme bildeten Büroangestellte in Nadelstreifenanzügen und Kostümen und mit teuer wirkenden Uhren. Der Großteil der Menge begnügte sich zwar mit Grölen und Sachbeschädigung, aber eine besonders bösartige Gruppe schnappte sich alle, die auch nur entfernt nach Geld aussahen, und befahl ihnen, es herauszurücken.

»SAG! SAG! SAG!«, schrie James und schwang seine Faust in die Luft, während er mit der Masse weitergeschoben wurde.

Mit einem schnellen Tritt riss er den Außenspiegel einer Chauffeurlimousine ab, die zwischen zwei Bussen im Verkehr feststeckte – schließlich musste er seinem grünen Irokesen und seiner Rolle als Anarchist gerecht werden. Er hob den Außenspiegel auf und sah sich um, fand aber nichts, auf das er hätte werfen können.

Gleich darauf prallte er gegen seinen Vordermann. Auch hinter ihm staute sich die Menge auf und blieb stehen. Alle schienen überrascht und das Grölen erstarb. James beugte sich vor, um zu sehen, was geschehen war.

Keine fünfzig Meter vor ihnen befand sich die Charing-Cross-Station und ein Stück weiter ragte die Admiral-Nelson-Säule hoch in die Luft. Doch der Weg dorthin wurde ihnen von einer Reihe von Polizeiautos mit blitzenden Blaulichtern versperrt.

»Nazis!«, zischte ein Jugendlicher direkt in James Genick. »Wie sind die denn so verdammt schnell hierher gekommen?«

James sagte nichts, doch er kannte den Fehler in Bradfords Plan. Gleich in der Nähe ihrer angepeilten Marschroute lag eine der größten Polizeiwachen von London. Als der Superintendent der Polizeistation am Charing Cross gehört hatte, dass die Demo außer Kontrolle geriet, hatte er natürlich sofort befohlen, mit

mehreren Polizeiwagen den gesamten Strand zu blockieren.

Jeder einzelne Polizist dieser Wache – einschließlich derer, die ihren Schreibtisch seit Jahren nicht
mehr verlassen hatten – war angewiesen worden,
volle Schutzkleidung zu tragen. Und so standen jetzt
über fünfzig Cops hinter der Barrikade.

»Bitte lösen Sie den Zug augenblicklich auf«, tönte
es aus einem Polizeilautsprecher. »In Kürze wird Verstärkung eintreffen. Sie werden verhaftet und könnten verklagt werden.«

Nach dieser Ankündigung versuchten die Polizisten, die Menge einzuschüchtern, indem sie mit den
Schlagstöcken auf ihre Plastikschilde schlugen. Und
es schien tatsächlich zu wirken.

Der Mob war verstummt und dabei, sich neu zu orientieren. James beobachtete, wie Hunderte von Atem-
wölkchen in den dunkler werdenden Himmel aufstiegen. Das Blaulicht der Polizei wetteiferte mit der
Weihnachtsbeleuchtung. Es war wie in einer Pause
zwischen zwei Liedern bei einem weihnachtlichen
Open-Air-Konzert. Und doch lag eine gefährliche Stimmung in der Luft. James sah, wie sich ein paar Demonstranten am Rand der Menge in die Seitenstraßen
verdrückten.

Immer mehr Leute verschwanden in den Nebenstraßen und die angespannte Atmosphäre lockerte
sich etwas; alles sah danach aus, als würde sich der
Marsch auflösen. Doch dann war plötzlich alles an-

ders, als aus dem Fenster im dritten Stock eines Hauses eine orangerote Flamme flog und zwischen zwei Polizeiautos in einem grellen Feuerball explodierte.

Ohne dass James es mitbekommen hatte, waren mehrere Aktivisten durch eine Glastür eingebrochen, hatten ein Büro ein paar Stockwerke über den Läden gestürmt, ein Fenster geöffnet und eine Brandbombe hinuntergeworfen.

Die Menschenmasse johlte und pfiff, während weitere Bomben heruntersegelten, Benzin über die Straße spuckten und die Polizeiwagen in Brand setzten. Die Beamten flohen panisch von ihren Barrikaden.

Da begann die große Trommel wieder zu schlagen und die ganze Menge schrie mit neu erwachtem Aktionismus und in voller Lautstärke: »SAG! SAG! SAG!«

James hatte geglaubt, alle Einzelheiten von Bradfords Plan zu kennen, aber von den Molotow-Cocktails hatte er nichts gewusst. Und doch ließ der gezielte Wurf auf die Reihen der Polizei nur einen Schluss zu: dass es sich dabei um keine spontane Aktion handelte, sondern um eine geplante Operation.

»SAG! SAG! SAG!«

Wer nicht mitbrüllte, pfiff so laut, dass James die Ohren wehtaten. Die Polizisten hatten sich zwar zurückgezogen, doch es gab keinen Weg durch die brennenden Wagen hindurch.

Der Mann mit dem gestohlenen Megafon rettete die Situation auf seine Weise, indem er der Menge befahl: »Zerstört das Savoy! Zerstört das Savoy!«

»Super Idee!«, schrie jemand. Der Mob machte auf dem Absatz kehrt und lief in die Richtung zurück, aus der er gekommen war, direkt auf eines der besten und elegantesten Hotels Londons zu. James befand sich jetzt eher am Ende der Meute und es dauerte eine Weile, bis er wieder loslief.

»Wir haben die Bullen verbrannt! Wir haben die Bullen verbrannt! Lah la la lah la!«

Mitten im Chaos und dem Klirren von berstendem Glas spürte James, wie das Handy in seiner Tasche vibrierte. Eine SMS von Dana.

HAST DU MEINE GRÜNE TRAININGSJACKE GESE-HEN?

James freute sich, von seiner Freundin zu hören. Aber gleichzeitig war er enttäuscht, dass sie nicht auf sein Geständnis reagiert hatte.

GLAUB, SIE IST UNTER MEINEM BETT, war deshalb das Einzige, was er antwortete.

Als er das Handy wieder einsteckte, prallte er gegen seinen Vordermann und sah auf. Wieder war die Menge leiser geworden und er hörte das charakteristische Hämmern von Schlagstöcken auf Plastikschilden.

Vor ihnen war die Straße erneut verstellt, hinter ihnen eine brennende Barrikade, weshalb sich die Menschenmasse auf der Suche nach einem Ausweg den Nebenstraßen zuwandte. Doch diesmal waren auch alle Nebenstraßen von weißen Wagen mit blitzenden Blaulichtern versperrt.

Rat, Andy, Jake, Kevin und Ronan rannten die Treppe von Laurens Zimmer im achten Stock zum Waffenlager im Erdgeschoss hinunter.

»Für was zum Teufel hält sich Lauren Adams eigentlich?«, giftete Jake, als er sich um das Treppengeländer schwang. »Diese eingebildete kleine Kuh...«

»Du redest von meiner Freundin!«, warnte ihn Rat.

Andy versuchte zu vermitteln, schließlich war ihm klar, dass Teamarbeit der einzige Weg zum Erfolg war. »Lauren ist vielleicht ein bisschen eingebildet, aber sie hat auch echt was drauf, Jake. Sie hat hier einige der besten Einsätze gemacht und dabei ist sie erst dreizehn...«

Ronan kicherte. »Wenn sie so Riesentitten hätte wie Bethany, wär sie perfekt!«

Andy und Rat mussten lachen. »Ich schwör dir, jedes Mal wenn ich sie sehe, sind sie noch größer!«

»He, ihr redet von meiner Schwester«, beschwerte sich Jake.

»Ach komm, Jake, ihr beide hasst euch doch!«, gab Andy zurück.

»Andy ist in Bethany verliebt«, behauptete Rat, während Ronan einen halben Treppenabsatz übersprang und mit lautem Poltern im sechsten Stock landete. »Aber er hat viel zu viel Schiss davor, sie um ein Date zu bitten.«

»Red keinen Schwachsinn, Rat!«, stieß Andy erschrocken hervor. »Ich hab nur ein einziges Mal

35

gesagt, dass ich sie mag, und seitdem gibst du keine Ruhe mehr!«

»Angsthase!«, frotzelte Rat.

Mittlerweile waren sie alle im sechsten Stock angekommen, und Kevin bog in den Gang ein.

»He, wo willst du hin?«, rief Rat ihm nach. »Wir sollen doch nach unten, um mit der Steinschleuder zu üben!«

»Ich will die hier aber nicht dreckig machen!«, erklärte Kevin und deutete auf seine strahlend weißen Turnschuhe. »Ich geh schnell ins Zimmer und zieh mich um!«

Ronan schüttelte den Kopf. »Die Turnschuhe wechseln! Bist du ein Mädchen oder was?«

»Jedenfalls stinke ich nicht nach Pisse!«, gab Kevin zurück.

Ronan war schon auf halbem Weg zum fünften Stock, doch bei diesen Worten drehte er sich blitzartig um und ging drohend auf Kevin zu. »Sag das noch mal und ich schlag dir den Schädel ein!«

»Lasst den Quatsch«, seufzte Rat. Er war einer der stärksten Dreizehnjährigen auf dem Campus und hatte keine Schwierigkeiten, zwei Elfjährige in Schach zu halten. Er stieß Kevin in Richtung seines Zimmers und packte dann Ronan am Kragen. »Wir werden alle zusammen zwei Stunden lang in einem Mini-Van zum ATCC fahren. Wenn du da noch nach irgendetwas anderem als Seife oder Deo riechst, kannst du deinen Platz auf dem Dachgepäckträger suchen!«

»Eben«, höhnte Kevin, der sich jetzt rückwärts seinem Zimmer näherte. »Nimm endlich mal ein Bad, du Loser!«

»Wir sehen uns im Waffenlager, Kev«, sagte Rat und lief mit Andy und Jake weiter.

Kevins Zimmer sah wie alle anderen im Hauptgebäude aus: ein kleines Sofa an der Tür, ein Doppelbett, ein Schreibtisch mit Laptop am Fenster, an einer Seite ein Wandschrank und nebenan ein Badezimmer. Überrascht registrierte Kevin einen Werkzeugkoffer in der Tür zum Bad.

Karen, die Klempnerin auf dem Campus, streckte den Kopf aus der Tür. Sie trug eine zerschlissene Latzhose über einem weißen CHERUB-T-Shirt und hatte einen Toilettensitz in der behandschuhten Hand.

»Hi«, begrüßte sie ihn. »Ich baue nur das neue Klo ein.«

Auf dem Campus wurden gerade alle Toiletten gegen neue, wassersparende Modelle ausgetauscht. Das war am Montag bei der Morgenversammlung verkündet worden, aber Kevin hatte es völlig vergessen.

»Bin in zehn Minuten fertig, aber wenn du aufs Klo musst, kannst du ja das einweihen, das ich gerade gegenüber eingebaut habe.«

»Null Problemo«, nickte Kevin, setzte sich aufs Bett und fischte ein paar alte Turnschuhe darunter hervor.

Nachdem er sie angezogen hatte, wünschte er der Klempnerin frohe Weihnachten und lief wieder hinaus. Allerdings hielt er es tatsächlich für eine gute Idee, sich noch einmal zu erleichtern, bevor er draußen in der Kälte mit der Steinschleuder übte. Also riss er die Tür gegenüber auf und betrat James Adams' Zimmer.

4

James duckte sich erschrocken, als ein Reifen an einem der brennenden Wagen mit lautem Knall platzte. Die Hitze war zu groß geworden. In den Straßen rundherum heulten Sirenen. Die Leute in der Menge rempelten und schubsten sich an. James war groß genug, um Luft zu bekommen, aber einige der Kleineren wurden eingeklemmt und verfielen in Panik.

»Bitte bleiben Sie ruhig«, mahnte ein Polizeilautsprecher. »Die Versammlung wird diszipliniert aufgelöst.«

Bevor die Brandbomben die erste Polizeibarrikade getroffen hatten, waren um die achtzig Demonstranten in die Seitenstraßen verschwunden. Somit stand die Polizei nun noch etwa dreihundert Aktivisten gegenüber.

Am östlichen Ende des Strands hatten fünfzig Polizisten die Menschen eingekesselt, ein Dutzend weitere blockierten die Nebenstraßen. Doch obwohl sie den Beamten fünf zu eins überlegen waren, wollte sich keiner der Demonstranten mit Schilden, Helmen und Teleskopschlagstöcken anlegen.

Ein Veteran der Protestbewegung stand in James' Nähe und erklärte seiner Freundin die Taktik der Polizei.

»Die Mistkerle werden uns hier stundenlang festhalten und nur immer zu zweit oder zu dritt rauslassen. Und bevor sie uns gehen lassen, fotografieren sie uns und schreiben sich unsere Namen auf.«

»SAG! SAG! SAG!«, schrie jemand, doch die Menge antwortete nur halbherzig, nachdem sie jetzt auch noch vom Scheinwerfer eines Polizeihubschraubers geblendet wurde. James vermutete, dass sie nach Bradford und anderen hochrangigen SAG-Mitgliedern suchten. Aber diejenigen, die sich nach Birmingham noch in Freiheit befanden, waren längst verschwunden, bevor der Protestmarsch seinen Höhepunkt erreicht hatte.

Plötzlich donnerte hinter James eine noch größere Explosion als vorhin: Der Benzintank eines Polizeiwagens war in die Luft geflogen. An der dem Feuer gegenüberliegenden Straßenseite hatten die Polizisten ein paar nur leicht beschädigte Wagen aus der Barrikade gerollt und marschierten jetzt durch die Lücke, um die Menge von hinten einzuschließen. Das Trommeln der Schlagstöcke veranlasste die Leute, sich vor Angst noch dichter zusammenzudrängen, und vor James schrie eine Frau, dass sie keine Luft mehr bekäme.

Doch es war nicht der Platzmangel, der das Gedränge verursachte, sondern die Tatsache, dass keiner der Demonstranten am äußeren Rand der Menschenmenge stehen wollte, nachdem die Polizei sie komplett umzingelt hatte. Die Leute versuchten, sich vor den Schlagstöcken zu schützen wie Kaiserpinguine vor der Kälte.

»Ich muss hier raus!«, kreischte die Frau. »Lasst mich hier raus!«

James kam das ganze Gedrängel sinnlos vor. Da er über genügend Muskelkraft verfügte, um sich durchzuboxen, packte er auf seinem Weg durch die Menge die panische Frau und legte ihr den Arm um die Schultern.

»Beruhigen Sie sich«, befahl er energisch, als sie schließlich dreißig Meter weiter einen freien Platz im Niemandsland zwischen den Demonstranten und der Polizei erreicht hatten. Die junge Frau, die Anfang zwanzig sein musste, wühlte in ihrer Tasche nach einem Inhalator. James nahm eine Wasserflasche aus seinem Rucksack und bot ihr etwas zu trinken an.

»Danke«, sagte sie mit starkem französischem Akzent und griff erleichtert nach der Flasche. »Ich hab da drin solche Angst bekommen!«

»Keine Panik«, grinste James.

Auf der anderen Straßenseite wurden die Autos langsam durchgewinkt, die auf dem Weg nach Osten zwischen den beiden Polizeilinien aufgehalten worden waren. Nachdem sich der Verkehrsstau aufgelöst hatte, breitete sich die Masse auf dem zusätzlichen freien Raum aus. Als den Leuten klar wurde, dass die Einsatztruppe der Polizei nicht mit den Schlagstöcken auf sie losgehen würde, lockerte sich die Anspannung ein wenig.

James und seine neue Freundin zogen sich zu einer Säule zwischen den heruntergelassenen Fenstergittern eines Juweliers und eines Elektroladens zurück.

»Rauchst du?«, fragte das Mädchen und bot ihm Zigaretten und ein Feuerzeug an.

James schüttelte lachend den Kopf. »Zigaretten und Asthma. Tolle Kombination!«

Doch bei einem Blick auf die Uhr verging ihm das Lachen. In knapp drei Stunden sollte er Chris Bradford bei einem Treffen am anderen Ende der Stadt den Rücken decken. Es war wichtig für die Mission, aber wenn die Polizei die Demonstranten nur nach und nach im Laufe von mehreren Stunden gehen lassen würde, hatte er keine Chance, rechtzeitig dorthin zu kommen.

»Eigentlich müsste ich ganz woanders sein«, sagte James.

Die Französin lächelte. »Wenn du einen Plan hast, ich bin ganz Ohr.«

Zum ersten Mal sah James sie richtig an. Mit ihren schwarzen Strümpfen und dem offenbar teuren gestreiften Mantel schien sie so gar nicht zu den SAG-Aktivisten oder den Stadtrowdys zu passen.

»Wie hast du denn von der Demo erfahren?«

»Ich studiere Journalismus«, erklärte das Mädchen. »Ich bin für drei Monate in der Londoner Redaktion einer Pariser Zeitung. Gestern Abend habe ich auf einer Party ein paar Jungs davon reden gehört, dass es möglicherweise Ärger gibt.«

»Auf der Jagd nach einer echten Sensation, was?«, meinte James und lächelte abwesend.

Normalerweise ließ er sich ein Gespräch mit hübschen Mädchen nicht entgehen, aber jetzt fiel sein Blick auf das Metallgitter vor dem Elektroladen. An seinen Ösen konnte es von außen mit Vorhängeschlössern befestigt werden, aber stattdessen war es jetzt nur hastig und lose heruntergezogen worden. James fragte sich, ob man es wohl auch von innen abschließen konnte.

»Wohin gehst du?«, fragte die Französin, als er zwei Schritte zur Seite machte und durch die Ritzen des Metallgitters spähte.

Im Ladenraum waren alle Lichter an. Zwischen den beiden Schaufenstern lag ein etwas zurückgesetzter Bereich mit sechs verschlossenen Glastüren.

»Da muss es doch einen Hinterausgang geben«, vermutete James.

Während er die Polizisten im Auge behielt, hockte er sich hin, hob schnell das Gitter an und schlüpfte darunter hindurch.

»Wohin gehst du?«, wiederholte das Mädchen.

»Schau jetzt nicht her«, befahl James.

Er stellte sich in den Zwischenraum mit den Türen

und bemerkte erleichtert, dass sich im Laden offensichtlich nur noch der Geschäftsführer befand, der in einer hinteren Ecke mit einer X-Box spielte.

James schlich sich leise an den Türen entlang und probierte alle sechs davon aus, doch es überraschte ihn nicht, dass sie verschlossen waren. Auf dem Campus wurde das Knacken von Schlössern mit einem mechanischen Dietrich trainiert, aber da James so etwas normalerweise nicht mit sich herumtrug, musste er sich jetzt mit seinem Leatherman begnügen.

Nach einem raschen Blick auf die Türgriffe atmete er erleichtert auf. An den Türen gab es zwar Riegel, die jedoch – ebenso wie die Vorhängeschlösser am Gitter – erst abends, wenn der Laden zumachte, von außen verschlossen wurden. So waren die beiden äußeren Türpaare jetzt nur von innen verriegelt, während die Doppeltür in der Mitte elektronisch gesteuert nach innen aufschwingen sollte. Der Strom war zwar abgeschaltet worden, aber ansonsten sah alles danach aus, dass er nur irgendwie die Finger zwischen die Automatiktüren bekommen musste, um sie zu öffnen. James ging in die Hocke und wollte gerade einen Versuch starten, als die Französin ihren Zigarettenrauch durch das Gitter blies.

»Alles in Ordnung? Kommst du rein?«

»Schau *um Himmels willen* nicht her!«, verlangte James gereizt.

Um sie herum wimmelte es nur so von Demonstranten und Polizisten, und es war sowieso schon ein Wunder, dass er überhaupt so weit gekommen war.

Mit der Stiefelspitze drückte er nun gegen den unteren Rand der einen Türhälfte und stemmte sie einen Spaltbreit auf – doch es war zu wenig, um seine Finger hineinzustecken. Also setzte er die gezackte Klinge seines Taschenmessers in die Lücke und nutzte sie als Hebel. Tatsächlich gelang es ihm, einen Spalt zu schaffen, durch den er vier Finger einer Hand schieben konnte.

Die Tür drückte gegen seine Fingerspitzen, und er stöhnte vor Schmerz. Aber er hörte nicht auf, daran zu ziehen, bis sie sich so weit bewegt hatte, dass er auch die Finger der anderen Hand in den Spalt bekam. Doch sie gab erst nach, als er schließlich sein ganzes Körpergewicht dagegen warf.

Die Hydraulikkolben, mit denen die Tür normalerweise betrieben wurden, zischten auf und die Tür öffnete sich – aber James' Triumphgefühl währte nur eine halbe Sekunde, bis seine Finger den Halt verloren und er mit einem lauten Scheppern rücklings auf das Bodengitter dahinter fiel.

Als James sich wieder aufrappelte, sah er, wie die Französin sich gerade unter dem Außengitter durchklemmte. Durch den Lärm waren auch andere Demonstranten auf sie aufmerksam geworden.

Der Mann im Elektroladen hatte die X-Box fallen lassen und sprang über die Theke, um den Alarmknopf zu drücken.

»Raus aus meinem Laden!«, rief er aufgebracht.

Dummerweise war gerade das Auslösen des Alarms das Schlimmste, was er tun konnte. Nachdem bereits ein paar Demonstranten der Französin durch das Gitter gefolgt waren, lenkten die Sirenen endgültig die Aufmerksamkeit *aller* auf das, was vor dem Laden geschah – und die Demonstranten fühlten sich wieder gestärkt.

»Oggy, oggy, oggy!«, schrie jemand durch ein Megafon.

»SAG! SAG! SAG!«, rief die Menge zurück. Dann gingen plötzlich die anderen Gitter hoch, und um die Automatiktüren entstand ein wildes Gedränge.

James packte die Französin an ihrem dünnen Arm und lief mit ihr in den hinteren Teil des Ladens zur Feuertür.

»Da ist das Lagähr!«, rief sie, und vor Angst verstärkte sich ihr französischer Akzent.

Als James den Notausgang schon fast erreicht hatte, verstellte ihm der Geschäftsführer den Weg – ein Fehler, angesichts James' Trainingszustand. Mühelos packte er den untersetzten Mann an der Krawatte und stieß ihn seitlich in ein Regal mit Batterieladegeräten und Adaptern.

»Lass mich in Ruhe, oder du bist krankenhausreif«, warnte James ihn und folgte schnell dem Notausgangsschild über der Feuertür – gefolgt von über fünfzig Demonstranten, die inzwischen in den Laden eingedrungen waren. Die meisten wollten einfach nur so schnell wie möglich fliehen, aber für ein paar von ihnen war die Versuchung zu groß.

Dutzende von Laptops, DVD-Playern und anderen Geräten wurden aus ihren Halterungen gerissen, was weiteren Alarm auslöste. Doch das schreckte die Randalierer nicht davon ab, so viele Kameras und iPods wie möglich in die Ladeneinkaufstüten zu stopfen.

Draußen waren mittlerweile Polizisten angerannt gekommen, um den Eingang zu versperren. Doch das konnte die Menge nur zum Teil einschüchtern. Ein anderer Teil fühlte sich erst recht bestärkt, denn nachdem die Polizisten ihre zu anfangs beeindruckende Schlagstocktrommelwirbel-Formation aufgegeben hatten, war ihre Unterzahl mit einem Mal offensichtlich.

Bevor es sechs Beamten schließlich gelang, den Laden mit ihren Schilden abzuschirmen, waren schon etwa siebzig Demonstranten eingedrungen – und keiner der Polizisten legte gesteigerten Wert darauf, dem durchgedrehten Mob zu folgen. Andere Aktivisten durchbrachen jetzt die Polizeireihen in Richtung Savoy-Hotel oder überrannten die Blockaden der Seitenstraßen, die zur Themse führten.

Das Chaos griff erneut um sich und die Polizisten machten die Sache nicht gerade besser, indem sie ihre Schlagstöcke einsetzten und willkürlich jeden verhafteten, den sie erwischen konnten.

Währenddessen hatten es James und die Französin durch die Feuertür und ein paar Stufen hinunter in einen größeren Lagerraum geschafft. Von dort aus führte eine Tür direkt auf eine schmale Gasse hinaus. Doch das Problem waren die Plünderer, durch die James sich mühsam hindurchkämpfen musste.

Da er sowieso nichts von dem behalten durfte, was er auf einer Mission stahl, interessierte ihn das Zeug nicht – im Gegensatz zu dem Mädchen an seiner Seite, das plötzlich zwischen zwei Regalen verschwand und mit ein paar kleinen Schachteln wieder auftauchte.

»Toshiba Laptop!«, strahlte sie und reichte James einen. »*Très cher*! Ganz leicht, ideal für Journalisten!«

Endlich waren sie an der frischen Luft. Die Plünderer stoben in alle Richtungen davon, und noch bevor ein paar Polizeiautos die schmale Gasse blockieren konnten, rannte James mit der Französin am Arm los.

Nach zweihundert Metern gelangten sie an eine Y-Kreuzung mit zwei breiteren Straßen. Die blauen Lampen vor der Polizeiwache von Charing Cross ließen James zusammenzucken, obwohl keine Cops in Sicht waren.

»Da lang«, stieß er hervor.

»Ich kann nicht mehr!«, protestierte das Mädchen.

In diesem Moment hielt keine zwanzig Meter weiter ein schwarzes Taxi und lud einen Zeitungsfotografen am Straßenrand ab. James winkte dem Fahrer, sprintete los und kramte nach Geld.

»Nach Islington«, sagte er hektisch. »Caledonian Road.«

»Immer mit der Ruhe, Grünspecht«, gab der Taxifahrer lässig zurück. »Ich schreib nur noch die Quittung für diesen Herrn hier.«

James' erschrak, als er plötzlich einen Polizisten um die Ecke auf die Wache zustolpern sah, bis er erleichtert feststellte, dass dieser nicht in der Verfassung war, jemanden zu verhaften. Er hinkte stark und ein großer Sprung in seinem Helm ließ vermuten, dass ihn ein Pflasterstein oder etwas Ähnliches getroffen hatte.

Als der Fotograf endlich seine Quittung hatte und auf die Unruhen zulief, durchfuhr James schon der nächste Schock: Drei massive Typen in Trainingsanzügen und mit blinkendem Schmuck rannten auf das Taxi zu.

»He, das ist unser Taxi, Mann!«, schrien sie.

Der Erste schleppte Einkaufstüten voller Kameras, während seine beiden Kumpel einen der Einkaufswagen des Elektroladens mit PC- und Laptop-Schachteln vollgepackt hatten.

»Ich hab gesagt, das ist unser Taxi«, wiederholte der Größte von ihnen, sah James finster an und packte ihn an der Schulter.

James war schon ziemlich erschöpft. Er griff nach der riesigen Hand und verdrehte den Daumen, bis er ausgerenkt war. In der Zwischenzeit war die Französin ins Taxi gestiegen und klopfte aufgeregt gegen die gläserne Trennscheibe.

»Fahren Sie los!«

James wirbelte herum, doch der Fahrer fuhr tatsächlich ohne ihn ab.

»Ich hab dir gerade deinen mickrigen Hintern gerettet!«, schrie er ihr nach. James war fassungslos.

Doch dafür hatte er kaum Zeit, denn als er wieder auf den Gehweg trat, schwang bereits eine Faust ungeschickt auf ihn zu. James packte den Arm in der Luft und nutzte den Schwung, um den großen Typen über seinen Rücken abrollen zu lassen. Mit knirschenden Knochen landete er auf der Straße.

Seine zwei Plünderer-Kumpel schienen zu überlegen, ob sie auf James losgehen sollten, entschieden sich dann aber doch dafür, ihre mehrere Tausend Pfund schwere Beute nicht aus den Augen zu lassen.

James war wütend, dass die Französin ihn so egoistisch im Stich gelassen hatte. Aber ihm war klar, dass er seinen Stolz herunterschlucken musste, um sich wieder ganz auf die Mission zu konzentrieren. Er versetzte der Tüte mit den iPods und Kameras einen so heftigen Tritt, dass ihr halber Inhalt auf die Straße rollte. Dann rannte er wieder los, die Toshiba-Schachtel immer noch in der Hand.

James wusste nicht genau, wo er war. Aber wenn er die Richtung beibehielt, dachte er, würde er sicher nach Nordwesten laufen und in zehn Minuten an der Oxford-Street sein. Dort konnte er sich unter die Tausenden von Weihnachtseinkäufern mischen und dann die U-Bahn nehmen und nach Hause fahren.

5

Mit leisem Gurgeln und einem Luftblasenstrom verschwand Kevins Pisse in der frisch installierten Öko-Toilette. Kevin war schon ein paar Mal in James' Zimmer gewesen, allerdings noch nie in seinem Bad. Es war irgendwie komisch, sich in James' ganz privatem Bereich aufzuhalten. Und zugleich ziemlich spannend.

Der große Unterschied zwischen einem Elf- und einem Sechzehnjährigen war, so überlegte Kevin beim Händewaschen, dass man mehr Zeug brauchte. In seinem eigenen Badezimmer gab es gerade mal Shampoo, Seife, Zahnpasta und eine Tube Haargel, das er bis jetzt ganze zwei Mal benutzt hatte. Aber bei James standen ungefähr fünfzig Flaschen herum, von Rasierschaum und Anti-Aknecreme bis zu teuren Aftershaves. Sogar eine Haartönung war darunter. Anscheinend hatte auch Dana haufenweise Sachen hier. Und zu seiner größten Freude entdeckte Kevin auf dem Regal eine Schachtel mit »48 gemischten Kondomen«.

Kevin konnte mit Mädchen nichts anfangen. *Noch* nicht. Ihm war klar, dass sich das bald ändern würde und der Gedanke an Sex faszinierte ihn. Kondome kannte er bisher nur aus der Werbung. Also trocknete er sich schnell die Hände an einem schmutzigen Handtuch ab, warf einen vorsichtigen Blick aus der unverschlossenen Badtür und zog dann eines der kleinen Tütchen aus der Schachtel. Es juckte ihn in den Fingern, die kühle Folie aufzureißen.

Aber er musste sich beeilen, er musste nach unten, um Rat und die anderen einzuholen. Ob er das Kondom einstecken sollte, um es sich später in seinem Zimmer in Ruhe anzusehen? Aber er hatte noch nie in seinem Leben etwas gestohlen und auch nicht die Absicht, ausgerechnet jetzt damit anzufangen.

Gerade als Kevin das Kondom wieder in die Schachtel zurückfallen ließ, knallte plötzlich die Tür zu James' Zimmer auf. Er zuckte zusammen und sein Daumen verfing sich in der Schachtel, die prompt von dem schmalen Regal fiel. Mehrere Dutzend glänzende Folienpäckchen verteilten sich im Waschbecken und auf dem Boden.

Auf der anderen Seite der Wand, keine drei Schritte entfernt, hörte Kevin zwei Personen. Zuerst erkannte er die tiefe Stimme des sechzehnjährigen Michael Hendry.

»Was hat James gemeint? Wo ist dein Trainingsanzug?«

»Unter dem Bett«, antwortete James' Freundin Dana.

Während sie sprachen, rutschte Kevin leise auf den Knien herum, um die verstreuten Kondome wieder in die Schachtel zu packen. Er wurde rot bei dem Gedanken, ertappt zu werden. Natürlich würde er auf unschuldig machen und sagen, dass er die Schachtel beim Händewaschen versehentlich umgestoßen habe, doch er wusste, dass eine solche Story zu allen möglichen wilden Gerüchten auf dem Campus führen konnte.

»Da ist sie ja«, sagte Dana und zog ihre Trainingsjacke unter dem Bett hervor, gerade als Kevin das letzte Kondom aus dem Waschbecken fischte.

Als er fertig war, sah er in den Spiegel. Seine Wangen waren gerötet und er fand, dass er ziemlich schuldbewusst aussah.

»Was machst du jetzt?«, fragte Dana.

»Meine Schulter tut mir noch vom Dojo gestern weh«, erwiderte Michael. »Vielleicht gehe ich an den Pool. Eine halbe Stunde in der heißen Wanne wäre vielleicht nicht schlecht.«

Danas Stimme wurde weicher. »Wenn du dein Shirt ausziehst, könnte ich sie vielleicht gesundküssen«, sagte sie neckisch.

Kevin war schockiert. Eigentlich hätte er sich gerne so schnell wie möglich verdrückt. Aber jetzt war er schon viel zu lange da und hatte zu viel gehört, um sich noch bemerkbar zu machen.

»Du krankes Huhn!«, sagte Michael und lachte tief. »Du willst mich anmachen? Hier, im Zimmer von deinem Freund?«

»Ich pfeif auf James Adams«, behauptete Dana. »Glaubst du, er hätte mich nie betrogen? Wahrscheinlich macht er jetzt gerade mit irgendeiner Anarchistentussi rum.«

»Das ist hart«, lachte Michael. »Aber ich hab ein

schlechtes Gewissen wegen Gabrielle. Sie ist einfach total lieb.«

»Na ja«, meinte Dana. »Aber wir sind sechzehn. Wenn man da nicht mal ein bisschen Spaß haben darf...«

Ein leises Gurren, dann quietschende Bettfedern. Kevins Herz schlug ihm bis zum Hals, als er einen Blick durch den Türspalt wagte. Michael trat gerade seine Schuhe weg, während Dana auf James' Bett saß und sich ihr schwarzes CHERUB-T-Shirt über den Kopf zog.

»Wow, du bist verdammt sexy«, stellte Michael bewundernd fest, während er selbst seinen Oberkörper entblößte und Kevin seinen ziemlich hässlich verpickelten Rücken präsentierte.

Sobald der Schreck nachließ, begann Kevin, den Spaß an der ganzen Sache zu sehen. Das gab eine irre Geschichte für seine Freunde. Das Problem war nur, dass ihm niemand glauben würde. Er tastete in seine Hosentasche und zog erfreut sein Handy hervor.

Schnell tippte er sich durch das Menü, bis er absolut sicher war, dass er den Blitz und das kleine Kamerageräusch ausgeschaltet hatte. Dann hockte er sich hin und zielte mit dem Handy um die Türecke.

Michael und Dana lagen mit nacktem Oberkörper auf James' Bett, knutschten wild herum und schienen durchaus dazu bereit, noch weiter zu gehen. Nervös schoss Kevin zwei Bilder und sah sich das Ergebnis auf dem Display an. Die Aufnahmen waren zwar unscharf, zeigten aber trotzdem deutlich genug, *wer* das war und *was* dort vor sich ging.

Gerade als er das Handy wieder einstecken wollte, begann es zu klingeln. Kevin zuckte zusammen. Ausgerechnet den Klingelton hatte er vergessen, auf lautlos zu stellen! Rats Name leuchtete auf dem Display auf. Klar, er wollte bestimmt hören, wo Kevin abblieb.

»Ist das dein Handy?«, fragte Dana nebenan und ließ Michael los.

»Hört sich an, als käme es aus dem Bad. Aber das von James kann's nicht sein«, überlegte Michael. »Wenn er es vergessen hätte, wäre der Akku mittlerweile leer.«

Er ging zum Bad, wo Kevin sich verzweifelt zur Toilette zurückgezogen hatte, mit einer Hand die Spülung betätigte und mit der anderen das Handy ans Ohr hielt.

»Hi Rat«, sagte er so beiläufig wie möglich, als Michael hereinkam.

»Was soll das denn, Kleiner?«, dröhnte Michael.

Sein nackter Oberkörper war muskelbepackt, aber das konnte Kevin nicht einschüchtern, schließlich hatte er selbst schon die Grundausbildung hinter sich gebracht. Er winkte Michael mit einem *Bin-gleich-für-dich-da*-Ausdruck zu und sprach ungerührt weiter.

»...tut mir leid, Rat. Ich hab mir nur die anderen Turnschuhe angezogen, aber ich musste noch aufs Klo. Wir treffen uns in zwei Minuten unten am Hintereingang!«

Er steckte das Handy ein und erklärte Michael: »Bei mir drüben ist der Klempner.«

»Ach ja.« Michael wirkte verunsichert. Er machte sich offensichtlich Sorgen darüber, dass dieser Elfjährige etwas gehört haben könnte, was er nicht hätte hören sollen.

Kevin bemühte sich auch weiterhin um eine coole Fassade. »Und was machst du hier so in James' Zimmer?«

»Oh... na ja... ich hab nur das T-Shirt gewechselt, weißt du? James hat gesagt, ich könne mir eines von seinen leihen.«

»Cool«, fand Kevin.

»Schließ nächstes Mal besser die Tür ab«, riet ihm Michael.

Kevin zuckte mit den Schultern. »James ist auf einer Mission, deshalb dachte ich, das wär nicht nötig.«

Um es möglichst glaubhaft erscheinen zu lassen, dass er die ganze Zeit über auf dem Klo gesessen hatte, ging er jetzt zum Waschbecken und wusch sich schnell die Hände.

»Jedenfalls muss ich jetzt nach unten, um mit den anderen Jungs Steinschleuder zu üben.«

Und mit diesen Worten sauste Kevin aus dem Bad, trocknete sich die Hände an der Hose ab und warf Dana ein beiläufiges »Hi!« zu. Dana hatte zwar inzwischen ihr T-Shirt wieder an, aber unter der Bettdecke baumelte verräterisch ein Träger ihres BHs hervor.

6

Die Lesebrille an einer Kette um seinen Hals, die Füße in Socken auf dem Couchtisch, lümmelte Einsatzleiter John Jones auf einem zerschlissenen Sofa vor dem Fernseher. Die Nachrichten zeigten gerade die Bilder des Tages: den von Glasscherben verwüsteten und mit »Zutritt verboten«-Banderolen abgesperrten Strand.

»James, sie bringen es jetzt!«, rief er.

James kam aus der winzigen Küche der Wohnung angelaufen, mit einer Mikrowellenschale Makkaroni in der einen Hand und einer Dose Coke Zero in der anderen. John machte Platz und James setzte sich neben ihn.

»Krass!«, rief James aufgeregt, bevor er ein schmerzerfülltes Zischen von sich gab; er hatte sich die Zunge an der heißen Käsesauce verbrannt. »Nachdem ich abgehauen bin, müssen sie noch mal zugeschlagen haben. Da sind ja Scherben bis runter zur Waterloo-Bridge!«

John nickte. »Bei ihrer Flucht haben sie einen Haufen Läden in Covent Garden demoliert. Sechzig von ihnen wurden verhaftet, ein paar Cops haben Tritte abbekommen und einer eine Brandwunde von den Bomben, aber wie es aussieht, ist niemand ernsthaft zu Schaden gekommen.«

»Gut«, sagte James. »Es wär mir nämlich echt unangenehm, wenn jemand ernsthaft verletzt worden wäre, nachdem wir die Information nicht an die Polizei weitergegeben haben. Was sagt die BBC dazu?«

»Die sind hysterisch, wie zu erwarten war«, grinste John. »Der Polizeipräsident war gerade im Studio und wurde dazu befragt, wie die Sache mit der Informationsbeschaffung aussähe und warum nicht von Anfang an mehr Polizei da gewesen sei. Ich habe dich ganz kurz auf einer Aufnahme von der Absperrung an der U-Bahnstation gesehen, aber du hattest ja die Kapuze auf, sodass man dich nicht wirklich erkennen konnte.«

»Ich hätte nie gedacht, dass das so ausartet«, sagte James. »Zweihundert vielleicht, okay, aber das waren ja mindestens doppelt so viele.«

»Bradford hat die Polizei zum Narren gehalten«, seufzte John.

»Und sich selbst streng an die Vorschriften«, ergänzte James. »Er hat die Erlaubnis für den Protestmarsch eingeholt, sich in der Versammlungszone aufgehalten bis zum Marschbefehl der Polizei, und er hat sich in Luft aufgelöst, sobald der Ärger anfing. Sie werden es schwer haben, ihn für irgendwas dranzukriegen.«

»Chris Bradford ist ein schlauer Fuchs.« John fasste sich an den Rücken, als er aufstand, um ein paar Akten von der Ablage unter dem Couchtisch hervorzuholen. »Das Letzte, was wir wollen, ist, dass so jemand einen Haufen Sprengstoff und Handfeuerwaffen in die Finger bekommt ...«

»Vielleicht bläst er jetzt ja die Terroristensache ab«, mutmaßte James. »War vielleicht nur so ein Gedanke, weil die SAG in letzter Zeit so wenig Aufmerksamkeit von den Medien bekommen hat. Aber nach diesem Aufstand sind die doch wieder ganz oben in den Nachrichten.«

John schüttelte den Kopf. »Von jetzt an werden dreihundert Cops auf die Straße geschickt, wenn er nur seinen Hund ausführt. Das ist ja das Schlaue daran. Die Medien werden die Polizei zu einer gnadenlosen Reaktion zwingen. Und die Polizei wird alles dafür tun, um weitere Unruhen zu verhindern. Und in der Zwischenzeit verfolgt Bradford ganz andere Pläne.«

James war halb am Verhungern gewesen, und daran hatte die überschaubare Portion Makkaroni nicht viel geändert. »Ich glaub, ich hol mir noch ein paar von diesen Donuts aus dem Kühlschrank.«

John nickte.

»Ich koche uns einen Tee. Aber ich habe gerade mit dem MI5 gesprochen und wir müssen den endgültigen Plan für heute Abend noch einmal durchgehen.«

James stellte sein Tablett auf dem Teppich ab, während John ein schwarzweißes Häftlingsfoto aus einem Ordner zog.

»Das ist unser Mann«, erklärte er. »Zumindest ist sich das Tonstudio des MI5 zu fünfundneunzig Prozent sicher, dass diese Person zu der Stimme gehört, die gestern Abend Chris Bradford auf dem Handy angerufen hat.«

»Ist das der Typ, den wir erwartet haben?«

»Mehr oder weniger«, nickte John. »Das Bild ist zwanzig Jahre alt. Sein Name ist Richard Davis, üblicherweise Rich genannt. Er war früher bei der IRA. Ist dreimal wegen Terrorismus und Mord verurteilt worden, hat aber nur zwölf Jahre im Gefängnis gesessen, bevor er im Rahmen der Amnestie anlässlich des Karfreitagsabkommens auf freien Fuß gesetzt wurde. Für uns ist interessant, dass man annimmt, er hätte der IRA im kalten Krieg Sowjetwaffen beschafft.«

James riss die Augen auf. »Ich wusste gar nicht, dass die Sowjets die IRA beliefert haben.«

»Oh doch«, bekräftigte John. »Eine Menge Leute glauben zwar, die Kommunisten hätten nur linksgerichtete Organisationen unterstützt, aber sie haben alle beliefert, die dazu beitrugen, westliche Regierungen zu unterminieren. Manchmal waren es sogar so viele Waffen, dass die IRA ein ernsthaftes Problem bekam, sie alle zu verstecken. Vor ein paar Jahren wurden in der Nähe von Dublin auf dem Gelände für ein neues Wohnbauprojekt ein Dutzend Granatwerfer und zwanzig Kisten mit Kalaschnikows gefunden, die da vergraben worden waren. Alles natürlich völlig unbrauchbar – verrostet –, aber wir vermuten, dass noch eine ganze Menge *brauchbarer* russischer Waffen im Umlauf sind.«

»Aber Bradford hat nicht viele Leute«, wandte James ein. »Außerdem veranstaltet er diese ganze Anarcho-Unruhen-Bomben-Sache nur um ihrer selbst willen. Ich kann mir deshalb nicht vorstellen, dass die SAG eine militärisch organisierte Gruppe aufbaut. Schätze, sie suchen sich eher was Spektakuläres, wie eine Panzergranate oder Plastiksprengstoff.«

»Damit könntest du recht haben«, meinte John nachdenklich. »Ein paar Leute, mit denen Davis früher wohl verhandelt hat, arbeiten heute in der russischen Waffenindustrie, und soweit wir wissen, hat er immer noch Kontakte dorthin. Vielleicht wird er auf diesem Weg nur das alte IRA-Zeug los, vielleicht beschafft er aber auch neue Waffen aus Russland oder der Ukraine.«

»Also, wie soll ich bei dem Treffen vorgehen?«, wollte James wissen.

»Bradford weiß, dass du kämpfen kannst, und will dich als Bodyguard dabeihaben. Aber versuch, dich so weit wie möglich aus Schwierigkeiten herauszuhalten. Bradford kennt die Spielregeln nicht, er weiß nicht, wie das mit diesen Leuten läuft. Er ist vielleicht ein schlaues Köpfchen, aber in diesem Fahrwasser kennt er sich nicht aus. Wir machen noch eine Weile weiter, bis wir etwas mehr über Davis wissen. Nimm ein paar Abhörgeräte mit und bring sie wenn möglich so an, dass wir seine Bewegungen verfolgen können. Wenn der MI5 Davis' Autokennzeichen hat oder seine richtige Adresse, können sie eine normale Überwachungsaktion starten.«

»Wir werden also heute Abend nicht gegen Bradford oder Davis vorgehen?«

»Was hätten wir denn davon?«, fragte John. »Zwei Typen, die sich in einem Zimmer unterhalten. Mit viel Glück könnten wir ihnen eine Verschwörungstheorie nachweisen, und damit wären sie in zwei Jahren wieder draußen. Wir müssen mehr über Davis erfahren und werden niemanden verhaften, bevor wir sie nicht auf frischer Tat in einem Raum voller Waffen erwischen und einen Haufen Überwachungsbänder und Stimmaufzeichnungen haben, um unsere Geschichte zu beweisen. Erst dann können wir sie für lange Zeit wegsperren.«

»Das kann ja Monate dauern. Und«, James grinste, »ich bin mir nicht sicher, wie lange ich noch mit dieser bekloppten Frisur leben kann.«

John grinste zurück. »Na, wir lassen uns eine Ausrede einfallen – du willst zu deiner Tante fahren, oder so –, damit du wenigstens Weihnachten auf dem Campus bist.«

»Und was ist mit Ihnen?«, fragte James.

John wirkte für einen Moment verletzt. »Meine Tochter wird Weihnachten mit meiner Ex und ihrem neuen Lover verbringen, daher bin ich wahrscheinlich auch auf dem Campus. Wenn wir am siebenundzwanzigsten nicht arbeiten, gehe ich mit meiner Tochter einkaufen und lasse sie mein Geld ausgeben.«

»Hört sich gut an«, lachte James und sah dann auf die Uhr. »Viertel nach sechs. Ich muss mir die Sachen für das Treffen zusammensuchen.«

»Ja.« John unterdrückte ein Gähnen, als er den

Fernseher ausschaltete. »Ich setze Wasser auf und rufe meinen Verbindungsmann beim MI5 an. Davis wird euch die Handys abnehmen, bevor er euch den Treffpunkt sagt, also zieh die Stiefel mit den Ortungsgeräten an. Ich werde etwa einen Kilometer hinter dir herfahren.«

*

Der Senior-Controller und Top-Einsatzleiter Dennis King saß am Steuer eines schäbigen Mini-Vans und holperte mit 90 km/h eine Hauptstraße entlang. Neben ihm saß seine junge Assistentin Maureen Evans, während hinten verschiedene CHERUB-Stimmen eine Radio-Version von *Jingle Bells* lautstark mitgrölten.

Rat und Lauren saßen nebeneinander und drehten voll auf. Sie spielten Luftgitarre und stampften mit den Füßen. Andy und Bethany schmetterten begeistert mit, während Ronan in der Reihe dahinter seine runde Wange an die Fensterscheibe gedrückt hatte und halbherzig summte.

Nur Jake und Kevin hielten sich völlig raus. Jake war beliebt und hatte jede Menge Freunde. Und der ein wenig jüngere Kevin wollte ihn gerne beeindrucken, um ein Mitglied seiner coolen Clique zu werden.

»Ich sag dir, das ist echt der Hammer«, flüsterte er, als er sein Handy aus der Tasche zog. »Aber zeig es nicht Lauren!«

Jake warf einen flüchtigen Blick auf das unscharfe

Bild auf dem Display. In der oberen Hälfte war eine Harley Davidson zu sehen.

»Das Poster kenne ich«, sagte Jake unbeeindruckt.

»Das ist das Zimmer von James Adams. Und wenn schon? Ich hab schon tausendmal gesehen, wie James und Dana rumknutschen.«

Kevin grinste. »Wenn das James ist, dann ist er aber ziemlich braun geworden.«

Jake sah noch einmal hin. Erst jetzt fiel ihm auf, dass der Typ auf dem Display dunkle Haut hatte.

»Verdammt noch mal!«, stieß er hervor. »Deshalb hast du so lange gebraucht, bis du endlich beim Steinschleuder-Training warst!«

Er riss Kevin das Handy aus der Hand und begann darauf herumzutippen.

»Was machst du denn da?«

»Ich verschicke das Bild«, erklärte Jake. »Ich will eine Kopie auf meinem Handy haben.«

»Das darfst du nicht verbreiten«, warnte Kevin ihn nervös. »Michael Hendry weiß sofort, dass ich das Bild gemacht hab. Hast du schon mal die Muskeln von dem Kerl gesehen? Der rupft mich wie ein Hühnchen!«

»Ich will es ja nur auf *meinem* Handy haben«, versicherte ihm Jake. *Jingle Bells* ging zu Ende und Dennis King bat sie, das nächste Lied mit Rücksicht auf seine Nerven lieber nicht mitzusingen. »Ich schicke es schon nicht weiter.«

Kevin war davon zwar nicht überzeugt, aber Jake

sah ihn an, als wolle er sagen: *Willst du jetzt cool sein oder nicht?*

»Aber sei vorsichtig«, mahnte Kevin. Da tauchte Ronans Kopf zwischen ihnen auf.

»Was habt ihr zwei Mädels da zu flüstern?«, fragte er.

Mit Ronan war nicht leicht auszukommen. Zwar konnte er an einem Tag an die Tür klopfen, Sachen verschenken und verzweifelt auf *besten Freund* machen. Doch das hielt ihn nicht davon ab, einen am nächsten Tag die Treppe hinunterzuschubsen oder einem in der Umkleidekabine die Sporttasche unter die Dusche zu stellen, um einen billigen Lacher abzustauben. Er war genauso schlau wie die anderen Cherbs, aber er kapierte einfach nicht, was Freundschaft bedeutete.

»Kümmer dich um deinen Kram, Ronan«, verlangte Jake. »Du bist so ein Idiot!«

»Leere Worte…«, höhnte Ronan. Er tat so, als interessiere es ihn gar nicht mehr. Doch dann, gerade als Jake das Handy zurückgeben wollte, schnappte er es vor Kevins Nase weg.

»Gib das her!«, schrie Kevin und griff nach Ronans Arm.

»Ronan!«, stöhnte Jake. Dann wurde er plötzlich ernst und verkündete mit der Stimme eines Nachrichtensprechers: »Die heutige Schlagzeile: Eine Umfrage auf dem Campus hat ergeben, dass sechsundneunzig Prozent der CHERUB-Agenten einen akuten

Durchfall-Anfall der Fahrt in einem Mini-Van mit dem Schwachkopf Ronan Walsh vorziehen würden.«

Kevin löste seinen Sicherheitsgurt und sprang auf. Er packte Ronan um die Taille und schob ihn bis zum Ende des Vans.

»Gib mir mein verdammtes Handy!«, schrie er.

»Lasst das!«, rief Maureen ärgerlich nach hinten. »Setzt euch gefälligst auf eure Hintern, sonst setzt es Strafrunden!«

Der kräftige Ronan verpasste Kevin einen Stoß, der ihn zwischen die Sitze plumpsen ließ. Dann sah er kurz auf das Handy-Display und warf es dann Lauren zu.

»Hier, Miss Schwarzhemd«, schnaubte er. »Ein Weihnachtsgeschenk für deinen Bruder. Vielleicht kannst du es ihm ja ausdrucken und rahmen lassen.«

Lauren mochte Ronan nicht, und das Letzte, was sie wollte, war, ihm die Befriedigung zu verschaffen, ihr eine unangenehme Überraschung zu bereiten. Doch als sie Kevins Handy auffing und das Bild auf dem Display sah, klappte ihr der Kiefer herunter.

7

»Bist du sicher, dass dir niemand gefolgt ist?«, fragte Chris Bradford, als James sich auf den Beifahrersitz eines VW Scirocco setzte und die Tür zuschlug. Der zweisitzige Sportwagen näherte sich seinem zwanzigsten Geburtstag, hatte über 200 000 Kilometer drauf und roch leicht nach Schimmel. Es war Viertel vor sieben, es war kalt und es nieselte.

»Ich habe zwei verschiedene Busse genommen und auf der Straße ein Taxi angehalten«, log James. »Mir ist niemand gefolgt.«

»Guter Junge«, lobte Bradford. »Wir haben ein paar echt gute Jungs, aber du bist der Einzige, den ich als Rückendeckung haben will. Und außerdem kann ich mir bei deinem Alter sicher sein, dass du kein Undercover-Cop bist.«

James nickte, und der Motor sprang an. Das Getriebe knirschte heftig, als Bradford den Gang einlegte und losfuhr.

»Wem gehört die Schrottlaube?«

»Einer Freundin«, antwortete Bradford.

Er schaltete die Scheibenwischer ein, wobei nur der auf der Fahrerseite funktionierte. Die perfekte Einladung zu einer Verkehrskontrolle, dachte James angesichts des heruntergekommenen Wagens, aber er konnte Bradford natürlich nicht warnen, ohne verdächtig gut informiert zu erscheinen.

»Wie bist du eigentlich so schnell von der Demo weggekommen?«, wollte James wissen. »Ich hatte dich gerade noch neben der kleinen Polizistin gesehen und gleich darauf warst du wie vom Erdboden verschluckt.«

»Ich hab dich gesucht«, erklärte Bradford. »Ich

brauch dich heute Abend hier und wollte nicht, dass du eingebuchtet wirst.«

James nickte. »Diese Leute sind wie aus dem Nichts aufgetaucht. War eine echt gute Aktion.«

»Ein letztes Hurra auf die gute alte SAG«, lächelte Bradford, als wolle er einen Toast ausbringen. »Denn wenn dieses Meeting jetzt gut läuft, dann spielen wir bald ein ganz anderes Spiel. Ich würd gern mal Guy Fawkes spielen ...«

»Ja«, lachte James. »Nur dumm, dass heutzutage die Sicherheitsvorkehrungen um das Parlamentsgebäude herum ein wenig strenger sind.«

»Aber dafür wirkt auch der Sprengstoff besser«, gab Bradford zurück, lachte dann auf und schlug mit den Händen euphorisch auf das Lenkrad. »Stell dir doch nur mal vor, wie die ganzen fetten Schleimer durch Westminster rennen, mit Brandlöchern im Arsch ihrer Dreitausend-Pfund-Anzüge!«

James lächelte und sah durch das Fenster, wie eine Frau mit ihrem Regenschirm gegen den Wind ankämpfte.

Die SAG war eine Gruppe von Anarchisten, die sich gegen jede Form von Obrigkeit, Behörden oder einer organisierten Regierung auflehnte. Die Ironie daran war, dass die SAG ihre Berühmtheit ausgerechnet durch eine einzige charismatische Persönlichkeit erlangt hatte.

Ernsthafte Anarchisten taten Bradford als Comicfigur und die SAG als seinen Fanclub ab. Bradford

hingegen tat ernsthafte Anarchisten als hoffnungs-
lose Fälle ab, die nur herumsaßen, Öko-Kaffee tran-
ken und lieber redeten als handelten.

Bei der Vorbereitung auf seine Mission hatte James
viel über die Theorien der Anarchisten gelesen und
war schnell zu der Ansicht gelangt, dass das alles total
dämlich war. Schließlich ließ sich niemand gerne sagen, was er zu tun hatte, aber man musste auch kein
Genie sein, um zu erkennen, dass totales Chaos herr-
schen würde, wenn jeder machte, was er wollte.

Er hatte sechs Wochen gebraucht, um das Vertrauen
von Chris Bradford zu gewinnen. Und in einem Punkt
stimmte er mit den ernsthaften Anarchisten überein:
Die Existenz der SAG hatte wenig mit Politik zu tun,
sondern viel mehr damit, dass Chris Bradford es für
spannender hielt, Unruhe zu stiften und Sachen in die
Luft zu jagen, als seinen Uni-Abschluss in Wirtschaft
zu machen und in der Buchhaltungsfirma seines Va-
ters zu arbeiten.

Vom Londoner Stadtzentrum aus brauchten sie
fünfzehn Minuten bis zu dem edlen Hotel *The Retreat*.
Es gehörte zu der Sorte Hotels, in dem reiche Ehe-
paare das Wochenende verbrachten, wobei die Gattin
sich den Schönheitsbehandlungen und der Gatte dem
Golfclub widmete.

»Weicheier«, knurrte Bradford, als sie durch die
Reihen von geparkten Jaguars und Mercedes fuh-
ren. »Hier würd ich gern mal ein paar SAG-Jungs mit
Lackentferner herschicken.«

»Das könnte ich gern übernehmen«, bot sich James an. Doch die kindische Bemerkung zeigte ihm, dass Bradford nervös wurde, jetzt, da er sich auf unbekanntes Terrain begab.

Als sie ausstiegen, waren sie *die* Attraktion, als wären sie geradewegs einer fliegenden Untertasse entsprungen: Frauen, deren Ohrringe wahrscheinlich mehr wert waren als der betagte VW, starrten sie entgeistert an, und der Portier hätte ihre Combat-Hosen und derben Stiefel nicht misstrauischer betrachten können.

»Möchten Sie hineingehen, Sir?«, fragte er.

»Ich nehm doch mal an, dass es für die Lobby keine Kleiderordnung gibt, oder?«, erwiderte Bradford und riss ihm fast die Türklinke aus der Hand.

An der Rezeption mit dem schwarzweißen Marmorfußboden, den exquisiten Blumenarrangements und dem Wasserspiel zog James' grüner Irokese alle Blicke auf sich. Deshalb setzte er auf dem Weg zum Lift vorsichtshalber die Kapuze auf.

»Man könnte meinen, ihr zwei würdet euch anstrengen, um aufzufallen«, sagte eine Stimme mit irischem Akzent, und die dazugehörige Person legte Bradford eine Hand auf den Rücken. James blickte auf und stellte fest, dass der muskulöse Mann zu jung war, um Rich Davis zu sein.

»Wo sind eure Handys?«, fragte er.

»Nicht dabei«, antwortete Bradford. »Wie ihr verlangt habt.«

»Und euch ist niemand gefolgt?«

Bradford schüttelte den Kopf. »Busse und Taxen. Der VW ist auf einen Händler zugelassen.«

»Okay«, sagte der Mann.

»Ich hab Ihren Namen nicht verstanden«, sagte Bradford unsicher, als sich die Aufzugtüren öffneten.

»Den habe ich auch nicht gesagt, Mr Bradford, weil Sie den nicht wissen müssen. Der einzige Name, den Sie sich am besten gut merken, ist Rich Kline. Und ich warne Sie, er ist ganz schön sauer.«

Der Ire drückte auf den Knopf für den fünften Stock.

»Er hat Zimmer 603 gesagt«, bemerkte Bradford.

»Er ist vorsichtig«, gab der Ire zurück.

Während der Fahrt nach oben musterte James ihn. Offensichtlich ein Leibwächter. Mit Akzent von der falschen Seite von Belfast. Narbige Haut, aber gut geschnittener Anzug. Und die Omega sah echt aus.

Als sie im fünften Stock ankamen, ging der Leibwächter ein paar Schritte voran, klappte dann sein Handy auf und wählte. »Habt ihr gesehen, ob jemand mit ihnen gekommen ist?«

James konnte den anderen Gesprächspartner nicht hören, aber es schien, als hätte Rich mindestens zwei weitere Augenpaare unten in der Lobby. Nachdem der Leibwächter das Gespräch beendet hatte, wählte er ein zweites Mal.

»Rich«, sagte er, »ich habe Bradford hier. Ja… genau. Mach ich.« Danach klappte er das Handy zu, nahm eine Plastikkarte aus der Hosentasche und wandte sich an Bradford. »Der Boss isst gerade zu Abend. Er empfängt euch in seiner Suite in etwa einer Dreiviertelstunde.«

»Willst du mich verarschen?«, fuhr Bradford auf.

Der Leibwächter hob düster eine Augenbraue und zeigte auf den Lift. »Entweder ihr wartet im Zimmer oder ihr verschwindet. Rich ist ein seriöser Mann, und nach dem Fiasko heute habt ihr Glück, dass er euch überhaupt noch sehen will.«

Das leuchtete James ein, aber Bradford war beleidigt. »Was soll das denn heißen? Das Treffen war für sieben angesetzt.«

Der Leibwächter machte einen Schritt auf Bradford zu, ließ die Fingerknöchel knacken und sah ihn finster an. »Mr Bradford, nach dem Aufstand heute sind Sie der Staatsfeind Nummer eins. Sie kommen hier in einer Karre an, die schon aus meilenweiter Entfernung auffällt, und mit einem Schuljungen mit einer grünen Bürste auf dem Kopf. Wenn Mr Kline also möchte, dass Sie in einem Zimmer sitzen und warten, für den Fall, dass irgendein alter Nichtsnutz Sie in den Sechs-Uhr-Nachrichten gesehen hat und sich entschließt, die Bullen zu informieren, dann tun Sie das. Verstanden?«

James versuchte, den wütenden Bradford zu besänftigen.

»Es ist ja nicht verboten, in einem Hotelzimmer zu sitzen, Boss«, sagte er ruhig und nahm die Schlüsselkarte vom Leibwächter entgegen. »Keine Angst, wir warten.«

»Okay«, antwortete der Ire. »Ihr könnt ja den Zimmerservice bestellen, auf unsere Kosten. Ich sage Bescheid, wenn Rich so weit ist.«

James ging auf das Zimmer zu, während der Leibwächter die Feuertreppe in das nächste Stockwerk hinauf stieg.

»Das ist beschissen«, erklärte Bradford leise. »Entweder ist das eine Falle oder eine Machtdemonstration, mit der uns Rich zeigen will, wer hier der Boss ist. Auf jeden Fall gefällt es mir nicht.«

＊

Dennis King stoppte den Mini-Van am Rand einer Stadt in den Midlands und setzte die fünf Jungen und zwei Mädchen in der Nähe eines Wohngebietes ab, von wo aus sie bis zur Luftverkehrszentrale noch einen Fußweg von drei Kilometern zurücklegen mussten. Als sie sich dem ATCC näherten, sprangen die Jungen über ein Tor, um über Ackerland zu marschieren, während Bethany und Lauren sich an die Straße hielten und auf das Haupttor zugingen.

Das ATCC war ein typisches nüchternes Regierungsgebäude, drei Stockwerke hoch, aus Beton und mit Plastikfensterrahmen. Es hätte ebenso gut eine neu gebaute Schule oder ein Krankenhaus sein können, wären da nicht die Satellitenschüsseln auf dem Flachdach gewesen und ein hundert Meter hoher Mast mit drei kreiselnden Radarantennen und einer Kugel an der Spitze, die aussah wie ein Golfball.

Die Mädchen gingen einen Kiesweg entlang, der zwischen einem starken Umgebungszaun und einer düsteren Straße lag. Immer wieder streifte sie Scheinwerferlicht. Der Regen war kalt und sie konnten sich nicht vor dem Spritzwasser schützen, das von den Reifen der größeren Fahrzeuge aufgewirbelt wurde. Als sie an einem niedrigen Baum ankamen, versteckte sich Lauren dahinter und hockte sich hin.

»Meinst du, dass James etwas vermutet?«, fragte Bethany und nestelte an dem Reißverschluss ihres Rucksacks herum. Zweige raschelten.

Lauren zuckte mit den Schultern. »Ich glaube, er weiß nicht, dass Dana ihn betrügt. Aber als ich das letzte Mal mit ihm telefoniert habe, hat er gesagt, dass sie sich irgendwie merkwürdig verhalten würde.«

»Wenn du mich fragst, ist die Beziehung sowieso schon seit einiger Zeit auf dem absteigenden Ast«, nickte Bethany. »Kannst du dich an den Erste-Hilfe-Kurs erinnern, den wir alle absolvieren mussten? Da waren sie Partner, aber sie haben den ganzen Tag lang kaum miteinander gesprochen.«

»Ich sag es ihm jedenfalls nicht«, stellte Lauren kopfschüttelnd klar. »Nicht vier Tage vor Weihnachten.«

»Aber wenn er herausfindet, dass du davon gewusst hast, wird er wahrscheinlich echt wütend!«, warnte Bethany sie erschrocken.

»Ich weiß«, antwortete Lauren. »Es ist ein Risiko. Aber er ist mitten im Einsatz und kommt nur für ein paar Tage zurück. Wenn Dana es gestehen und James das Weihnachtsfest ruinieren will, dann kann ich sie nicht daran hindern. Aber *ich* bin ganz sicher nicht diejenige, die das tut.«

»Aber alle Jungs aus dem Van wissen es. Du kannst sie zwar bitten, es für sich zu behalten, aber so was spricht sich schnell herum.«

»Ich weiß«, seufzte Lauren. »Es sind aber alles nur Spekulationen, weil ich Kevin gezwungen habe, das Foto zu löschen.«

In diesem Augenblick klingelte ihr Handy. »Ja, Rat?«

»Ich wollte nur Bescheid geben, dass wir in Position sind, die Schleudern bereithalten und auf euer Zeichen warten«, verkündete Rat.

»Und – benehmen sich die drei kleinen Schweinchen?«

»Das sollten sie besser, wenn sie wissen, was gut für sie ist«, antwortete Rat. »Ronan schmollt und Kevin ist ein bisschen gereizt.«

»Und Jake?«

Rat lachte. »Großspurig und frech wie immer.«

Lauren vernahm ein *Das habe ich gehört!* im Hintergrund und sagte: »Wir sind in zwei oder drei Minuten am Haupteingang. Ich gebe Bescheid, wenn wir hineingehen.«

»Weißt du was?«, lächelte Bethany nach dem Telefonat. »Ich will ja nicht gemein sein, aber... so wie James mit Mädchen umgeht, schadet es ihm vielleicht nicht, selbst mal einen Tritt zu kriegen.«

»Könnten wir das Thema bitte lassen?«, fragte Lauren gereizt und steckte das Handy wieder in ihre Jeanstasche. Sie hasste die ständigen Streitereien zwischen ihrem Bruder und ihrer besten Freundin. »Im Moment steht James' Liebesleben ganz weit unten auf meiner Prioritätenliste. Hast du das Kunstblut?«

»Klar«, antwortete Bethany und schraubte den Deckel von einer Blechdose.

Lauren nahm eine Handvoll Kieselsteinchen und rieb damit über ihre Jeans. Doch das dauerte viel zu lange. Also legte sie sich auf den nassen Weg und wälzte sich darauf herum. Als ihre Kleidung dreckig genug war, nahm sie das Haarband ab und zerzauste sich die Haare.

»Sieht gut aus.« Bethany zog ein klobiges Taschenmesser hervor und ritzte damit Laurens Sweatshirt und Top auf. »Halt still, sonst erstech ich dich!«

»Hey, ich kann Spesen einfordern und mir davon im Ausverkauf neue Klamotten leisten«, grinste Lauren, griff beherzt in die Risse und erweiterte sie zu richtig großen Löchern.

»Das Sweatshirt hast du bei *Matalan* für *drei* Kröten gekriegt«, spottete Bethany. »Was willst du dir denn davon kaufen?«

»Sei doch nicht so brav«, grinste Lauren. »Ich sag doch keinem, dass es ein Drei-Kröten-Pulli war, klar? Ich will mindestens zwanzig haben.«

»Nette Idee«, fand Bethany und betrachtete ihren

Hintern. »Und ich könnte sagen, ich hätte mir die Jeans irgendwo aufgerissen. Weißt du noch, diese Diesel-Jeans, bei unserer letzten Shopping-Tour in London?«

8

In dem Wachhäuschen am Haupttor von Englands neuestem Luftverkehrskontrollzentrum begann Joe Prince seine zwölfstündige Schicht. Er war achtundzwanzig, hatte drei kleine Kinder und freute sich, wieder Arbeit zu haben. Zwei Jahre zuvor war er von einer Milchfarm in der Nähe entlassen worden, als diese Konkurs anmelden musste.

Eigentlich war es ein ziemlich langweiliger Job, die LCD-Monitore dauerhaft im Auge zu behalten. Als zwischen sieben und acht Uhr abends ein halbes Dutzend technischer Angestellter in identischen Firmenwagen das Gelände verließ, um nach Hause zu fahren, stellte das schon einen Höhepunkt seiner Nachtschicht dar. Die Techniker behoben die letzten Mängel, bevor die Anlage im neuen Jahr in Betrieb genommen werden sollte. Joe war neidisch auf sie, weil er nur den Mindestlohn erhielt und die technischen Angestellten einen Bonus von 60 000 kassierten, wenn sie es schafften, dass die Anlage unter dem Budget blieb und pünktlich eröffnet werden konnte.

»Sie müssen mir helfen«, flehte plötzlich eine Stimme aus einem Lautsprecher an der Decke.

Joe erkannte, dass es sich um die Sprechanlage am

Fußgängertor handelte. Aber hier draußen kam nie jemand zu Fuß an – schon gar nicht um diese Uhrzeit –, und so war es das erste Mal, dass er den Lautsprecher überhaupt hörte. Die Anglerzeitschrift fiel von seinem Schoß, als er mit dem Stuhl nach vorne zur Kontrollkonsole rollte.

Die Überwachungskameras lieferten klare Farbbilder und Joe erschrak bei dem Anblick, der sich ihm auf dem Hauptbildschirm bot. Ein Teenager hatte die Klingel am Eingang gedrückt, die Kleidung des Mädchens war zerrissen, Blut lief über das Gesicht und es schien zu weinen.

»Hallo?«, schluchzte das Mädchen. »Ist da jemand? Bitte helfen Sie mir!«

Das Sicherheitssystem bot Joe für einen solchen Fall eine ganze Reihe von Handlungsmöglichkeiten – von einem Knopf, mit dem er das Tor öffnen konnte, um jemanden einzulassen, bis zu einem Schalter, mit dem er die ganze Anlage abriegeln und Sicherheitsalarm auslösen konnte. Doch die Verzweiflung auf dem Gesicht des kleinen Mädchens appellierte an Joes einfache Instinkte, und so rannte er prompt aus dem Wachhaus und zum Haupttor hinunter.

»He, Kleine«, sagte er voller Mitleid, als er bei der schluchzenden Lauren vor dem Gittertor ankam. »Was ist denn passiert?«

»Ich bin in der Stadt gewesen«, schniefte Lauren, während Joe das Tor mit seiner Magnetkarte öffnete, die er durch ein Lesegerät zog. »Und da waren diese

77

Männer, sie haben mich ins Auto gezerrt und… oh Gott!«

CHERUB-Agenten lernten, auf Befehl zu weinen und zu lügen, ohne rot zu werden. Und da Lauren eine ausgezeichnete Schülerin war, schossen Joe schon allein bei ihrem Anblick die Tränen in die Augen.

»Hier bist du sicher, Kleine«, stieß er hervor. »Ich bring dich nach drinnen. Dann rufen wir die Polizei an und deine Eltern und ich mache dir etwas Heißes zu trinken, damit dir wieder warm wird.«

Sobald das Tor aufging, humpelte Lauren hindurch und legte Joe die Arme um seine mollige Taille, bevor er es wieder schließen konnte.

»Danke«, schluchzte sie. »Sie haben mich einfach in den Dreck geworfen und …«

»Schon gut, Kleine«, sagte Joe und strich ihr über den Rücken. »Jetzt bist du in Sicherheit.«

Ein Hauch von Schuldgefühlen stieg in Lauren auf, als sie Joe unauffällig abtastete, bis sie auf eine Dose mit Pfefferspray stieß. Der Wachmann schien ein wirklich netter Kerl zu sein, und immerhin bestand die Gefahr, dass er seinen Job verlor, weil er sie hereingelassen hatte.

»Meine Schulter tut so weh«, jammerte sie, während sie vorsichtig das Pfefferspray an sich nahm, dann schnell einen Schritt nach hinten machte und auf den Zerstäuber drückte.

Joe schrie auf, stolperte zurück und rieb sich die

Augen, während Bethany durch das Tor huschte. Lauren trat Joe so hart in die Nieren, dass er zusammenklappte, während Bethany sich hinter ihn stellte und ihr Taschenmesser hervorzog.

»Einen Mucks und ich ramme dir das da in den Rücken«, drohte sie. »Und jetzt zurück zum Wachraum, und zwar schnell!«

Da noch andere Wachmänner auf dem Gelände waren, mussten sich die Mädchen beeilen nach drinnen zu kommen, bevor sie entdeckt wurden. Lauren zog Joes Magnetkarte durch das Lesegerät, während Bethany ihn zum Wachhäuschen zurückführte.

»Hier gibt's nichts zu stehlen«, sagte Joe besorgt. »Ihr solltet lieber gehen, bevor es richtig Ärger gibt.«

»Halt die Klappe«, verlangte Bethany. »Du redest nur, wenn du gefragt wirst.«

Kaum hatten sie das Wachhäuschen betreten, riss sich Joe los und sprang Richtung Schaltpult. Trotz Bethanys Messer schien er sich gute Chancen gegen zwei dreizehnjährige Mädchen auszurechnen. Er trat gegen den Bürostuhl, der zurückrollte, und versuchte auf diese Weise, Bethany zu Fall zu bringen und gleichzeitig den Alarmknopf zu drücken. Doch Bethany wich dem Stuhl aus und stieß Joe mit einem Karateschlag zwei Finger heftig unter die Rippen.

Sein ganzer Körper verkrampfte sich, er verfehlte das Schaltpult, konnte seinen Sturz nicht abfangen und schlug schmerzhaft mit dem Gesicht auf dem Vinylfußboden auf.

»Was hab ich dir gesagt?«, schrie Bethany und drückte ihm die Klinge an den Hals. »Glaubst du, wir meinen es nicht ernst?«

»Ich weiß nicht, worum es hier geht, aber hier gibt's für euch nichts zu holen«, keuchte Joe. »Nehmt meine Brieftasche, da sind etwa dreißig Pfund drin.«

»Noch *ein* Wort«, drohte Bethany, die ein schlechtes Gewissen bekam, als sie ein Foto von seiner Familie auf dem Schreibtisch stehen sah. Joe hatte drei Töchter auf seinem Schoß, die jüngste ein rosarotes Baby, die Älteste eine Sechsjährige mit Zahnlücke.

Während Bethany auf Joe aufpasste, setzte sich Lauren auf seine Oberschenkel und wickelte ihm Isolierklebeband um die Knöchel. Danach befahl sie Joe, die Hände aneinander zu legen, und verpasste ihnen ebenfalls eine Klebebandfessel.

Als Lauren fertig war, stellt Bethany das Foto vor ihm auf den Boden, direkt vor seine Augen, die immer noch von dem Pfefferspray tränten.

»Drei hübsche Töchter«, sagte sie und zog ihm sein Walkie-Talkie aus dem Gürtel. »Die möchtest du doch bestimmt gern wiedersehen?«

»Ja«, antwortete Joe, »natürlich.«

»Gut«, lächelte Bethany grimmig. »Ich will, dass du in das Funkgerät sprichst. Sag dem Security-Team, dass du auf den Sicherheitskameras in der Nähe des Kornspeichers etwas gesehen hast.«

»Und lass es glaubhaft klingen, sonst schneid ich dir die Nüsse ab«, fügte Lauren hinzu.

»Was ist nur aus den netten kleinen Mädels von früher geworden?«, stöhnte Joe.

Bethany stellte ihren Turnschuh zwischen Joes Schulterblätter und verlagerte ihr Gewicht auf die Ferse.

»Oh Gott!«, stöhnte Joe vor Schmerz auf.

»Wenn du das Falsche sagst, gibt's noch viel mehr davon«, warnte Bethany ihn und hielt ihm das Walkie-Talkie vor den Mund. »Sprich *jetzt*!«

»Joe vom Eingang hier, Jungs. Tut mir leid, euch stören zu müssen, aber ich hab gerade was draußen am Getreidesilo gesehen.«

»Wahrscheinlich nur ein Schaf«, kam die Antwort, und im Hintergrund erklang Gelächter. »Wir sehen uns hier eine DVD an, Joe. Und da draußen ist es echt saukalt!«

Lauren erschrak. Während des Sicherheitstests wurde der gesamte Funkverkehr aufgezeichnet, und diese lasche Antwort konnte die private Sicherheitsfirma den Auftrag kosten.

»Faule Bande«, zischte Bethany, sah Joe finster an und hielt ihm das Gerät wieder vor den Mund. »Sag ihnen, dass es *definitiv* ein Eindringling ist.«

»Jungs, ich mach keine Witze!«, sagte Joe. »Da draußen *ist* jemand. Wenn ihr nicht nachseht, muss ich euch melden!«

»Uuuuh! Joseph nimmt's aber heute ganz genau!«, lachte der Typ am anderen Ende. »Okay, mein Großer, wenn du unbedingt den harten Kerl rauskehren willst, überprüfen wir das. Aber von jetzt an lässt du deine Finger von meinen Instant-Suppen und der Heißen Zitrone in meinem Schrank!«

»Gut gemacht«, lobte Bethany, nahm ihren Fuß von Joes Rücken und steckte das Funkgerät ein. »Und jetzt schön weit aufmachen!«

Bethany stopfte Joe ein Stück zusammengerolltes Klebeband in den Mund, dann wickelte sie das Band noch einmal um seinen Kopf, um ihm den Mund auch von außen zu verschließen. Nase und Augen blieben immerhin frei.

Lauren griff nach ihrem Handy.

»Rat, da kommt ein Team in eure Richtung. Und nachdem, was sie gerade von sich gegeben haben, müsst ihr euch keine großen Sorgen machen.«

»Die von der Security sind alles Nieten«, erklärte Rat den anderen fröhlich, als er sein Handy einsteckte.

*

Bei der Sichtung der Pläne des neuen Kontrollzentrums hatte das CHERUB-Team festgestellt, dass die Vorderseite zwar mit schweren Gitterstäben gesichert war, der gesamte hintere Bereich jedoch nur durch einen Drahtzaun von dem umliegenden Land abgetrennt war, wie man es eher bei einem Stadtpark erwarten würde als bei einem Hochsicherheitstrakt.

Gegen die ursprünglich vorgesehenen Eisengitter hatte nämlich die örtliche Behörde Einspruch eingelegt, weil diese die Landschaft ruinieren würden. Und da der leichtere Zaun ungefähr eine halbe Million an Baukosten sparte, hatte sich auch niemand großartig darüber beschwert. Genau solche baulichen Sicherheitslücken sollten die Tests von CHERUB nun aufdecken.

Während Lauren und Bethany am Vordereingang in Aktion getreten waren, wanderten die Jungen über die umliegenden Äcker, bis sie etwa zwanzig Meter von der Grundstücksgrenze entfernt anhielten. Hier postierten sich Rat, Andy und Jake als Wachen, während die beiden Jüngsten bäuchlings zum Zaun krochen, um mit ihren Drahtscheren ein Loch hineinzuschneiden.

Ronans Loch klaffte riesig und unübersehbar in dem Zaun. Er hatte den Draht zurückgebogen und auch noch einen grell orangefarbenen Skihandschuh darin platziert. Kevins Loch befand sich zwanzig Meter weiter. Es war kleiner und unauffälliger, da er den Draht wieder darüber gezogen hatte, sodass es in der Dunkelheit kaum zu sehen war.

Andy bemerkte als Erster mehrere Taschenlampen, die zwischen den frisch gepflanzten Schösslingen flackerten.

»Ich glaube, da sind fünf Leute«, sagte Jake, während er durch ein winziges Fernglas blickte.

»Mist«, fluchte Rat, »das heißt, dass noch ein Kerl da drinnen herumläuft. Jake, Andy, Ronan, ihr geht vor und macht euch zum Reingehen bereit.«

»Aye, aye, Captain Rathbone«, salutierte Andy vor seinem Freund und huschte mit Jake und Ronan im Schlepptau über den weichen Boden davon.

Der Abstand zwischen der Rückseite des Kontrollzentrums und dem Zaun betrug dreihundert Meter. Die fünf uniformierten Wachleute standen dort zusammen, unterhielten sich, spielten lässig mit ihren Taschenlampen herum und einer zündete sich sogar eine Zigarette an.

»Die nehmen das gar nicht ernst«, stellte Rat fest und wandte sich an Kevin. »Was glaubst du, wie viel Sicherheitstraining haben die wohl absolviert?«

Kevin lächelte unsicher. »Einen halben Tag, höchstens.«

»Alles klar bei dir?«

»Bin ein bisschen nervös«, gab Kevin zu. »Ich weiß, dass das im Vergleich zu richtigen Einsätzen kein großes Ding ist, aber für mich ist es das erste Mal, dass ich außerhalb des Trainings das CHERUB-Zeug so richtig anwende.«

Rat legte Kevin beruhigend die Hand auf die Schulter und griff nach seinem Handy. »Es sind definitiv nur fünf. Ich sage Lauren lieber Bescheid, dass drinnen noch einer sein muss.«

»Vielleicht ist ja auch jemand krank«, schlug Kevin vor.

Mittlerweile hatten Andy, Jake und Ronan den Zaun erreicht. Das Gelände dahinter war natürlich alarmgesichert. Deshalb mussten sie erst feststellen, ob die Bewegungsmelder ausgeschaltet waren, bevor sie eindringen konnten.

»Kopf runter, Jungs!«, befahl Andy, als ein kräftiger Suchscheinwerfer über das Gelände strich.

Wie erwartet, entdeckten die Wachleute Ronans Loch mit dem orangefarbenen Handschuh.

»He, Karen«, rief einer von ihnen in sein Funkgerät. »Sieht echt so aus, als hätte Joe recht gehabt. Jemand hat ein Loch in den Zaun geschnitten, aber es kann niemand reingekommen sein, sonst wäre der Alarm ausgelöst worden. Ich seh mir das mal an, also schalt bitte die Sensoren aus.«

Andy konnte die Antwort nicht hören, aber er wusste auch so, dass die Sensoren abgeschaltet worden waren, als zwei der Wachmänner auf das Loch zugingen. Ihre drei Kollegen gaben sich mit der scheinbaren Ursache des Problems zufrieden und stellten ihre halbherzige Suche mit den Taschenlampen ganz ein.

»Ist ja wie im Märchen«, flüsterte Andy und grinste Jake und Ronan zu, als er sie durch Kevins Loch führte. »Verhaltet euch ruhig und schaut nicht auf, wenn es nicht sein muss, damit eure Gesichter nicht leuchten.«

»Sehe ich etwa aus wie ein Idiot?«, knurrte Jake kopfschüttelnd.

»So ziemlich«, grinste Ronan.

Kevin atmete tief durch, als er die beiden Wachmänner auf das Loch mit dem Handschuh zugehen sah. Rat nahm seine Steinschleuder und einen Stoff-beutel mit Metallkugeln aus der Jacke. Die beiden Jungen kauerten etwa zehn Meter vom Zaun entfernt im Gras, es war dunkel und nieselte, aber Rat war trotzdem zuversichtlich, dass er treffen würde.

»Kinder«, meinte der eine Wachmann gering-schätzig, als er den kleinen Skihandschuh vom Zaun löste. »Der kleine Kerl hat seinen Handschuh ver-gessen.«

Er beleuchtete jetzt mit seiner Taschenlampe die Hand- und Schuhabdrücke, die Ronan absichtlich im weichen Boden hinterlassen hatte. »Vielleicht zehn oder elf Jahre alt, schätze ich.«

Sein kahler Kollege nickte.

»Wir sollten rausgehen und nachschauen, ob sie noch da sind«, schlug er vor. »Joe hat sie erst vor ein paar Minuten gesehen.«

»Vergiss es! Willst du etwa durch den ganzen Dreck hier kriechen? Und wenn wir die kleinen Spinner erwischen, müssen wir auch noch aufpassen, dass wir nicht wegen *Tätlichkeiten* Ärger kriegen.«

»Ich mein' ja nur ... Die Bosse wollen hier bestimmt noch Tests durchführen, Ken«, erwiderte der Kahl-kopf, »deshalb sollten wir versuchen, so gut wie mög-lich dazustehen.«

Ken sah zwar ein, dass sein Kollege recht hatte, aber unnötig dreckig machen wollte er sich offen-sichtlich trotzdem nicht. Er zögerte und grübelte nach einer Ausrede.

»Die Handabdrücke!«, stieß er plötzlich erfreut hervor. »Das sind forensische Beweise, und ich kann da nicht durchkriechen, ohne sie zu zerstören.«

»Verdammt«, murmelte Rat. Er hatte gehofft, den Wachmann angreifen zu können, wenn er unter dem Zaun klemmte.

Solange sich die Wachen auf der anderen Seite des Zauns befanden, bestand die Gefahr, dass Rat mit der Steinschleuder nur den Drahtzaun traf und die Kugel abprallte. Doch er hatte keine andere Wahl: Die beiden Wachen wollten gerade gehen, und Rat musste seine Chance jetzt nutzen.

Er tauchte aus dem nassen Gras auf, zog den Gummi der Steinschleuder bis zum Anschlag und zielte auf Kens Körper. Ein Kopfschuss war zwar effektiver, aber der Körper bot eine größere Fläche, und er wollte ihn ja schließlich auch nicht töten. Die Metallkugel prallte vom Zaun ab, flog in die Höhe und fegte dem Wachmann die Mütze vom Kopf.

»Was war das denn?«, fragte Ken und betrachtete verwundert den plötzlichen Verlust seiner Kopfbedeckung – ohne zu erkennen, dass er unter Beschuss stand.

Rat nutzte die Verwirrung der Wachen, pirschte sich näher heran und traf Ken mit seinem zweiten Schuss zielsicher in den Magen. Ken klappte zusammen, während Kevin einen Meter hinter Rat auf den kahlköpfigen Wachmann feuerte. Er hatte nur ein Mal mit der Steinschleuder geübt und traf sein Ziel etwas zu hoch. Das Geschoss krachte dem Kahlkopf in den Nacken und ließ ihn aufschreien.

Bis die anderen drei Wachen überhaupt bemerkten, dass ihre Kollegen angegriffen wurden, vergingen volle fünf Sekunden.

»Weg hier!«, schrie dann einer von ihnen. Offensichtlich rechneten sie eher mit Terroristen und schallgedämpften Schusswaffen anstatt mit Jungen und Steinschleudern.

Als sich das Trio umwandte, um zum Gebäude zurückzulaufen, traten Andy, Jake und Ronan auf der anderen Seite aus ihrer Deckung und feuerten aus knapp zehn Metern Entfernung eine Reihe von Kugeln ab. Zwei der Wachmänner gingen mit Treffern in Brust und Bauch sofort zu Boden. Doch dann schrie Ronan erschrocken auf, als er sah, wie der dritte – den er verfehlt hatte – zum Funkgerät griff.

Wenn auch nur ein Wort zu der Wache vordrang, die noch im Kontrollraum saß, hätten sie sofort ein Dutzend gut ausgebildete Militärpolizisten sowie die örtliche Polizei am Hals. Doch zum Glück hatte Rat es inzwischen durch das Loch im Zaun geschafft und den vorher im Nacken getroffenen Kahlkopf mit einem gezielten Tritt außer Gefecht gesetzt. Dann zog er eine weitere Metallkugel hervor und traf den letzten Wachmann mit einem exakten Fernschuss. Im Fallen bekam dieser noch eine zweite Ladung von Jake in den Rücken.

Die fünf Wachmänner lagen jetzt alle am Boden,

doch nur einer von ihnen war bewusstlos. Kevin griff sich den am Zaun liegenden Ken, versetzte ihm einen Handflächenschlag auf die Schläfe und riss ihm das Pfefferspray aus dem Gürtel. Zwei Sprühstöße und die Androhung von noch mehr reichten aus, um ihn ruhig zu stellen. Dann fesselten Kevin und Rat ihn an Händen und Füßen, während die anderen Jungen schnell auch die übrigen Wachen überwältigten.

Andy bekam es mit dem Härtesten zu tun. Aber nach einem Treffer in den Bauch gab ihm ein kräftiger Tritt in den Magen den Rest und er streckte lammfromm die Hände vor, damit Andy sie fesseln konnte.

Ronan und Jake mussten da schon etwas länger kämpfen, aber schließlich drückten sie den Wachmann gemeinsam zu Boden und beruhigten ihn mithilfe einer halben Dose Pfefferspray. Währenddessen lud Rat seine Steinschleuder nach, baute sich vor der letzten Wache auf und zielte aus nächster Nähe auf deren Kopf.

»Wirf das Walkie-Talkie weg!«, befahl er. »Halt die Hände so, dass ich sie sehen kann und warte auf meinen kleinen Freund mit dem Klebeband.«

Kevin hatte sekundenschnell auch noch den bewusstlosen Kahlkopf am Zaun gefesselt und widmete sich jetzt Rats Gefangenem. Als sie schließlich alle fünf fest verschnürt hatten, sah Rat sich um.

»Gute Arbeit, Jungs«, sagte er und zog sein Handy hervor, um Lauren anzurufen.

»Wie läuft's?«, fragte sie.

»Wir haben das Sicherheitsteam hier draußen unter Kontrolle. Geht lieber rein und schnappt euch die letzte Wache, bevor sie sich fragt, warum ihre Kumpel auf einmal so still sind.«

9

Sobald sich die Tür der Hotelsuite öffnete, erkannte James Rich Davis. Er mochte sich Rich Kline nennen, war inzwischen dicker und kahler, und die Koteletten aus den Siebzigerjahren waren verschwunden – aber es war definitiv der Mann, der einst ganz oben auf der Fahndungsliste der Polizei von Ulster gestanden hatte.

»Mr Bradford«, sagte Rich und streckte widerstrebend die Hand aus.

Erfreut registrierte James einen Stapel frischer Wäsche vor einer Schranktür. Persönliche Dinge wie diese würden es ihm erleichtern, die Abhörgeräte zu verstecken.

»Alle nennen mich Bradford«, lächelte dieser, als er Rich die Hand schüttelte. »Schön, Sie endlich kennenzulernen.«

»Ich wünschte, ich könnte dasselbe von Ihnen behaupten«, gab Rich zurück und hustete rasselnd. »Ich hätte nie gedacht, dass ich noch mal auf die Straße komme, Bradford. Die Cops haben mir aufgrund falscher Anschuldigungen dreißig Jahre aufgebrummt.

Wenn das Friedensabkommen nicht gewesen wäre, säße ich jetzt immer noch im Hochsicherheitstrakt. Die britische Regierung hat alles darangesetzt, mich zu kriegen und jetzt, da Sie der Staatsfeind Nummer eins sind, wird sie alles daran setzen, *Sie* zu kriegen.

Wenn man Sie nicht auf legale Art drankriegt, wird man Ihnen eben etwas anhängen, und bevor Sie es sich versehen, sitzen Sie fünfundzwanzig Jahre. Und deshalb können Sie es sich nicht leisten, solche dämlichen Risiken einzugehen, wie in dieser Schrottkarre aufzutauchen, mit einem Kind mit giftgrünen Haaren im Schlepptau!«

»Er ist sechzehn«, verteidigte sich Bradford. »Er kann kämpfen. Und er ist zu jung für einen Cop oder einen Zeitungsschmierer.«

James war klar, dass Rich Davis nur seine Überlegenheit demonstrieren wollte: indem er sie warten ließ, durch seinen Tonfall und mit dem bulligen Leibwächter, der an der Tür hinter ihnen stand und die Fingerknöchel knacken ließ. Davis wollte nicht mit Bradford verhandeln, er wollte ihm zeigen, wer der Boss war.

Jetzt wandte er sich an seinen Leibwächter. »Such die beiden nach Wanzen ab und dann geh mit dem Jungen runter und kauf ihm einen Lutscher.«

»James bleibt hier bei mir«, widersprach Bradford. Er versuchte, selbstbewusst zu klingen, doch das Zittern in seiner Stimme verriet ihn.

Der Leibwächter nahm einen Wanzendetektor,

stellte sich hinter Bradford und strich ihm damit über die Kleidung. James blieb gelassen. Er hatte zwar ein Abhörgerät und zwei Ortungsgeräte bei sich, aber die ausgefeilte CHERUB-Technologie konnte von solchen groben Detektoren nicht aufgespürt werden.

»Keine Telefone, keine Wanzen, Rich«, sagte er zu Davis und wandte sich an James. »Komm, mein Junge, wir lassen jetzt die Erwachsenen sich ein bisschen unterhalten.«

James sah ihn wütend an. Wenn er die Suite verlassen musste, konnte er die Informationsbeschaffung für heute vergessen. Aber wenn er sich widersetzte, bestand die Gefahr, dass er dadurch die Beziehung zwischen Bradford und Davis ruinierte, noch bevor er irgendetwas über den Waffenschmuggel des Iren in Erfahrung bringen konnte.

»Ich will, dass er bleibt«, wiederholte Bradford. »Ich lasse mich nicht herumkommandieren.«

»Sie sollten ein wenig Benehmen lernen«, knurrte Davis.

»Wofür halten Sie sich eigentlich?«, rief Bradford, als der Leibwächter seine kräftige Hand auf James' Schulter legte. Er schien den Jungen als keine ernsthafte Bedrohung anzusehen.

»Okay, ist ja schon gut«, sagte James und spielte den pampigen Teenager. Langsam hob er die Hände und drehte sich um.

»Grünhaariger Idiot«, grinste der Leibwächter und stieß ihn in den Rücken.

Bradford hatte seinen Standpunkt bereits klargemacht, und diese Beleidigung gab James noch einen zusätzlichen Grund, um doch zuzuschlagen. Sobald er einen Meter Abstand von dem Leibwächter hatte, holte er aus und traf ihn mit einem kräftigen Roundhouse-Kick.

Der Mann prallte rückwärts gegen eine Kommode und griff unter seine Jacke. James erschrak. Schnell sprang er auf den Leibwächter zu, packte seinen Daumen und bog ihn zurück, bis er das Gelenk knacken hörte. Dann schickte er ihn mit einem Kniestoß in den Magen zu Boden.

»Du willst dich über meine Haare lustig machen?«, schrie James, trat seinem Gegner in die Eingeweide und bückte sich dann, um ihm die Waffe aus dem Halfter unter der Jacke zu reißen. »Willst du mich jetzt immer noch erschießen?«

Der Leibwächter hustete Blut und würde so schnell nicht wieder aufstehen, daher richtete James die Waffe auf Davis.

»He, Junge, vorsichtig!«, winkte Davis träge ab. »Wir können doch über alles reden.«

»Nicht so herablassend!«, verlangte James. »Wenn Sie mir noch mal einen Lutscher anbieten, dann schiebe ich Ihnen diese Waffe in den Arsch, darauf können Sie sich verlassen!«

Dann nahm James geschickt das Magazin aus der Waffe – vielleicht ein wenig *zu* geschickt für einen ganz normalen Teenager –, steckte die Kugeln ein und prüfte, ob die Kammer leer war, bevor er Davis die Waffe reichte.

Unnatürliche Stille erfüllte die Suite. Bradford und Davis sahen sich wütend an, James warf dem Leibwächter einen tödlichen Blick zu, der ihn davor warnte, wieder aufzustehen und ihn anzugreifen.

Schließlich sah Davis auf die leere Waffe in seiner Hand und begann zu lachen.

»Ich habe ja schon einiges erlebt, Mr Bradford, aber der Grünhaarige, den Sie da haben, ist ein echter kleiner Mistkerl.«

Bradford hatte wieder an Selbstvertrauen gewonnen und erlaubte sich ein kleines Lächeln.

»James ist ein guter Mann«, nickte er. »Ich hab eine Menge guter Männer. Und jetzt können wir doch eigentlich den ganzen Machoscheiß vergessen und uns mal ernsthaft unterhalten, okay?«

*

Bei der Eröffnung des Luftverkehrskontrollzentrums in einem Monat würden dort einhundertfünfzig zivile Fluglotsen und achtzig Militärlotsen beschäftigt sein, ebenso wie über zweihundert weitere Mitarbeiter vom Kantinenpersonal über Software-Spezialisten bis zur Geschäftsleitung.

Im Augenblick jedoch glich es einem Geisterhaus. Die meisten Lichter waren ausgeschaltet, und so schlichen Lauren und Bethany einen Gang entlang, der nur von der grünen Notbeleuchtung erhellt wurde.

»Dem Pfeil nach müsste der Kontrollraum irgendwo hier sein«, flüsterte Lauren. Plötzlich stolperte Bethany.

»Auuutsch!«, stöhnte sie und knipste die Taschenlampe an. Sie war über einen vollen Wassereimer gefallen.

»Sei gefälligst leise!«, warnte Lauren. »Wenn die letzte Wache nach draußen funkt, sind wir total erledigt.«

»Sieht aus, als hätte die Dachdeckerfirma ganze Arbeit geleistet«, kommentierte Bethany trocken, als sie den Lichtkegel auf ein blindes Dachfenster richtete, durch das Wasser in den Eimer tropfte.

Lauren war bereits weitergegangen und sah jetzt einen Lichtschimmer durch einen Türspalt fallen. Sie schaltete ihre Taschenlampe ein und entzifferte erfreut das Schild an der Tür:

ZIMMER G117 – SICHERHEITSPERSONAL – AUFENTHALTSRAUM & TRAININGSBEREICH

Lauren lauschte und hörte eine Frau in ihr Funkgerät sprechen.

»Jungs, was ist da draußen los? Antwortet bitte! Ich warne euch, wenn ihr Spinner mich nur ärgern wollt, ist echt was los!«

»Eine Frau. Und die scheint gleich die Beherrschung zu verlieren«, erklärte Lauren, als sich Bethany näherte. »Hol mal den Eimer.«

»Den *Eimer*?«, vergewisserte sich Bethany ungläubig.

Lauren wusste nicht, wie der Aufenthaltsraum aussah, aber es gab dort mit Sicherheit irgendwo einen Alarmknopf. Wenn sie hineinstürmten, bestand die Möglichkeit, dass die Frau ihn erreichte, bevor Lauren und Bethany sie packen konnten.

»Danke«, sagte Lauren, als Bethany den Plastikeimer anschleppte. Er war so voll, dass er durch das Gewicht des Wassers schon etwas verbeult aussah.

Lauren begann, das Wasser unter dem Türspalt des Aufenthaltsraums hindurchzugießen. Etwas davon lief auch in den Gang und breitete sich um ihre Füße aus, aber der größte Teil der bräunlichen Soße plätscherte in den Raum hinein.

»Oh verdammt!«, schrie die Frau auf. »Dieses blöde Dach! Jetzt gehört auch noch Aufwischen zu meinen Aufgaben hier!«

Als sie die Tür aufriss, starrte sie Lauren erschrocken an. Lauren holte mit einer Bewegung, die in keinem Trainingslehrbuch stand, aus und schleuderte ihr den leeren Eimer an den Kopf. Er traf sie mit einem dumpfen Aufprall, doch der Plastikeimer war zu leicht, um ernsthaften Schaden anzurichten. Die Frau schrie auf und versuchte, Lauren die Tür ins Gesicht zu schlagen, bevor sie zum Schaltpult lief.

Lauren rannte ihr nach. Sie schlang ihre Arme um die kräftigen Schenkel der Frau und brachte sie mit einem Rugby-Griff zu Fall. Bethany hatte den Eimer aufgehoben und konnte einfach nicht widerstehen, ihn der Angestellten über den Kopf zu stülpen.

Das Bild, das sich den beiden Mädchen bot, riss sie zu einem Lachkrampf hin: Die Wache schlug mit dem Eimer auf dem Kopf wild um sich, und gedämpfte »Oh mein Gott!«-Schreie drangen unter dem Plastik hervor.

»Gib mir das Klebeband, Bethany«, prustete Lauren.

Während Lauren die Frau zu Boden drückte und an Händen und Füßen fesselte, fiel Bethanys Blick auf einen Folienstift unter einer Tafel, auf der die Schichten der Wachleute eingetragen wurden. Prompt zeichnete sie damit ein Smiley auf den Eimer.

Daraufhin konnte sich Lauren vor Lachen kaum mehr halten.

»Das sieht ja echt irre aus!«, keuchte sie.

Doch als Bethany den Eimer mit einem langen Stück Klebeband auch noch am Körper der Frau fixieren wollte, holte Lauren tief Luft und versuchte, sich zusammenzureißen. »Das können wir aber wirklich nicht machen. Sie könnte schwanger sein oder Asthma haben oder so.«

»Spielverderber«, maulte Bethany und schoss erst noch ein Foto mit ihrer Handykamera, bevor sie der Frau den Eimer wieder abnahm.

Ein durchdringender Schrei ertönte, dann legte Bethany ihr einen ähnlichen Knebel an wie vorher bereits Joe.

»Wir sollten über so was wirklich nicht lachen«, sagte Lauren vernünftig, während sie ihr Handy hervorholte, um Rat anzurufen.

Die Wachfrau spuckte einen unverständlichen Kommentar in ihren Knebel. Bestimmt keinen netten Kommentar, dachte Lauren schuldbewusst.

»Was ist denn so lustig?«, fragte Rat, als er im Hintergrund Bethanys Kichern hörte.

»Ach, kümmer dich einfach nicht darum«, befahl Lauren und wischte sich verstohlen eine Lachträne aus dem Auge. »Wie läuft's bei euch?«

»Hier draußen ist es eiskalt, deshalb haben wir die Wachen in den Schuppen unter dem Radarturm gezogen. Jetzt warten wir auf euch.«

»Und ich sitze hier auf der letzten Wache«, verkündete Lauren. »Also schiebt eure nichtsnutzigen Hintern hier rein! Es ist Zeit, den Laden auseinanderzunehmen.«

10

»Die Frage ist, kommen wir ins Geschäft?« Rich zog die langen Samtvorhänge am Erkerfenster der Hotelsuite zu und lud Bradford ein, an einem runden Tisch Platz zu nehmen. James nahm eine Flasche Mineralwasser aus der Minibar und reichte sie dem Leibwächter, der immer noch auf dem Boden saß. Er nahm sie widerwillig, spülte sich mit einem Schluck Wasser den Mund aus und spuckte Blut auf den Teppich.

»Wo hast du denn diese Tricks gelernt?«, wollte er wissen, als ihm James aufhalf.

»Mein Vater war Champion im Thai-Kickboxen«, log James. »Er hat mir so was schon beigebracht, da konnte ich noch kaum laufen.«

»Ich hätte dich fertiggemacht, Junge«, sagte der Mann mit einem halben Lächeln und starrte auf seinen ausgerenkten Daumen. »Aber so was hab ich nicht erwartet.«

James wollte keinen weiteren Streit vom Zaun brechen, aber es ärgerte ihn, dass genau der Kerl, der ihn eben noch von oben herab behandelt hatte und mit einer Waffe bedrohen wollte, jetzt einen auf Kumpel machte.

»Diese ganzen Telefonate, diese Geheimnistuerei«, sagte Bradford und sah Rich über den Tisch hinweg an. »Sie haben was von einem Versteck mit russischen Waffen verlauten lassen.«

Rich nahm ein paar Eiswürfel und ließ sie in sein Whiskyglas fallen, dann nickte er. »Es schwirrt immer noch eine Menge IRA-Zeug herum. Aber ich kann Ihnen auch Besseres besorgen: Plastiksprengstoff aus Osteuropa, italienische Granaten, israelische Maschinengewehre... Der Haken daran sind allerdings die Kosten. Der Karre nach zu urteilen, mit der Sie gekommen sind, schwimmen Sie und ihre kleine Anarchistenbande nicht gerade in Geld.«

Jetzt wurde das Gespräch richtig interessant, aber dennoch musste James seiner wichtigsten Aufgabe nachkommen und irgendwo in Richs persönlichen Sachen ein Ortungsgerät anbringen. Sie mussten etwas über Richs Organisation erfahren, sonst wäre seine Verhaftung ebenso effektiv, wie Unkraut am Stiel abzupflücken: Wenn man die Wurzel nicht erwischte, wuchs es ganz einfach wieder nach.

»Kann ich mal aufs Klo?«, fragte James unvermittelt.

Rich wandte sich lächelnd um. Offensichtlich fand er den grünhaarigen Schläger amüsant.

»Bitte sehr«, erlaubte er.

»Aber *nicht* die Tür abschließen«, warnte der Leibwächter.

Keine ideale Voraussetzung. Aber nachdem James die Tür zugestoßen hatte, klemmte er eines der feuchten Handtücher unter den Spalt, sodass sie zumindest nicht so leicht zu öffnen war. Er klappte den Toilettensitz hoch und blickte sich beim Pinkeln um. In der Duschkabine sah es chaotisch aus. Aber immerhin standen Richs Toilettenartikel in greifbarer Nähe auf den Regalen.

Nachdem er seinen Reißverschluss wieder geschlossen hatte, drehte er den Wasserhahn auf. Doch anstatt sich die Hände zu waschen, warf er einen Blick über die Schulter, um sicherzugehen, dass Richs Leibwächter ihn nicht beobachtete. Erst dann holte er ein winziges Ortungsgerät aus seiner Jeans.

Die drei Zentimeter große Scheibe war etwa so dick wie eine CD. Sie war zwar nicht sonderlich auffällig, hatte aber auch keine Ähnlichkeit mit irgendetwas und musste deshalb versteckt werden, zum Beispiel im Futter eines Koffers oder im Batteriefach eines Elektrogeräts.

James musterte Richs Kulturbeutel, der ausgeklappt am Rasierspiegel hing, stellte aber enttäuscht fest, dass alle Fächer darin aus losem Nylonnetz waren, hinter dem man nichts verstecken konnte.

Je länger James brauchte, desto größer war die Gefahr, dass der Leibwächter misstrauisch wurde. Er wollte schon fast aufgeben, als ihm das Rasierzeug ins Auge fiel.

Rich benutzte einen Nassrasierer mit traditionellem Pinsel und teurer Rasierseife, die in einer Plastikdose lag. James nahm die Dose an sich und öffnete sie, während er sich zur Tür zurückzog. In dieser Position konnte der Leibwächter ihn nicht sehen, und wenn er die Tür aufstieß, würde er sie James in den Rücken rammen und ihm so zwei oder drei Sekunden Zeit verschaffen, in der er seine Tat vertuschen konnte.

Aufgrund des laufenden Wasserhahns hörte er nichts von dem Gespräch am Tisch, aber er wurde nervös, als er einen Halbsatz von Bradford aufschnappte und merkte, dass dessen Stimme hoch und angespannt klang.

James arbeitete fieberhaft und drückte auf das runde, fast neue Seifenstück, sodass es herausfiel. Dann zog er das Klebeband von beiden Seiten des Ortungsgeräts, befestigte es auf dem Boden der Plastikdose und legte die Seife wieder zurück.

Es war ein nahezu ideales Versteck: Wahrscheinlich würde Rich die Seife nicht bis zum letzten Rest aufbrauchen und das Gerät daher nie bemerken – und selbst wenn, dann glaubte er hoffentlich, dass die Scheibe zur Verpackung gehörte und die Seife fixieren sollte.

Als James ins Zimmer zurückkehrte, beachtete ihn niemand. Der Leibwächter saß am Fußende des Bettes und hielt sich den Daumen, während sich Rich Davis und Chris Bradford über den Tisch hinweg anfunkelten.

»Glauben Sie mir, Bradford«, sagte Rich zornig, »wenn Sie teures Spielzeug haben wollen, brauchen Sie Geld. In welchem Wolkenkuckucksheim leben Sie denn?! Ich würde ja gerne mit Ihnen zusammenarbeiten, aber jede erfolgreiche Terrororganisation muss zwei Arme haben: einen, um Geld zu beschaffen, und einen, um es auszugeben.«

»Ich bin kein Bankräuber«, erklärte Bradford fassungslos. »Und kein Betrüger. Und ich laufe bestimmt nicht rum und erpresse Geld von Händlern und Ladenbesitzern.«

»Und wie soll das dann funktionieren?«, wollte Rich wissen. »Ich hasse die britische Regierung noch genauso wie früher. Ich kann genügend Waffen beschaffen, damit Sie loslegen können. Aber ich bin kein Milliardär. Und ohne Geld können wir die SAG niemals zu einer ernsthaften Bedrohung ausbauen. Sie haben begeisterte junge Anhänger wie diesen James hier. Ich habe *dreißig* Jahre Erfahrung darin, Geld für Terrorgruppen zu beschaffen und überdies noch Kontakte zur Rüstungsindustrie, mit deren Hilfe ich Ihnen alles besorgen kann, was Sie für Ihren Job brauchen.«

»Ich bin nicht hier, um mir einen Partner zu suchen«, erklärte Bradford bestimmt.

»Und was wollen Sie *dann* hier?«, fragte Rich wütend. »Almosen?«

Bradford zuckte mit den Achseln.

»Wahrscheinlich hatte ich gehofft, dass Sie unsere Sache einfach unterstützen.«

»Sie erwarten also von mir, dass ich Ihnen eine Ladung Waffen übergebe und Ihnen sage, Sie sollen damit losziehen und tun und lassen, was Ihnen gefällt?«

Bradford senkte den Kopf und legte die Hände an die Schläfen.

»Ich weiß nicht genau, was ich von Ihnen erwartet hab, Rich«, sagte er. »Aber ich bin nicht drauf aus, Banken zu überfallen. Und ich brauche sicher keinen Partner.«

»Gut«, erklärte Rich in einem Tonfall, der nur zu deutlich machte, dass es genau das *nicht* war. »Es ist sinnlos, immer wieder dasselbe zu sagen. Offensichtlich gibt es keine gemeinsame Basis für eine Zusammenarbeit.«

Er sah erst auf die Uhr und dann zu seinem Leibwächter hinüber, der immer noch am Fußende des Bettes kauerte, und befahl ihm verärgert: »Pack meine

Sachen, es gibt keinen Grund mehr, länger hierzubleiben.«

Bradford strotzte normalerweise vor Selbstbewusstsein. Und normalerweise war er derjenige, der die Befehle gab. Aber jetzt hatte er die Ellbogen auf den Tisch gestützt und machte aus seiner Enttäuschung keinen Hehl. Er wollte die SAG unbedingt zu einer Terrororganisation machen – und Rich war seine einzige realistische Chance gewesen.

»Sie können jetzt gehen, Mr Bradford«, verwies ihn Rich bestimmt. »Ich muss ein privates Telefongespräch führen.«

James öffnete die Tür der Suite mit düsterem Blick, aber innerlich jubelte er: Er hatte das Ortungsgerät angebracht, mit dem der MI5 Richs Bewegungen nachvollziehen konnte, bis die winzige Batterie darin leer war; mit dem Angriff auf den Leibwächter hatte er Bradford gegenüber seine Loyalität mehr als deutlich bewiesen; und die Tatsache, dass die Verhandlungen abgebrochen worden waren, bedeutete, dass die SAG so schnell keine Chance hatte, sich ein Waffenarsenal für Terroranschläge zuzulegen.

Als er den dicken grünen Teppich vor der Hotelsuite betrat, sah er den Gang entlang – und entdeckte im Treppenhaus eine Polizistin in voller Schutzkleidung, die sich schnell versteckte. So schnell, dass James sich fast einreden konnte, er habe sie sich nur eingebildet. Aber als er neben Bradford den Gang entlang ging, blickte er sich nervös um.

»Was ist denn schiefgelaufen?«, fragte James angespannt.

»Ich bin kein Idiot«, stieß Bradford hervor. »Ich weiß, dass wir Geld brauchen, aber ich glaube nicht, dass Rich überhaupt an einer Partnerschaft interessiert wäre. Ich glaube, er will am Ende derjenige sein, der am längeren Hebel sitzt.«

»Wahrscheinlich hast du recht«, sagte James nachdenklich.

Im selben Moment schlugen auf dem Gang zwei gegenüberliegende Türen auf.

»Polizei! Stehen bleiben!«

Von der Feuertreppe am Ende des Ganges strömten noch mehr Polizisten herbei.

»*Scheiße*«, schrie Bradford.

James fiel aus allen Wolken. Das hier gehörte zu keinem Plan, den er kannte. Was war in den zweieinhalb Stunden seit seinem Gespräch mit dem Einsatzleiter passiert?

11

Die fünf Jungen waren bester Laune, als sie auf den Haupteingang des Flugüberwachungszentrums zu rannten. Rat führte sie gerade um die letzte Ecke herum, als er den schicken BMW sah, der vor dem Haupttor parkte. Er griff nach seiner Steinschleuder.

Nachdem er sein Tempo verlangsamt hatte, feuerte er einen ersten Schuss ab; die Metallkugel knallte frontal durch die Windschutzscheibe. Die anderen folgten seinem Beispiel, und auch die Seitenfenster zersplitterten. Ein paar weitere Kugeln hinterließen kräftige Beulen in der Karosserie und zerschmetterten einen Scheinwerfer.

»Yeaaah Baby!«, schrie Jake, sprang auf die Kühlerhaube und riss den Scheibenwischer ab.

Ronan und Kevin hatten bereits die Außenspiegel in der Hand, während Jake den Lack mit dem Scheibenwischer zerkratzte und Rat von oben das verglaste Schiebedach durchtrat. Als er wieder vom Dach sprang, sah er die Mädchen in der Tür stehen.

»Na, habt ihr Spaß?«, fragte Bethany.

»Oh ja!«, schrie Andy und versuchte, den Benzintank zu öffnen. »Wenn ich da rankomme, jagen wir das Ding in die Luft!«

»Sei nicht blöd«, verlangte Lauren. »Das hört man meilenweit und dann sitzen uns die Cops im Nacken. Kommt mal her und hört zu!«

Sie kauerten sich am Eingang zusammen, während Ronan, Jake und Kevin vor Aufregung gar nicht mehr aufhören konnten zu kichern.

»Denkt daran, das hier soll aussehen, als seien ein paar Kinder durchgedreht, hätten die Wachen angegriffen und den Laden auseinandergenommen. Ihr habt fünfzehn Minuten. Das ist eine hochmoderne Einrichtung, der Vandalismus sollte also authentisch aussehen. Aber denkt gar nicht erst daran, irgendwo Feuer zu legen. Und lasst die Finger von dem brandneuen Computersystem der Regierung, das ist dreißig Millionen Pfund schwer. Kapiert?«

»Wir werden unser Bestes geben«, lachte Ronan und schrak zusammen, als Lauren ihn an der dreckigen Jacke packte und gegen eine Fensterscheibe drückte.

»Ich hab die Schnauze voll von dir«, knurrte sie. »Wenn du also keinen unfreiwilligen Kopfsprung von einer Treppe machen willst, dann schlage ich vor, dass du die Klappe hältst und genau das tust, was ich dir sage!«

Bethany ging allen voran nach drinnen. Jake und Kevin verschwanden in der Herrentoilette am Empfangsbereich und verstopften die Waschbecken und den Überlaufschutz mit Toilettenpapier. Dann drehten sie alle Wasserhähne auf und während die Waschbecken überliefen, zertrümmerten sie mit kräftigen Karatetritten die Seifenspender. Die pinkfarbene Seife spritzte in alle Richtungen und verpasste den dreckigen Sachen der Jungen grelle Tupfen.

»Ohhhaaaa!«, schrie Kevin und schlitterte waghalsig auf den seifigen Fliesen hinter Jake her zur Rezeption.

Bethany bearbeitete die Empfangstheke, während Lauren durch die Grünpflanzen stampfte, einige Pflanzen herausriss und andere mit dem Kohlendioxidpulver aus einem Feuerlöscher besprühte und dabei schön falsch *Let it snow* sang…

»Wo sind Rat und die anderen hin?«, fragte Jake.

Lauren deutete hinter die Rezeption.

»Hauptkontrollraum, denke ich.«

Kevin und Jake rannten den dreißig Meter langen Gang entlang und staunten nicht schlecht, als sie an einem riesigen verglasten Raum mit dem beeindruckenden Computersystem vorbeikamen, welches das gesamte Zentrum kontrollierte. Der Raum hatte eine hohe Holzdecke, und der abschüssige Boden führte zu mehreren Reihen von überdimensionalen Bildschirmen und Überwachungsstationen, die später von den Lotsen besetzt werden würden.

Einige der Bildschirme waren bereits angeschlossen und über Nacht eingeschaltet, um die neue Software zu installieren. In anderen Bereichen wurden die Terminals gerade erst an den Hauptcomputer angeschlossen, und so war der Boden mit unfertigen PCs und Elektrokabeln übersät.

»Mann, wenn wir das hier nur kaputt machen dürften!«, rief Jack. Er las eine Nummer von einem aktiven Bildschirm ab, nahm einen Kopfhörer und drückte den Sprechknopf.

»Flug AQ71, gehen Sie zweihundert Meter tiefer und machen Sie eine Rolle, over.«

Kevin platzte fast vor Lachen. Doch dann hielten sie plötzlich verdutzt inne, als aus dem Lautsprecher neben dem Bildschirm eine Antwort kam.

»AQ71 an Bodenkontrolle. Bitte Anweisung wiederholen. Wurde die Frequenz geändert? Over.«

»Uups!«, machte Jake, warf den Kopfhörer weg und sprang zurück, als hätte er einen elektrischen Schlag bekommen. »Ich wusste gar nicht, dass das Zeug schon aktiv ist.«

Kevin lachte. »Wenn du ein Flugzeug abstürzen lässt, kriegst du nie dein dunkelblaues T-Shirt.«

»Halt die Klappe«, befahl Jake. »Und erzähl keinem was davon!«

Als sie wegrannten, hörten sie aus einem Konferenzraum ein Stück weiter das laute Splittern von Glas, und Rat schrie: »Was für ein Schuss!«

»Was ist passiert?«, keuchte Kevin, als er hinter Jake in den Raum schlitterte.

Aber die Frage erübrigte sich, als er den langen Konferenztisch sah, auf dem die kunstvolle Deckenbeleuchtung in tausend Scherben verteilt lag.

»Das hättest du sehen sollen!«, rief Andy.

»Ein Schuss auf die Aufhängung und das ganze Ding ist runtergekracht!«, jubelte Rat stolz. »Ich bin der Meister der Steinschleuder!«

Da bemerkte Jake eine Reihe von metallenen Rollwagen. Er zog eine der Schubladen daran auf und warf das Werkzeug hinaus, das die Techniker für die Installationen im Kontrollraum benutzten.

»He, wir könnten die Wagen um die Wette rollen lassen«, fiel Kevin ein. »Auf dem schrägen Boden im Kontrollraum.«

»Oh ja!«, rief Rat begeistert. »Vielleicht ist das unser Tod, aber was soll's!«

Kevin, Jake, Rat und Andy zogen die Rollwagen aus dem Konferenz- und zum Kontrollraum hinüber und reihten sie oben an der mit Teppichfliesen ausgelegten Schräge auf. Der abschüssige Gang führte mitten durch die zu beiden Seiten abzweigenden Sitzreihen für die Lotsen bis zur Wand am anderen Ende des Raums.

»Los!«, schrie Rat, sprang auf seinen Wagen und stieß sich von der Rückwand ab.

»Beschiss!«, rief Jake. »Ich war noch gar nicht so weit, du australischer Arsch!«

Das Werkzeug in den Schubladen der etwa hüfthohen Rollwagen klapperte ohrenbetäubend. Der schräge Boden war ziemlich steil und die großen Gummiräder gewannen schnell an Fahrt, sodass die vier Jungen mit rasantem Tempo auf die gegenüberliegende Wand zurasten.

Rat führte, bis sich sein Wagen in einer hochstehenden Teppichfliese verfing, sich um dreihundertsechzig Grad drehte und dann in eine Konsole knallte. Andy rammte ihn von hinten und fiel zu Boden, während sein Wagen über ihn hinweg stürzte. Doch zuvor gelang es Jake und Kevin noch, durch die Lücke zu preschen.

Beide Jungen waren wild entschlossen, als Erster unten anzukommen. Beide wurden immer schneller, je näher sie dem Ende der Schräge kamen. Und beide sprangen rechtzeitig ab, kaum eine Sekunde bevor ihre Rollwagen gegen die Wand knallten.

Lauren und Bethany waren gerade am Eingang des Kontrollraums angekommen und ganz weiß vom Pulver des Feuerlöschers.

»Was zum Teufel…«, lachte Lauren, als sie die auf der Schräge verstreuten Werkzeuge und die Metallwagen sah, aus denen die Schubladen heraushingen.

Die vier Jungen schwiegen einen Moment, während sie damit beschäftigt waren, sich aufzurappeln und zu untersuchen. Doch sie waren alle unverletzt.

»Gut, dass wir abgesprungen sind«, sagte Kevin erleichtert und betrachtete die große Delle in der Wandverkleidung, wo sein Wagen aufgeprallt war. »Das hätte auch mein Kopf sein können.«

»Was auch keinen großen Unterschied gemacht hätte«, grinste Jake.

Kevin schnippte nach Jake, während Rat plötzlich zwischen zwei Terminalreihen die offene Werkzeugkiste eines Technikers bemerkte, und dass unter einem der Bildschirme das Bedienpaneel aufgeklappt war. Das allein hätte ihn noch nicht stutzig gemacht, wenn nicht von dem Kaffeebecher, der auf dem Tisch stand, Dampf aufgestiegen wäre.

»Lauren!«, rief Rat. »Ich glaube, wir haben ein Problem!«

»Was ist?«, fragte Lauren neugierig und lief rasch die Schräge hinunter.

Rat stippte den Finger in den Pappbecher. »Schwarzer Kaffee, kocht fast noch. Einer der Techniker muss wohl Überstunden machen.«

»*Dachte* ich's mir doch, dass dieser BMW, den ihr Jungs fertiggemacht habt, ein wenig zu schick war für einen Wachmann«, bemerkte Bethany.

Jake stöhnte auf. »Warum hast du das denn nicht gleich gesagt?«

»Wir sollten ihn besser suchen«, meinte Andy.

Lauren schüttelte den Kopf. »Wozu? Hier gibt es etwa zweihundert Räume, und er hat bestimmt schon die Polizei gerufen.«

»Na super«, beschwerte sich Kevin. »Wir haben kein Fahrzeug und sind fünf Kilometer von dem Ort entfernt, an dem uns Dennis abholen soll.«

»Ronan?«, schrie Rat in sein Handy. »Wo bist du? Du… was? Okay, okay, ich verstehe. Schwing deinen Hintern hier runter, aber sofort!«

»Was ist los mit ihm?«, fragte Lauren besorgt, als Rat das Handy zuklappte.

»Ronan hat im ersten Stock in der Kantine gewütet und dabei eine Frau durch die Halle laufen sehen.«

»Eine Frau?«, stieß Jake entgeistert hervor. »Wer war das, die Putzfrau oder so?«

»Das war die Technikerin«, entgegnete Rat kopfschüttelnd.

Bethany sah ihren Bruder finster an. »Du bist so ein Macho-Schwein!«

Lauren stieß Bethany sachte an, um sie davor zu warnen, jetzt bloß keinen Streit anzufangen. Dann wandte sie sich an Rat.

»Warum hat Ronan uns das nicht gleich gesagt?«

»Weil es erst gerade eben gewesen ist«, erklärte Rat. »Er hat die Frau angegriffen, aber sie ist abgehauen und hat sich in einem Büro verbarrikadiert. Sie hat aber ihre Handtasche fallen lassen und Ronan hat sich die getätigten Anrufe auf ihrem Handy angesehen. Vor elf Minuten hat sie eine Notrufnummer gewählt.«

»Sie muss gehört haben, wie wir das Auto demoliert haben«, seufzte Lauren. »Wahrscheinlich sind sie jeden Augenblick hier. Wir müssen hier raus.«

Im selben Moment flackerten alle Lichter im Kontrollraum, dann gingen sie aus. Da sich der Raum unter der Erde befand und keine Fenster hatte, wurde es gespenstisch dunkel und still, als auch noch die Klimaanlage und die vielen Ventilatoren in den Computergehäusen zum Stillstand kamen.

»Jemand hat die Stromversorgung und das Notstromaggregat lahmgelegt«, stellte Rat fest und seine Stimme hallte im Raum nach.

»Okay.« Lauren versuchte, zumindest nach außen hin Ruhe zu bewahren. »Wahrscheinlich ist das die Militärpolizei, und das bedeutet, dass sie ziemlich tough sind und wissen, was sie tun. Ich würde sagen, unsere Chancen sind am größten, wenn wir uns aufteilen.«

»Einverstanden«, sagte Rat und die anderen nickten zustimmend, als Ronan den Gang entlang durch die Tür gestürmt kam.

»Bin gerade durch die Rezeption gelaufen und hab

sie gesehen!«, stieß er völlig panisch hervor. »Zwei Laster voller Soldaten und Polizei, und sie holen Hunde aus den Wagen! Wir müssen so schnell wie möglich weg hier!«

*

James war schon ein paar Mal verhaftet worden und das war keineswegs angenehm gewesen. Die Cops stießen einen herum und ließen einen Ewigkeiten in einer stinkenden Zelle sitzen, ohne etwas zu essen oder zu trinken und mit einer Toilette, die natürlich kaputt war.

Seine Lust darauf, das Ganze schon wieder durchzumachen, hielt sich deshalb in Grenzen. Die Polizisten, die vor ihm aus den Zimmern sprangen, brauchten ein paar Sekunden, um ihre Position einzunehmen. Also sprintete James los, ohne zu wissen, ob Bradford geistesgegenwärtig genug sein würde, ihm zu folgen.

Ein Beamter ging zu Boden, als James ihn umrannte, und fast wäre er selbst gestolpert, als eine Hand nach seinem Knöchel griff, doch er lief einfach weiter. Ein kurzer Blick über die Schulter verriet ihm, dass Bradford von drei Beamten gleichzeitig zu Boden geworfen worden war und drei weitere Polizisten vom anderen Ende des Ganges angestürmt kamen, um mit einem Rammbock die Tür zu Richs Hotelsuite einzuschlagen.

Die Polizisten waren zwar bewaffnet, aber das machte James keine Sorgen. Er kannte die strengen

Dienstvorschriften, was den Gebrauch von Schusswaffen anging, und wusste, dass sie nicht feuern würden, solange er niemanden direkt bedrohte.

Als er die Haupttreppe erreichte, sah er die Polizistin wieder, die bereits kurz zuvor den Gang beobachtet hatte. Sie trat ihm in den Weg und schwang den Schlagstock, um ihn James in den Bauch zu rammen. Doch sie war zu klein und bewegte sich zu früh. Der Hieb glitt harmlos über James' Jacke, und James war so schnell, dass er sie glatt umrannte.

Sie prallte gegen die Wand, verlor ihre Mütze und ihr Hinterkopf krachte mit einem hässlichen Geräusch an die Tapete. Während sie nach dem Geländer griff, um nicht zu stürzen, raste James die Treppe hinunter, immer drei Stufen auf einmal nehmend – ohne zu wissen, was ihn am nächsten Treppenabsatz erwarten würde.

»Was ist denn bloß los?«, wunderte er sich, als er im ersten Stock ankam und über die lange Balustrade in die Hotellobby hinuntersah. Dort unten warteten ein halbes Dutzend Polizisten in gelben Warnwesten, also war es unmöglich, über die Treppen zu entkommen, die links und rechts von ihm ins Erdgeschoss führten.

Seine grünen Haare und die derben Stiefel waren in dieser Umgebung nicht gerade die beste Tarnung, daher verlangsamte er sein Tempo und versuchte, eine Doppeltür hinter ihm zu öffnen. Noch bevor ihn die Cops in der Lobby bemerkt hatten, schlüpfte er in den leeren Veranstaltungsraum.

An der einen Wand waren Esszimmerstühle aufgestapelt, und davor standen einfache Sperrholztische, die normalerweise unter schönen Tischtüchern verborgen waren. Auf der anderen Seite befanden sich eine Bar und ein Notausgang. James sprang über die polierte Theke und hockte sich zwischen die Bierhähne und die Kühlschränke mit Glastüren, in denen die antialkoholischen Getränke aufbewahrt wurden.

Er musste endlich wissen, was da eigentlich lief. Da er sein Handy nicht dabeihatte, nutzte er das Wandtelefon, das neben den Erdnusspackungen hing, und bemerkte erfreut, dass er sich noch an die Handynummer seines Einsatzleiters erinnerte.

»John, was ist los? Warum wimmelt es hier nur so von Cops?«

»Hä?«, rief John. »Wer sagt das?«

»*Ich* sage das«, gab James wütend zurück. »Gerade haben sie Rich und Bradford verhaftet und ich weiß nicht, was ich machen soll ... Soll das etwa heißen, Sie wissen nichts davon?«

»Nein«, antwortete John überrascht. »Ich ... da muss noch ein anderes Team an dem Fall arbeiten oder so.«

»Oh verdammt«, stieß James erbost hervor. Das war ein weiteres großes Problem bei streng geheimen Missionen: Es konnte passieren, dass zwei verschiedene Teams unwissentlich an ein und demselben Fall arbeiteten. »Und was soll ich jetzt machen?«

»Wenn es geht, verschwinde, aber geh kein Risiko

ein. Falls du geschnappt wirst, werde ich dich finden und dich so schnell wie möglich rausholen.«

»Okay«, flüsterte James. »Und wo sind Sie?«

»Ich parke vor einem Pub etwa eine halbe ...«

Den Rest verstand James nicht mehr, weil ein Haufen Cops in den Raum stürmte.

»Der grünhaarige Bastard muss hier durchgekommen sein«, sagte einer und rannte auf die Feuertür zu.

»Ich muss weg«, flüsterte James, doch er konnte den Hörer nicht auflegen, ohne dass man seinen Arm sah.

Der Polizist stieß die Feuertür auf und Alarm ertönte.

»Hier kann er also nicht durchgekommen sein, sonst hätte er den Alarm ausgelöst«, stellte er fest und wandte sich der Bar zu, während einer seiner Kollegen hinter einem prachtvollen Weihnachtsbaum und der andere unter den Tischen und hinter den Stühlen suchte.

James grinste schwach, als der Cop sich über die Theke lehnte und direkt auf ihn heruntersah.

»Was kann ich Ihnen anbieten, Officer?«, fragte er. »Bier, Wein, Erdnüsse?«

Er überlegte kurz, ob er aufspringen und einen Fluchtversuch wagen sollte, aber da griff der Polizist nach seinem Elektroschocker, und auf 50 000 Volt konnte James gut verzichten.

»Aufstehen und Hände hinter den Kopf!«, kläffte der Cop.

Kaum hatte sich James aufgerichtet, packten ihn die anderen beiden an den Armen, zerrten ihn über die Bar und ließen ihn hart auf den Boden aufschlagen. Dann fesselten sie ihm die Hände mit einer Plastikhandschelle.

»Verdächtiger festgenommen«, meldete der eine in sein Funkgerät, während der andere James mit sadistischem Vergnügen seine Rechte verkündete.

James lag auf dem Bauch und konnte nicht viel mehr als die Stiefel der Beamten sehen, zu denen sich jetzt ein kleineres Paar gesellte. Die glänzenden schwarzen Schuhspitzen hielten direkt vor seiner Nase an.

Er sah auf und wusste, was kommen würde, denn vor ihm stand die Polizistin von der Treppe.

»Willst du dich jetzt immer noch mit mir anlegen, du kleiner Punk?«, schrie sie mit blutiger Nase, richtete sich auf und versetzte ihm mit dem Schlagstock einen Hieb in den Rücken. Dann nahm sie kurz Anlauf und trat ihm in die Nieren.

»Verdammt«, stöhnte James, als sie ihn gemeinsam mit ihren Kollegen auf die Beine zog.

»Das gefällt dir wohl nicht, du hartes Bürschchen, was?«, grinste sie. »Warte nur ab, was passiert, wenn wir dich erst in unserem Wagen haben!«

12

Jake, Ronan und Kevin rasten durch eine Feuertür an der Rückseite des Flugüberwachungszentrums. Es war klar, dass die Militärpolizei vor dem Haupteingang etwas Zeit brauchte, um sich zu organisieren. Inzwischen war es stockdunkel und die drei Jungen zogen ihre Kapuzen über, damit ihre hellen Gesichter nicht aufleuchteten, wenn ein Lichtstrahl sie traf.

»Und? Wie sieht unser Plan aus?«, fragte Kevin nervös.

Jake zuckte mit den Achseln. »Rennen wie der Teufel und versuchen, über den Zaun zu kommen.«

»Das soll ein Plan sein?«, erkundigte sich Ronan.

Jake grunzte. »Ronan, wenn dir was Besseres einfällt, dann immer nur raus damit.«

Während sie an der Betonmauer entlang schlichen, dachte Kevin laut nach. »Dieser Zaun ist vier Meter hoch, mit Stacheldraht obendrauf. Wir können nicht drüberklettern, aber ich habe immer noch die Drahtschere, mit der wir vorhin die Löcher in den Zaun geschnitten haben.«

»Ich hab meine auch noch«, grinste Ronan.

»Wir haben also beide Drahtscheren?«, fragte Jake. »Und was ist mit Rat und den anderen?«

»Wen kratzt das?«, gab Ronan zurück. »Lauren hat uns den ganzen Tag lang rumkommandiert. Soll sie sich doch darum kümmern.«

»Stimmt auch wieder«, meinte Jake. »Es hieß ja schließlich, jeder für sich, und im Dunkeln finden wir sie sowieso nicht.«

*

Rat und Lauren wählten eine riskantere Strategie. Sekunden, bevor die Royal-Air-Force-Beamten hereinstürmten, rannten sie durch den Rezeptionsbereich und den Gang entlang zum Aufenthaltsraum der Wachleute.

»He Schwester«, begrüßte Lauren die immer noch gefesselt am Boden liegende Frau und leuchtete ihr mit der Taschenlampe ins Gesicht. Immerhin hatte sie das Klebeband über ihrem Mund entfernen können und spuckte jetzt den Knebel aus.

»Du kannst mich mal, du Göre!«, schrie sie Lauren an.

Während sich die beiden weiblichen Wesen angifteten, durchsuchte Rat die Jacken der Wachleute, die an der hinteren Wand an Haken hingen, und fand schließlich zwei Paar Autoschlüssel.

»Fiat oder Volvo?«, fragte er.

»Der Volvo hat mehr Wucht, um durch den Zaun zu brettern«, erklärte Lauren. »Aber nimm mal beide mit, vielleicht steht der Fiat ja weiter von den Cops weg.«

*

Andy und Bethany rannten über das Feld hinter dem Gebäude, während ihnen das wilde Bellen der Polizei-Schäferhunde in den Ohren gellte.

»Dieses Geräusch mag ich aber gar nicht«, stieß Bethany hervor. »Mach lieber die Taschenlampe aus, sonst sehen uns die Cops schon aus meilenweiter Entfernung!«

»Ich hab es aber auf dem Hinweg hier irgendwo gesehen«, widersprach Andy gereizt und leuchtete mit der Taschenlampe auf dem Boden herum. »Eine große dreckige Bauplane, die über einem Loch lag.«

»Vielleicht sollten wir einfach so versuchen, über den Zaun zu klettern«, schlug Bethany vor.

»Das kannst du gern machen«, gab Andy zurück. »Aber da sind acht Reihen Nato-Stacheldraht in V-Form oben drauf und Stacheldrahtrollen in der Mitte. Wenn du da mit dem Bein drin hängen bleibst, kriegst du es in Streifen wieder raus.«

»Da, neben dem Schuppen«, rief Bethany plötzlich, als im Schein der Taschenlampe etwas Oranges aufleuchtete.

Sie liefen darauf zu. Es war tatsächlich eine schwere orangefarbene Bauplane über dem kreisrunden Loch, in dem später der rotierende Fuß einer Satellitenschüssel stehen sollte. Die Plane war nur mit einigen Leichtbetonsteinen um das Loch herum befestigt, die Bethany und Andy mit Fußtritten schnell beseitigen konnten.

Als nur noch ein paar Steine auf der Plane lagen, zog

Andy so kräftig daran, dass sie sich mit einem Ruck löste. Gleichzeitig bekam Bethany einen Schwall Regenwasser ab, das sich auf der Plane gesammelt hatte.

»Aaah, du blöder Idiot!«, kreischte Bethany, als ihr das eiskalte Wasser aus den Haaren und über die Kleidung lief.

Aber zum Streiten war jetzt keine Zeit. Die Cops hatten sich endlich organisiert und die Militärpolizei hatte eine Suchkette von einem Dutzend Männern gebildet. Methodisch schwenkten die Suchscheinwerfer über den Boden, während sie sich schnell vom Hauptgebäude entfernten. Hinter dem Suchteam marschierten die Hundeführer mit ihren Schäferhunden. Zum Glück waren Bethany und Andy kaum sechzig Meter vom Zaun entfernt.

*

Jake hatte die Flucht seines Teams vorsichtiger geplant als Andy und Bethany. Er kroch immer noch an der Betonmauer des Kontrollzentrums herum – hinter den Suchmannschaften, die sich gerade auf den Weg gemacht hatten.

Nach einem vorsichtigen Blick um die Ecke des Gebäudes wandte er sich an Ronan und Kevin.

»Drei Wachen und zwei Hunde«, flüsterte er. »Stehen nur rum, keine fünfzehn Meter entfernt.«

Kevin bekam Angst. »Das schaffen wir nie!«, behauptete er und betrachtete das offene Gelände zwischen dem Kontrollzentrum und einem Nebengebäude für die Verwaltung. Der Abstand betrug gut zwanzig Meter.

»Wir haben keine Wahl«, entgegnete Jake. Er versuchte, seine etwas jüngeren Teamgefährten zu ermutigen. »Seid einfach leise, dann klappt das schon. Los!«

Doch als Jake losrannte, blieb er an einem metallenen Türstopper hängen, der ein Stück vom Boden aufragte. Jake fiel auf den feuchten Beton und riss sich die Hände auf. Ronan packte ihn an der Jacke, um ihm zu helfen, doch Jake stöhnte unwillkürlich auf. Die Schäferhunde spitzten die Ohren und begannen augenblicklich zu bellen.

»Sichtkontakt!«, schrie einer der Militärpolizisten und blendete Ronan mit seiner Lampe.

Ronan war größer und kräftiger als Jake und riss den älteren Jungen hoch.

»Kommt schon!«, brüllte Kevin und sprintete zu dem Verwaltungsgebäude, von wo aus er sich zu den anderen umdrehte.

Schon beim ersten Schritt gaben Jakes Knie nach. So schnell würde er nirgendwohin gelangen, also stieß er Ronan fort. »Lauf!«

Ronan rannte los. Und dann sah er mit einem Blick über die Schulter den riesigen Schäferhund auf sich zukommen. Der Hund setzte zum Sprung an – doch noch bevor er sich mit seinem ganzen Gewicht auf ihn werfen konnte, fiel er mit jämmerlichem Jaulen in sich zusammen.

Während Ronan verwundert weiterrannte, sah er, wie Kevin mit der Steinschleuder auch den zweiten Hund fixierte.

Doch Kevin konnte nur auf Schatten zielen, und so ging der nächste Schuss harmlos in die dunkle Leere.

Jake schrie entsetzt auf, als der Kiefer des Schäferhundes seinen Arm packte. Er versuchte wegzukriechen und konnte sich losreißen. Doch dann spürte er plötzlich durch die Trainingshose hindurch die scharfen Hundezähne in seinem Hintern, bis ihm endlich zwei Hundeführer zu Hilfe kamen.

»Oh Gott!«, stöhnte Kevin und sah Ronan zitternd an. »Vielleicht sollten wir uns ergeben.«

Ronan schüttelte den Kopf. »Aufgeben ist was für Weicheier. Mit den zwei Drahtscheren sind wir in null Komma nichts durch den Zaun.«

Verzweifelt rannten sie los, denn es war klar, dass ihnen die Militärpolizei mit den Hunden dicht auf den Fersen sein würde.

Jake schluchzte vor Schmerz auf, als die Hundeführer ihre Tiere zu sich riefen und ihn ein stämmiger Beamter mit einer Hand hochzog und an die Wand drückte.

»Da hast du dir eine Menge Ärger eingehandelt, junger Mann!«, schnauzte er und musste dann lachen, als er im Strahl seiner Taschenlampe Jakes am Hintern zerrissene, blutige Hose sah. »Und ich wette, du vergisst Fluffy, den Schäferhund, bestimmt nicht so schnell.«

Als Lauren und Rat aus dem Aufenthaltsraum der Wachleute kamen, hörten sie bereits die dröhnenden Schritte aus dem demolierten Empfangsbereich und sahen die Lichtkegel der Taschenlampen. Der Weg zum Parkplatz war abgeschnitten.

»Verdammt«, entfuhr es Lauren.

Sie versuchte, sich an den Gebäudegrundriss zu erinnern, den sie sich noch auf dem Campus eingeprägt hatte, während Rat zuversichtlich in die entgegengesetzte Richtung lief. Lauren folgte ihm. Um das Risiko zu verringern, dass sie ein Lichtstrahl traf, hielten sie sich so dicht wie möglich an der Wand.

»Da vorne ist die Treppe«, erklärte Rat. »Wir könnten in den ersten Stock rauf, zurücklaufen bis zum anderen Ende des Gebäudes und über die Feuertreppe auf den Parkplatz runter.«

Selbst für einen CHERUB-Agenten war Rat außerordentlich klug. Er hatte einen der höchsten IQs auf dem Campus und ein ausgezeichnetes Gedächtnis – allerdings auch ein unglaublich großes Ego, weshalb Lauren darauf verzichtete, ihm ein Kompliment zu machen.

Oben an der Treppe kam ihnen Wasser über die Stufen entgegen. Es lief aus einer der Toiletten, die Ronan verstopft hatte. Auch dieser Gang war komplett verwüstet. Zwei Verkaufsautomaten lagen umgeworfen auf dem Boden, ein Dutzend Schaumstoff-Deckenplatten waren mit einem Besenstiel durchbohrt und das Glas von Lampen und Türen zerschmettert worden.

»Ronan ist schon ein echt destruktives Kerlchen«, grinste Lauren, als sie mit ihrer Taschenlampe herumleuchtete.

Rat kletterte über den ersten Automaten, der ihm den Weg versperrte, und sah dann aus dem Fenster. Die Autoscheinwerfer, das Blaulicht und die Taschenlampen erhellten die Dunkelheit draußen, sodass er gut erkennen konnte, was dort unten vor sich ging. Noch mehr Polizei war angerückt, sowie ein Verstärkungsteam der Militärbasis, und ein örtlicher Fernsehsender hatte sogar einen Übertragungswagen mit Satellitenschüssel geschickt.

»Oh Mist«, sagte Lauren. »So was können wir jetzt wirklich nicht gebrauchen.«

»Irgendjemand muss die Presse informiert haben«, nickte Rat. »Wenn wir die Stars der Abendnachrichten werden, können wir uns für ein paar Jahre von den Missionen verabschieden…«

So schnell es die Dunkelheit erlaubte und so leise wie möglich, liefen sie den Gang entlang. Sie öffneten eine Doppeltür und fanden sich auf einer Galerie über dem großen Kontrollraum wieder, in dem die Jungen kurz zuvor die Rollwagen der Techniker demoliert hatten.

Die Notbeleuchtung war wieder eingeschaltet worden und zwischen den Konsolen suchten zivile Cops und Militärpolizisten den Boden ab.

»Kinder«, sagte eine Militärpolizistin mit Schirmmütze, während ihr ziviler Kollege Blitzlichtaufnah-

126

men von der Verwüstung schoss. »Alles geplant. Sie haben die Wachen gefesselt… unglaublich.«

Die Galerie war offen einsehbar, aber zum Glück musste der Boden erst noch verlegt werden. Lauren kroch hinter einer großen Teppichrolle zum anderen Ende hinüber, dicht gefolgt von Rat. Bei der Tür angekommen, richtete sie sich auf die Knie auf, um sie zu öffnen. Sie quietschte leicht in den Angeln, aber das schien unten im Kontrollraum niemand zu bemerken. Aufatmend huschten die beiden in ein leeres Büro.

Der schmale Raum hatte ein großes Fenster an der einen Seite und einen Notausgang mit einem kleineren Fenster an der anderen, von wo aus man auf eine metallene Feuertreppe gelangte. Die Techniker begannen hier gerade erst mit der Verkabelung, und so lagen haufenweise Elektroleitungen herum.

»Pass auf, dass du nicht stolperst«, warnte Rat, während er über eine Kabelrolle sprang.

Auf dem Weg zur Feuertreppe sah Lauren aus dem kleinen Fenster und verfluchte ihr Pech. »Überall Cops!«

»Das ist echt nicht unser Abend heute«, seufzte Rat.

In dem leeren Raum konnte es sich nur um Minuten handeln, bis die Polizeiteams, die das Gebäude durchsuchten, sie fanden. Rat lief zu dem großen Fenster auf der gegenüberliegenden Seite.

»Da ist der Fiat«, verkündete er. »Und hier unten kann ich niemanden sehen. Meinst du, wir könnten springen?«

Rat kippte das Kunststofffenster auf und sah hinaus. Kalte Luft wehte Lauren ins Gesicht, als sie in die Dunkelheit hinunter blickte.

»Im Training bin ich schon aus ganz anderen Höhen gesprungen«, erklärte sie. »Ist nur ein bisschen eng.«

Rat schloss das Fenster schnell wieder und zog an einem anderen Fenstergriff an der Seite, mit dem man das gesamte Fenster nicht nur kippen, sondern um die eigene Achse drehen konnte, damit die Außenseite leichter zu reinigen war.

»Da sollte selbst dein dicker Hintern durchpassen«, grinste er.

»Klugscheißer«, gab Lauren zurück und schwang die Beine aufs Fensterbrett. Rat knipste kurz die Taschenlampe an, um nachzusehen, ob sie auch wirklich auf nichts anderem landeten als auf einem leeren Parkplatz. Es waren immerhin vier Meter.

Lauren prallte heftig auf ihren Knöchel und stöhnte unwillkürlich auf. Ein paar Sekunden später landete Rat neben ihr und rappelte sich schnell wieder hoch.

»Alles klar?«, fragte er nervös.

»Verdreht«, antwortete Lauren, als er ihr aufhalf.

Zum Glück stand der kleine Fiat Punto keine zehn Meter weit entfernt vor einer Hecke.

»Ich helfe dir«, sagte Rat, nahm die Autoschlüssel aus seiner Hosentasche, packte Lauren unterm Arm und rannte mit ihr zusammen zum Auto. Kurz davor drückte Rat auf die Fernbedienung, um die Türen zu entriegeln. Das Auto piepte zweimal und alle vier Blinker leuchteten auf.

»Sichtkontakt!«, rief ein Polizist. »Der Fiat!«

Lauren stöhnte vor Schmerz und stieg hinten ein, während Rat mit dem Zündschlüssel hantierte. Er mühte sich noch mit dem Rückwärtsgang ab, als drei Royal-Air-Force-Polizisten auf sie zukamen. Der schnellste von ihnen griff nach der Tür, als Rat gerade den Gang einlegte. Die Tür flog auf, doch da machte der Wagen einen Satz nach hinten und riss dem Polizisten den Griff aus der Hand, bevor ihn die aufgeschlagene Tür umwarf.

Doch dann stotterte der Motor und verstummte. Rat hatte den falschen Gang eingelegt.

»Mist!«, schrie er. Der Schlüsselbund klimperte, als er versuchte, sich in dem fremden Auto zurechtzufinden und es neu zu starten.

»Ich dachte, du kannst fahren«, rief Lauren panisch.

»Das hilft mir jetzt echt wahnsinnig!«, beschwerte sich Rat, fand den richtigen Gang und fuhr los.

Die vordere Stoßstange schepperte, als der Wagen mit hoher Geschwindigkeit über den Bordstein und in den Dreck segelte. Rat richtete das Lenkrad wieder gerade, trat das Gaspedal durch und raste direkt auf den Zaun zu.

13

James lag mit dem Gesicht nach unten auf dem Boden eines Polizeitransporters. Die Plastikhandschellen schnitten ihm in die Handgelenke. Neben ihm saßen vier Cops auf Holzbänken, und die Polizistin, die er auf der Treppe an die Wand gestoßen hatte, drückte ihm ihren Fuß auf den Hinterkopf, sodass er den Geruch von Urin, Hunden und allem anderen, was sonst noch auf dem Boden eines Polizeifahrzeuges landete, aus nächster Nähe einatmen durfte.

»He Fahrer!«, rief einer der Cops fröhlich und sah durch das vergitterte Fenster in die Fahrerkabine. »Kannst du dir nicht ein paar schöne holperige Straßen für unseren Kleinen hier auf dem Boden aussuchen?«

Die Polizisten brachen alle möglichen Regeln, die für den Umgang mit Gefangenen galten. Aber James war klar, dass er nach einem Angriff auf einen Cop nicht damit rechnen konnte, mit Samthandschuhen angefasst zu werden. Allerdings hätte es dazu keiner zusätzlichen Schlaglöcher bedurft. Die Stoßdämpfer des Mannschaftswagens waren mehr auf Geschwindigkeit als auf Komfort ausgelegt, sodass schon jede Unebenheit einer normalen Straße James einen schmerzhaften Stich in den Rücken versetzte, wo ihn der Schlagstock getroffen hatte.

»Verschwörung zum Terrorismus«, sagte einer der

Beamten fröhlich. »Angriff auf einen Polizeibeamten und Widerstand bei der Festnahme. Du besorgst dir besser einen guten Anwalt.«

»Ganz zu schweigen von der kriminellen Frisur«, fügte die Frau hinzu.

James wusste, dass er als CHERUB-Agent nie angeklagt werden würde. Aber der Spott und das Gelächter ärgerten ihn trotzdem. Und es kam noch schlimmer. Plötzlich flog sein ganzer Körper hoch und schlug platt wieder auf dem Boden auf, weil die Stahlkiste mit über fünfzig Kilometern pro Stunde über eine Temposchwelle gebrettert war.

»Huuuch!«, lachte einer.

»War das zu schnell?«, rief der Fahrer durch das Gitter nach hinten.

»Ich weiß nicht«, entgegnete die Frau und drückte James ihren Stiefel noch ein wenig fester ins Genick. »Das werden wir sehen, wenn du um den Block fährst und das noch mal machst.«

»Und hübsch ist er auch noch«, witzelte einer der Männer. »Die Schwulen im Knast werden dich *lieben*!«

James war kurz davor, zu explodieren, doch er sah ein, dass ihm das nur weitere Schlagstockhiebe und vielleicht sogar noch ein paar Elektroschockwellen einbringen würde.

Nachdem er die Fahrt über die Temposchwelle noch ein zweites Mal über sich ergehen lassen musste, wurde der Wagen schließlich langsamer. James konnte nicht sehen, wohin sie fuhren, aber es war offensichtlich, dass sie auf eine Art Parkplatz einbogen.

»Aufstehen, Schwachkopf«, befahl der größte der Cops, machte die Tür auf und sprang hinaus.

James rollte sich auf den Rücken, doch mit gefesselten Händen war es einigermaßen schwierig, aufzustehen und hinauszuspringen. Er sah sich um und erkannte, dass sie auf dem gut beleuchteten Parkplatz eines Polizeireviers standen.

»Schwing deinen Hintern da raus«, blaffte ihn ein Polizist unfreundlich an und stieß ihn in den Rücken. Aber als er einen Hauptkommissar in Begleitung eines anderen Mannes auf sie zukommen sah, änderte sich seine Körpersprache schlagartig. Erleichtert erkannte James seinen Einsatzleiter John Jones.

»Ist das Ihr Junge?«, fragte der Hauptkommissar.

John nickte und sah den großen Cop an. »Entfernen Sie die Handschellen und geben Sie ihm seine Sachen wieder.«

Die Polizistin sah ziemlich wütend drein.

»Was ist los, Boss? Der kleine Scheißer war bei dem Meeting mit Bradford dabei. Und dann hat er mich angegriffen und fast die Treppe hinuntergestoßen.«

»Es steht uns nicht an, Fragen zu stellen, Catherine«, sagte der Hauptkommissar bestimmt. »Der Junge mit den grünen Haaren ist entkommen. Und wer etwas anderes behauptet, der kann sich darauf verlassen, dass der Rest seiner Polizeikarriere kurz und unangenehm sein wird. Ist das klar?«

»Kristallklar«, seufzte die Frau und sah kopfschüttelnd zu, wie ein anderer die Plastikhandschellen von James' Handgelenken löste.

»Na dann, noch alles Gute, meine Herren – und die Dame«, wünschte James.

»Mir ist egal, wer du bist, Junge«, knurrte die Frau. »Aber ich kann dir nur raten, dich hier in der Gegend nicht mehr blicken zu lassen.«

James wedelte abschätzig mit der Hand. »Geh doch nach Hause und schieb dir einen Besenstiel in …«

»Hey, hey, hey!«, unterbrach ihn der Hauptkommissar.

»Mach jetzt bloß keine blöde Szene«, verlangte John, packte James am Arm und brachte ihn zu einem Jaguar, der auf der anderen Seite des Parkplatzes stand.

»Mann, tut mir der Rücken weh!«, ächzte James, als er sich auf den Beifahrersitz fallen ließ. »Die dumme Kuh hat mir den Schlagstock in die Rippen gerammt.«

»Klingt fair«, sagte John sarkastisch und ließ den Motor an. »Die nette Frau so die Treppe hinunterzuschubsen!«

James schüttelte den Kopf. »Die ist echt klein, aber an dem Tag, an dem sie das Schlagstocktraining absolviert haben, hat sie verdammt gut aufgepasst.«

»Oh ja«, lächelte John. »Als ich noch bei der Truppe war, kannte ich auch ein paar echt fiese Polizistinnen, ganz besonders die kleinen. Die versuchen ihre

Größe immer dadurch auszugleichen, dass sie einen auf ganz hart machen.«

»Was ist da eigentlich abgelaufen? Wer hat diese Überwachung geleitet? Wer hat die Verhaftungen vorgenommen?«

John wartete, bis sie von dem überfüllten Parkplatz auf die Straße abgebogen waren, bevor er antwortete:

»Ich kenne noch nicht alle Details, aber es scheint sich um einen seltsamen Zufall zu handeln. Offensichtlich hat Rich eine EC-Karte auf seinen Decknamen Richard Kline verloren. Er ist in eine Filiale gegangen, um sich eine neue zu bestellen, und hat aus irgendeinem Grund dort einen Streit angefangen. Zufällig war einer der Kassierer ein Junge aus Belfast, der ihn als Rich Davis, Ex-IRA erkannt hat. Er hat die Antiterror-Einheit angerufen und die haben ihn beobachtet, unter der Adresse, an die die Ersatzkarte geschickt werden sollte.«

»Wann war das?«, fragte James.

»Irgendwann innerhalb der letzten zwei oder drei Wochen«, erwiderte John und hielt an einer roten Ampel. »Reiner Zufall: MI5 und die Antiterror-Einheit arbeiten am selben Fall, von verschiedenen Enden aus.«

»Haben die denn genug Beweise, um Davis und Bradford festzunageln?«

John nickte. »Sonst hätten sie nicht zugeschlagen. Wir konnten das Treffen ja nicht abhören, weil wir keine Ahnung hatten, wo es stattfinden würde. Sie wussten es offensichtlich, und als sie die beiden über terroristische Verschwörungen reden hörten, haben sie zugegriffen.«

»Na gut«, seufzte James, »man kann ja nicht immer gewinnen.«

»Aber immerhin ist das Ergebnis gut«, fand John. »Die Bösen werden für eine ganze Weile ins Gefängnis wandern.«

»Ja…«, grunzte James. »Aber das wäre auch passiert, wenn ich nicht dabei gewesen wäre. Und dafür musste ich jetzt sechs Wochen mit dieser bescheuerten Frisur herumlaufen.«

*

Bethany und Andy breiteten die Baupläne aus und legten sie sich um die Schultern. Dann begannen sie, am Zaun hinaufzuklettern. Mit kalten Fingern und vom Schlamm glitschigen Schuhen fanden sie nur schwer Halt, aber die Angst trieb sie voran.

»Offenbar haben sie uns noch nicht gesehen«, sagte Andy mit einem Blick über die Schulter in Richtung der Polizisten und der Taschenlampen.

»Dauert aber bestimmt nicht mehr lange, bei dem riesigen orangefarbenen Ding hier«, warnte Bethany.

Da sie kleinere Füße hatte, kam sie auf dem Zaun besser zurecht und gelangte als Erste an die Stelle unterhalb des Stacheldrahtes.

»Okay«, sagte Andy schließlich, »bin bereit.«

Jetzt kam der schwierigste Teil von Andys Plan. Sie mussten sich mit einer Hand am Zaun festhalten und mit der anderen die Plane irgendwie über die V-förmigen Stacheldrahtstränge und die Stacheldrahtrollen werfen.

»Fertig?«, fragte Andy. »Dann los!«

Sie versuchten, die schwere Bauplane nach oben über den Zaun zu schwingen. Aber der Wind blies aus der falschen Richtung, sodass sie sich hoffnungslos verheddterte und dann auf Bethany zuwehte. Mit der einen freien Hand konnte Bethany das Gewicht der Plane nicht halten, sie verlor die Balance, ihre Schuhe rutschten ab und plötzlich hing sie nur noch an zwei Fingern am Zaun.

Andy versuchte, zu ihr zu gelangen, um ihr zu helfen, aber vor Schmerz musste Bethany loslassen und fiel vier Meter tief nach unten. Zum Glück landete sie auf dem vom Regen aufgeweichten Boden. Andy sprang hinterher und befreite sie von der Plane.

»Das funktioniert nie«, behauptete Bethany, als Andy ihr die Hand reichte und sie hochzog. »Wir schaffen es niemals, die Plane über den Draht zu kriegen und uns gleichzeitig festzuhalten.«

»Vielleicht können wir sie am Zaun festbinden, sie uns über den Kopf legen und hochschieben, während wir weiterklettern.«

»Könnte klappen«, nickte Bethany. »An den Ecken sind Löcher. Hast du eine Schnur?«

»Ich habe gehofft, du hättest eine«, meinte Andy enttäuscht.

»Wir sind erledigt«, stöhnte Bethany und stampfte

heftig mit den Füßen auf. »Meine Klamotten sind ruiniert, ich bin todmüde und selbst meine Unterhosen triefen von eiskaltem Wasser.«

»Es sei denn, wir finden unsere Einstiegslöcher im Zaun wieder«, schlug Andy vor. »Ich weiß ungefähr, wo die sind.«

»Klar, und sobald die Cops die Wachen entdecken, wissen sie auch über die Löcher Bescheid!«, regte sich Bethany auf. »Das war doch der Grund, warum wir die Sache mit der Plane überhaupt versuchen wollten.«

»Stimmt«, seufzte Andy. »Aber du hast schließlich selbst gesagt, dass wir diese Plane nie über den Zaun kriegen. Also haben wir gar keine andere Wahl, oder?«

Als er sich umdrehte, sah er zwei kleine Gestalten über das Gras laufen, gejagt von einem halben Dutzend Polizisten mit ein paar Hunden an der Leine.

»Hierher!«, brüllte Andy und winkte hektisch.

»Was machst du denn?«, stieß Bethany hervor, schlug Andys Arm nach unten und versuchte, ihm den Mund zuzuhalten. Aber da kamen Kevin und Ronan bereits in ihre Richtung gerannt.

»Breite die Plane aus!«, befahl Andy. »Wir gehen noch mal rauf.«

»Warum?«, rief Bethany. »Und seit wann gibst du hier die Befehle?«

»Vertrau mir«, verlangte Andy.

Andys Zuversicht ließ Bethany verstummen, die sich ohne ein weiteres Wort an die Arbeit machte. Mit der Plane um die Schultern begannen die beiden, erneut hinaufzuklettern. Gerade als sie den Stacheldraht erreichten, kamen Ronan und Kevin am Zaun an; die Polizisten waren mit ihren Hunden nur noch ein paar Hundert Meter hinter ihnen.

»He, ihr zwei! Klettert unter die Plane und schiebt sie über den Stacheldraht«, rief Andy von oben herunter.

Ronan sah Andy verständnislos an, aber Kevin hatte einmal eine Übung absolviert, bei der sein Team ein paar Rollen Stacheldraht auf ähnliche Weise überwinden musste; damals hatten sie die Rollen unter Zeltplanen und Brettern flach getreten.

Bethany und Andy breiteten die Plane zwischen sich aus und Kevin kletterte als Erster darunter. Mit seinen kleineren Füßen fand der Elfjährige besseren Halt als Bethany und Andy und erklomm den vier Meter hohen Zaun erstaunlich schnell.

Oben angekommen gab er der Plane einen Stoß, sodass sie sich über seinen Kopf wölbte, hielt sich dann mit einer Hand am Zaun fest und schob sie mit der anderen über den Stacheldraht. In der Zwischenzeit hatte auch Ronan begriffen, was er tun sollte und war Kevin eiligst nachgeklettert. Jetzt half er ihm dabei, die Plane über den Draht zu schieben, und da ihr Gewicht nun von vier anstatt von zwei Personen gehalten wurde, gelang es Andy und Bethany schließlich, die Ecken der Plane über den Zaun zu werfen.

»Haben wir's?«, erkundigte sich Kevin. Das Bellen der Hunde kam immer näher.

Andy nickte. Die dicke Plane lag jetzt über dem Stacheldraht. Allerdings war es zu dunkel, um sicher-gehen zu können, dass nirgendwo Stacheln durch-drangen und die rasiermesserscharfen Klingen ihnen nicht die Finger zerschneiden würden, wenn sie nach der Plane griffen.

Zögernd schwang Andy ein Bein darüber und wippte leicht auf den Stacheldrahtrollen. »Sieht gut aus«, rief er erleichtert.

»Runter da!«, schrie ein Militärpolizist von unten. Wild knurrend sprangen zwei Hunde am Zaun hoch, verfehlten die CHERUB-Beine jedoch um gut einen Meter.

Nachdem Andy auch sein anderes Bein über die Plane geschwungen hatte, sprang er hinunter und rollte sich auf dem weichen Boden ab.

Kevin und Bethany waren die Nächsten.

»Iiihhhh!«, schrie Bethany. »Ich bin in einem Kuh-fladen gelandet! Ich bin total eingesaut!«

Jetzt war nur noch Ronan oben. Um die Polizisten daran zu hindern, ihnen nachzuklettern, besprühte Ronan die Plane mit dem Pfefferspray, das er einem der Wachmänner abgenommen hatte, und zündete sie mit seinem Feuerzeug an. Dann sprang er ab.

Das Pfefferspray entflammte, die Plastikschicht be-gann bereits zu schmelzen und dennoch schien einer der Polizisten fest entschlossen, das brennende Hindernis zu überwinden. Daher blieb Andy nichts anderes übrig, als seine letzte Metallkugel einzusetzen und dem Polizisten aus weniger als fünf Metern Entfernung mit der Steinschleuder in die Brust zu schießen.

»Hat jemand eine Drahtschere?«, rief ein anderer Cop.

»Schneidet ihnen den Weg ab!«, brüllte ein weiterer. »Durchs Haupttor auf die Felder!«

Andy war beeindruckt von Ronans schneller Reaktion. »Wo hast du denn das Feuerzeug her?«, fragte er, während die vier Cherubs querfeldein rannten.

»Hatte ich in der Hosentasche«, keuchte Ronan, der auf dem sumpfigen Acker ständig ausrutschte. »Hab ja schon mal gesagt, dass ich gern Sachen in Brand stecke.«

»Nett«, fand Andy und fischte sein Handy aus der Hosentasche, um den Einsatzleiter anzurufen. »Dennis, hier Andy. Wir müssen schnell irgendwo abgeholt werden... So weit? Ich weiß, dass überall Cops sind, aber...«

»Was ist los?«, fragte Ronan, als Andy wütend das Telefon zuklappte.

»Dennis kommt uns nicht holen. Er sagt, es sei zu riskant, uns an einer Hauptstraße einzusammeln. Wenn er gesehen wird, zieht das jede Menge unangenehmer Fragen nach sich. Also gibt es einen neuen Treffpunkt, fünf Kilometer weit weg.«

Alle stöhnten auf. Nach der ganzen Anstrengung

hatte keiner mehr Lust, sich weitere fünf Kilometer durch den Matsch zu quälen.

Aber es blieb ihnen nichts anderes übrig, als in gleichmäßigem Tempo dahin zu joggen, wobei sie im Dunkeln immer wieder aneinanderstießen.

Kevin sah Bethany an. »Bist du wirklich in Kuhscheiße gelandet?«

»Allerdings«, gab Bethany zurück. »Bin total voll damit. Und wenn einer von euch auch nur grinst, dann kriegt er eine volle Ladung davon ab…«

»Jake wurde von den Hunden geschnappt«, wechselte Kevin abrupt das Thema und verkniff sich gerade noch das Lachen. »Aber was ist mit Rat und Lauren?«

*

Rat kannte diese Szene aus Hunderten von Filmen. Der Wagen prallt auf den Zaun, die Pfosten zersplittern und regnen auf die Straße und der Wagen zischt davon, dass die Funken sprühen.

»Festhalten!«, brüllte er Lauren zu und stellte entsetzt fest, dass er bei der hektischen Flucht vergessen hatte, sich anzuschnallen.

Er warf einen Blick auf den Tacho, während der kleine Fiat auf den Zaun mit den Betonpfosten zupflügte. Doch auf dem weichen Boden fanden die Räder keinen Halt und so prallte das Auto mit wenig mehr als 30 km/h auf den Zaun. Ein metallisches Krachen, ein lauter Knall, und Rat flog der Airbag ins Gesicht. Einer der Pfosten brach und die Nase des Fahrzeugs stieg so steil in die Höhe, dass der Fiat fast senkrecht stand.

Lauren befürchtete schon, dass er rückwärts aufs Dach kippen würden, doch da gab auch der andere Pfosten endlich nach. Der Wagen fiel nach vorne und rutschte langsam weiter.

»Gib Gas!«, schrie Lauren. »Oder hast du ihn etwa wieder abgewürgt?«

Rat klingelten die Ohren von der Airbag-Explosion, er konnte Lauren kaum hören.

»Der Motor ist aus«, schrie er zurück und wedelte den weißen Puder aus dem Airbag weg. »Wahrscheinlich eine Sicherheitsabschaltung, wenn der Wagen so schräg steht.«

Es war stockdunkel und über die halb aufgeblasenen Airbag-Reste hinweg konnte er erst recht kaum etwas sehen, doch er spürte, wie der Wagen sachte eine Böschung hinabglitt. Er trat kräftig auf die Bremse, was ohne Wirkung blieb, da die Räder über den Schlamm rutschten.

Nach etwa zehn Sekunden krachte der Fiat mit der Motorhaube gegen einen Baum, kippte zur Seite und blieb in einer fünfundzwanzig Zentimeter tiefen Pfütze stecken. Lauren wollte die Tür aufstoßen, doch das gelang ihr wegen des Matschs nur einen Spaltbreit – gerade so weit, dass das braune Pfützenwasser ins Auto lief.

Als sich Lauren und Jake zur Beifahrerseite hi-

142

nüberarbeiteten, die in die Luft ragte, kamen sowohl Zivil- als auch Militärpolizisten den Abhang hinuntergerutscht und umringten das Auto. Lauren hörte das unmissverständliche Klicken eines Gewehrs, das entsichert wurde. Sie bezweifelte zwar, dass die Militärpolizei auf unbewaffnete Kinder schießen würde, dennoch lief es ihr kalt über den Rücken.

»Raus aus dem Auto! Und haltet die Hände da, wo ich sie sehen kann!«, schrie ein Mann, riss die Beifahrertür auf und zerrte Rat ins Freie. Lauren stieg selbst aus, doch kaum hatte sie einen Fuß in die Pfütze gesetzt, brach sie zusammen. In dem ganzen Chaos hatte sie ihren verdrehten Knöchel völlig vergessen.

Sie wurde hoch gezerrt und gegen das Auto gestoßen. Während sie versuchte, sich das Dreckwasser aus den Augen zu blinzeln, ging von der anderen Seite der Pfütze plötzlich ein Blitzlichtgewitter los.

Lauren verbarg das Gesicht in den Händen, als sie ein großer Polizist rückwärts aus dem Wasser zog.

»Nehmt die Kameras weg!«, schrie sie. »Los, verpisst euch!«

14

»Dann ist also alles vorbei?«, erkundigte sich Dana.

Es war Samstagmorgen. James saß in seinem Zimmer auf dem Schreibtischdrehstuhl mit einem Handtuch darunter, das die Haare auffangen sollte.

»Ja«, nickte James. »Mein Ziel war Bradford, aber er wurde verhaftet und ich kann nicht weiter undercover arbeiten, weil ich offiziell flüchtig bin.«

»Die Sache mit der Demo hört sich allerdings ziemlich spannend an«, meinte Dana und setzte einen Plastikkamm auf die Haarschneidemaschine. »Bist du sicher, dass du alles minikurz haben willst? Denn wenn ich erst mal angefangen habe, gibt es kein Zurück mehr.«

James nickte. »Ich hab erst vor zwei Wochen nachgefärbt. Wenn du es länger lässt, sieht man überall noch grüne Spitzen. Außerdem – als ich das letzte Mal die Haare so kurz hatte, hast du gesagt, du findest das sexy.«

»Wenn du meinst«, erwiderte Dana halbherzig und schaltete das batteriebetriebene Gerät ein.

Sie begann am längsten Teil des Irokesen, und schon bald segelten James' grüne Haare büschelweise über seinen Rücken und auf das Handtuch.

»Alles okay mit dir?«, fragte James.

»Wie bitte?«, fragte Dana. Sie hielt inne und der Summton des Geräts verstummte.

James legte den Kopf schief, um Dana hinter ihm ansehen zu können. »Du hast dich so komisch verhalten, als ich weg war. Ich meine, ich hab dir SMS geschickt und du hast mir die meiste Zeit nicht mal geantwortet oder zurückgerufen.«

Dana schaltete die Haarschneidemaschine wieder ein. »Halt den Kopf still, sonst brauchen wir hier noch den ganzen Tag.«

»Genau das habe ich gemeint«, beschwerte sich James enttäuscht.

»Worüber redest du?«

»Darüber, dass du das Thema wechselst.«

Dana neigte sich vor und küsste ihn auf die Wange.

»Ich war beschäftigt«, erklärte sie. »Ich hatte eine böse Erkältung und die Arbeit für mein Kunstexamen bringt mich noch um.«

»Aber sonst ist wirklich alles in Ordnung?«, fragte James nach. »Ich hab mir deine Bilder angesehen. Selbst die, die du für Mist hältst, sind tausendmal besser als alles, was ich je zustande bringen würde.«

Dana kippte James' Kopf nach vorne und begann, sein Nackenhaar zu scheren. James griff nach hinten und steckte die Hand in Danas ausgeleierte Shorts.

»Hör auf damit, du gieriger Kerl!«, fuhr sie ihn an. »Wenn du nicht stillhältst, siehst du gleich völlig idiotisch aus!«

Aber James ignorierte sie und zog ihr die Shorts auf die Knie herunter.

»Lass das!«, befahl Dana, schaltete die Haarschneidemaschine erneut aus und verpasste James damit einen Schlag auf den Hinterkopf.

James schüttelte sich ab.

»Vor dieser Mission haben wir ständig aneinandergeklebt«, erinnerte er sie.

»Ich bin einfach nicht in Stimmung«, erklärte Dana. »Und jetzt halt den Kopf still!«

»Komm schon!!!«, bettelte James, sprang auf und griff Dana an den Hintern. »Ich hab dich sechs Wochen lang nicht gehabt. Meine Eier sind so dick wie Mangos!«

»Hör endlich auf, mich zu nerven!«, schrie Dana, stieß James von sich und warf die Haarschneidemaschine auf sein Bett. »Du kannst dir die Haare selber schneiden!«

»Was?«, stieß James entgeistert hervor und jagte ihr auf den Flur nach. »Tut mir leid, das war doch nur Spaß!«

»Ein bisschen mehr Respekt könnte nicht schaden, du Vollidiot!«, rief Dana und lief die Treppe hinauf zu ihrem Zimmer. »Wenn ich sage, ich bin nicht in Stimmung, dann *meine* ich das auch so!«

Als James enttäuscht in sein Zimmer zurücktrottete, entdeckte er gegenüber auf dem Gang den schläfrigen Kevin in seinem grauen CHERUB-T-Shirt und der Unterhose, in der er geschlafen hatte.

»Tut mir leid, Kumpel«, seufzte James. »Ich weiß, dass es bei dir gestern spät geworden ist. Ich hab dich doch nicht aufgeweckt, oder?«

Kevin hatte sich erst vor Kurzem als Agent qualifiziert und war das Leben in dem neuen Campus-Gebäude noch nicht gewohnt. Aber er wollte James gern zum Freund haben und hätte sich auch nicht beschwert, wenn er ihn tatsächlich geweckt hätte.

»Nein«, gähnte er. »Muss sowieso runter in den Speisesaal, bevor das Frühstück zu Ende ist.«

In seinem Zimmer betrachtete James sich im Spiegel. An einigen Stellen war er fast kahl, während an anderen noch grüne Haarbüschel abstanden.

»Wie sieht *das* denn aus?!«, seufzte James.

»Soll ich dir helfen?«, bot sich Kevin von der Türschwelle aus an. »Im Juniorblock haben wir uns oft gegenseitig die Haare geschnitten, um nicht Schlange stehen zu müssen, wenn der Frisör kam.«

»Hätte nichts dagegen«, antwortete James erfreut. »Wahrscheinlich würde ich es auch selbst hinkriegen, aber es ist viel einfacher, wenn es jemand anderes erledigt.«

»Ich zieh mich nur schnell an«, rief Kevin und flitzte in sein Zimmer.

Gerade als James sich wieder auf den Drehstuhl setzte, kam Kevin herein, band sich die Trainingshose noch zu und nahm die Haarschneidemaschine vom Bett.

»Frauen«, seufzte James, während der Summton erklang. »Wenn du meinen Rat willst, Kevin, dann halt sie so lange wie möglich aus deinem Leben raus.«

»Versuche ich«, grinste Kevin und begann, die restlichen grünen Büschel zu bearbeiten. »Halt den Kopf still.«

»Ich weiß gar nicht, was mit Dana los ist. Bevor ich weg bin, war alles bestens, weißt du. Und jetzt? Paff! Sie beantwortet meine Anrufe nicht, sie will nicht, dass ich sie anfasse. Ich meine, was soll denn das?«

Kevin fragte sich, ob er James erzählen sollte, wie er Zeuge von Danas Betrug geworden war. Aber Lauren hatte ihn davor gewarnt, sich einzumischen. Und außerdem hatte James den Ruf, die falschen Leute zu verprügeln, wenn er wütend wurde.

»Tut mir leid«, sagte James, als er im Spiegelschrank Kevins bedrücktes Gesicht sah. »Ich wollte dich mit den Storys aus meinem Liebesleben nicht in Verlegenheit bringen.«

»Wahrscheinlich mache ich in ein paar Jahren genau dasselbe durch«, vermutete Kevin.

»Auf jeden Fall bist du besser im Haareschneiden als Dana«, behauptete James lächelnd, während Kevin zielsicher mit der Haarschneidemaschine über seinen Kopf fuhr.

Kevin grinste.

»Dafür erwarte ich aber auch ein anständiges Trinkgeld.«

Nach Danas übler Laune tat James die Gesellschaft eines fröhlichen Elfjährigen gut, der noch dazu bewundernd zu ihm aufschaute.

»Und wie lief's bei deiner kleinen Mission mit meiner Schwester gestern Abend?«, fragte James. »Wie ich gehört habe, gab es etwas Ärger.«

»Es lief gut«, lächelte Kevin. »Ich bin jedenfalls ganz gut weggekommen. Lauren und Rat sind verhaftet worden, aber Dennis King hat sie nach ein paar Stunden aus der Zelle rausgeholt. Jake hat es am schlimmsten erwischt. Er musste mit zwölf Stichen am Hintern genäht werden, wegen eines Hundebisses.«

James lachte laut auf. »Hört sich schlimm an. Erinnere mich daran, dass ich ihn damit aufziehe, wenn ich ihn das nächste Mal sehe.«

»Oh, den Teil, der dir am besten gefallen wird, hab ich ja ganz vergessen!«, fügte Kevin eifrig hinzu. »Bethany ist von einem Zaun gesprungen und mitten in einem riesigen Kuhfladen gelandet. Es hat entsetzlich gestunken und als wir zum Auto kamen, hatte sie noch alles in den Haaren hängen. Ich glaube, sie will Ronan und mich jetzt umbringen, weil wir uns vor Lachen fast in die Hosen gemacht hätten.«

»Genial«, fand James. »Ich wünschte, ich wäre dabei gewesen.«

»Ich glaube, das war's.« Kevin führte die Haarschneidemaschine noch ein letztes Mal hinter James' Ohr entlang, dann schaltete er sie aus.

James war mit dem Ergebnis ganz zufrieden, auch wenn seine Kopfhaut ziemlich blass aussah und die Maschine ein paar Pickel in seinem Nacken geköpft hatte, wo jetzt rote Flecken leuchteten.

»He Jungs!«, platzte Rat herein, mit einem Ketchupschnurrbart im Gesicht und einer Zeitung in der Hand. »Ich habe gerade unten gefrühstückt, als jemand das hier in der Zeitung gesehen hat. Das müsst ihr euch anschauen! Lauren wird durchdrehen!«

Rat warf die Zeitung auf James' Bett. Auf der Titelseite prangten nur Bilder von Bradford und den Unruhen am Strand, doch fünf Seiten weiter entdeckten sie ein Farbfoto, das ein dreckverschmiertes Mädchen in einer Pfütze neben einem demolierten Fiat zeigte.

Laurens Gesicht war zwar verwischt, weil es illegal war, minderjährige Kriminelle eindeutig abzubilden, aber trotzdem konnte man sie noch erkennen – und außerdem war ihre Hand, die wütend nach den Fotografen schnippte, nicht unkenntlich gemacht worden.

»*Exklusivbericht*«, las James begeistert vor. »Kinder in Zwei-Millionen-Drogenrausch: *Eine messerschwingende Kapuzengang von kaum zehn Jahren hat in einer Luftverkehrszentrale, die in knapp drei Wochen von der Königin eröffnet werden soll, einen Schaden von mehr als zwei Millionen Pfund angerichtet...*«

Kevin schüttelte den Kopf. »Zwei Millionen. Die spinnen doch. Wir hatten die Anweisung, dass es echt aussehen soll, aber nicht teuer. Und woher wollen die wissen, ob wir auf Droge waren oder nicht?«

»Aber das Beste kommt noch«, rief Rat. »Lest mal die Bildunterschrift!«

»*Frohe Weihnachten*«, las James. »*Das kleine Rowdy-Mädchen grüßt unsere Fotografen, bevor sie von der Militärpolizei abgeführt wird.*«

Die drei Jungen schütteten sich aus vor Lachen, während Kevin den Rest des Artikels laut vorlas. Immer noch lachend schob James schließlich den Stuhl zum Schreibtisch zurück und hob das Handtuch voller Haare auf.

»Ich dusche jetzt mal lieber«, sagte er. »Ich hab überall Haare im Nacken.«

»Vergiss nicht, dass wir später Fußball spielen wollen«, erinnerte ihn Rat. »Also wirf dich nicht in deine besten Sachen.«

»Ich weiß noch nicht, ob ich mitspiele«, erwiderte James und hob sein T-Shirt an, um den riesigen Bluterguss auf seinem Rücken zu zeigen.

»Autsch, das tut weh«, meinte Kevin.

»Wem sagst du das«, gab James zurück. »Das Einzige, was schlimmer ist als eine wütende Frau, ist eine wütende Frau, die einen Stock hat, mit dem sie dich schlagen kann.«

*

Zwei Stunden später trat Lauren aus der Mädchentoilette in einen Gang voller Lametta und Schneemänner, die die Kids gebastelt hatten. Nachdem sie einmal in den Juniorblock strafversetzt worden war, hatte es ihr dort so gut gefallen, dass sie immer wieder freiwillig dort aushalf.

»Frohe Prollnachten, Lauren«, wünschte ihr ein Junge mit Zahnlücke, als sie von vier Rothemden umringt wurde.

Lauren hielt dem kleinen Jungen ihre Faust vors Gesicht. »Du stehst kurz davor, noch ein paar Zähne zu verlieren, Kurt«, drohte sie, bevor sie ihn sachte in die Nase kniff.

Das Quartett blieb ihr dicht auf den Fersen, als sie durch den Gang zu einem der Klassenzimmer humpelte. Ihr Knöchel war dick einbandagiert.

»Hast du unsere Geschenke schon gesehen, Lauren?«, fragte ein anderer Junge.

»Wir *wissen*, dass du sie gesehen hast«, warf der dritte ein. »Verrat es uns, biiittteee!«

»Ich habe keine Ahnung, wovon ihr redet«, behauptete Lauren.

»Wir sind doch nicht doof!«, sagte Kevins kleine Schwester Megan. »Wir haben das ganze Geschenkpapier gesehen, das da reingewandert ist!«

»Gib uns wenigstens einen Hinweis!«, bettelte einer der Jungen.

»Wolltet ihr nicht alle beim Krippenspiel mitmachen?«, fragte Lauren. »Da müsst ihr bestimmt noch euren Text üben.«

Lauren hatte die Tür des Klassenzimmers erreicht und klopfte an die Glasscheibe, die vor den neugierigen Blicken der Rothemden mit Goldfolie abgedeckt worden war.

Megan schlang die Arme um Laurens Taille. »Ich *muss* aber wissen, was ich geschenkt bekomme. Bitte, bitte, bitte!«

Doch als sich die Tür öffnete und ein Betreuer namens Pete Bovis den Kopf herausstreckte, sprang sie zurück.

»Verschwindet, ihr Bande«, verlangte er. »Ich habe euch gesagt, dass ihr Lauren und die anderen Aushilfen in Ruhe lassen sollt. Und wenn ich noch einmal sehe, wie ihr einen von ihnen löchert, ziehe ich jedem ein Geschenk ab!«

Lauren drückte sich durch den Türspalt ins Klassenzimmer, sodass die Kinder nicht sehen konnten, was darin vor sich ging.

»Die sind echt hartnäckig«, lächelte sie, als Pete die Tür wieder verschloss.

In diesem Klassenzimmer wurden normalerweise die Kleinsten auf dem Campus unterrichtet. Es gab einen Sandkasten und einen Wasserspielbereich mit einem Becken voller Spielzeugboote und Wasserräder, eine mit Teppichboden ausgelegte Leseecke voller Bilderbücher, und außerdem lag jede Menge abgenutztes Spielzeug herum. Doch im Augenblick stapelten sich an der einen Wand Kisten mit neuen Spielsachen und anderen Geschenken, die auf den Tischen in der Mitte eingepackt und beschriftet wurden, bevor sie auf die andere Seite wanderten.

An den Tischen saßen zwei Betreuer und drei ausgebildete CHERUB-Agenten und arbeiteten eine schier endlos lange Liste ab, auf denen die Geschenke aufgezählt waren, die jedes Rothemd erhielt. Zum Teil bekamen alle Rothemden das Gleiche geschenkt, während ein paar andere Geschenke die persönlichen Wünsche der kleinen Empfänger berücksichtigten.

Die vier Mädchen, die sich freiwillig als Aushilfen gemeldet hatten, um unangenehmeren vorweihnachtlichen Aufgaben wie dem Putzen der Korridore oder der Arbeit in der Wäscherei zu entgehen, hatten schnell eingesehen, dass auch das Einpacken von Geschenken weit weniger lustig war, als gedacht – bei über tausend Geschenken für etwa siebzig Rothemden.

»Okay«, seufzte Lauren, quetschte sich auf einen winzigen Stuhl, der für einen Vierjährigen konstruiert war, und las den nächsten Namen auf der Liste. »Robert Cross, acht Jahre, Hauptgeschenke: Laptop, Manchester-United-Set, *Gunslinger 4* für die X-Box. Hat jemand die Tüte mit den ganzen Fußballsachen gesehen?«

Einer der Betreuer sah sich um. »Gerade hatte ich sie noch ...«

»Es ist doch unglaublich, was die Kinder heutzutage alles bekommen«, regte sich Lauren auf und bemühte sich um einen starken Cockney-Akzent, während sie nach dem silbernen Geschenkpapier griff, um das Fußball-Set einzupacken. »Als ich acht war, hab ich höchstens eine Orange, einen Apfel und vielleicht noch eine Walnuss bekommen – aber nur wenn ich viel Glück hatte!«

»Ja, da bin ich mir sicher«, grinste Pete, während die anderen lachten. »Vor allem, nachdem deine Mut-

ter die größte Ladendieb-Gang in Nordlondon organisiert hat ...«

15

Der CHERUB-Campus war aus einer alten Schule her-
vorgegangen, die jetzt Teil des Juniorblocks war. Im
Laufe der Zeit hatte sich der Campus zu einem hoch
gesicherten Gelände mit einem kleinen Dorf entwickelt, umgeben von mehreren Bauernhöfen. Und während den heutigen Cherubs alle nur erdenklichen
Sportmöglichkeiten und Allwetter-Sportplätze zur
Verfügung standen, gab es in jenen grauen Anfangs-
tagen nur ein einziges Fußballfeld in der Nähe des
Campus-Sees.

Im Winter trat dieser See regelmäßig über das Ufer
und durchweichte sowohl die genagelten Stiefel der
Jungen – weibliche Cherubs gab es damals noch
nicht – als auch das Spielfeld und verwandelte es in
eine regelrechte Schlammwüste. Mit der zunehmen-
den Erweiterung des Campus entstanden auch neue,
höher gelegene Sportplätze und das Seeufer wurde
eingedämmt, um die jährliche Überflutung zu stop-
pen. Doch die alte Tradition, am Samstag vor Weihnachten ein Fußballspiel auf dem Matschplatz auszu-
tragen, wurde jedes Jahr aufs Neue wiederbelebt.

Zu diesem Zweck wurde etwas Wasser aus dem See

auf einen leichten Abhang gepumpt, von wo aus es wieder zurückfließen konnte. Dann fuhren die Gärtner mit dem Traktor über diese Fläche, und innerhalb eines halben Tages verwandelte sich ein ganz normales rechteckiges Stück Wiese in ein katastrophales Feld aus großen Pfützen und knöcheltiefem Schlamm.

Da es unmöglich war, zum Abstecken des Matschfeldes Tore aufzustellen, wurden die Enden des Bolzplatzes mit ein paar altmodischen Torpfosten markiert. Und da die Spiele immer nach Einbruch der Dunkelheit stattfanden, wurde jede Ecke mit einem Satz tragbarer Flutlichtstrahler ausgestattet, die allerdings häufig ausfielen.

Am Rande des Spielfelds gab es außerdem zwei offene Partyzelte. In dem einen wurden die Spieler abgespritzt, um sie vom gröbsten Matsch zu befreien, bevor sie für eine heiße Dusche in die Umkleidekabinen liefen; im anderen wurden Burger und Hot Dogs angeboten und aus einer großen Anlage dröhnte laute Partymusik in die Nacht hinaus.

Es war erst fünf Uhr nachmittags, aber der Himmel war bedrohlich schwarz und ein eisiger Wind pfiff über den See. Dennoch ließ sich fast keiner das traditionelle Fußballfest entgehen, und so standen vom kleinsten Rothemd bis zu Schwarzhemden wie James alle bereit: gut eingepackt, mit Fußballstiefeln oder alten Turnschuhen, Handschuhen, Mützen, dicken Trainingsanzügen und Kapuzenjacken oder Sweatshirts. Altgediente Cherubs, die zu Weihnachten zu

Besuch kamen, und Dutzende von Mitarbeitern hatten sich um ein paar Tische herum versammelt und nippten an ihren Bierflaschen oder Champagnergläsern.

James selbst befand sich mitten in einer Menge am Spielfeldrand, in der sich ein paar aufgeregte Rothemden gegenseitig mit Matsch bespritzten. Als er sich gerade nach seinen Freunden umsah, tippte ihm jemand auf die Schulter.

»Kyle!«, rief James erfreut, als er seinen besten Freund erkannte. »Wann bist du denn angekommen, Mann? Warum hast du dich nicht gleich bei mir gemeldet?«

»Bin gerade erst aus Cambridge gekommen«, antwortete Kyle. »Ich hatte gehofft, um zwei hier zu sein, noch etwas essen zu können und mich ein wenig zu unterhalten. Aber der Weihnachtsverkehr ist echt grauenvoll.«

»Das ist mein Kumpel!«, freute sich James, als Kyle ihm eine Flasche Kronenberg von einem der Stehtische der Erwachsenen reichte.

»Aber halt sie möglichst unauffällig«, mahnte er.

»Und wie ist es so auf der Uni?«

»Gut«, erzählte Kyle. »Es ist wirklich nett, und es gibt auch eine große Schwulenszene. Aber so verlockend es auch ist, jeden Abend auszugehen und Party zu machen, dazu ist das Geld einfach zu knapp.«

»Letztes Mal hast du gesagt, dass du dir einen Job suchen willst.«

Kyle nickte. »Ich hab als Türsteher in einer Schwulenbar angefangen. Gibt gutes Geld, auch wenn man sich mit einem Haufen Idioten herumschlagen muss.«

»Ich hätte ja gedacht, dass du für den Job als Rausschmeißer zu klein bist.«

»Na ja, eines Abend sind ein paar großmäulige Rugbyhemden in die Bar gekommen und haben angefangen, sich über Schwanzlutscher und Homos lustig zu machen und ein paar Leute herumzuschubsen. Nachdem ich sie dann höflich darum gebeten habe, mit mir nach draußen zu kommen, hab ich sie mit dem Deckel einer Mülltonne erledigt.«

James lachte. »Schön, dass unser gutes altes Combat-Training so nützlich ist.«

»Jedenfalls, als ich dann das nächste Mal in den Laden auf einen Drink kam, hat mir der Besitzer diesen Job angeboten. Ich krieg zehn Mäuse die Stunde bar auf die Hand und so viel Alkohol, wie ich will.«

»Hört sich gut an«, grinste James, kippte drei Schluck Bier hinunter und rülpste laut.

»Spielst du mit?«, erkundigte sich Kyle.

James schüttelte den Kopf. »Gestern Abend hat mir eine Polizistin den Rücken fast ruiniert. Der Arzt sagt, wenn ich mich auch noch im Matsch herumrolle, kriege ich ihn vielleicht noch ganz kaputt.«

»Ich hab schon an dich und deine Mission gedacht, als ich gestern die Nachrichten über die Demo gesehen habe. Und wie geht's sonst so?«

»Nicht schlecht«, meinte James achselzuckend. »Dana ist irgendwie komisch drauf in letzter Zeit, aber das ist bei Frauen halt manchmal so.«

»Frohe Prollnachten!«, wünschte Kyle, als er Lauren mit ihrem verstauchten Knöchel auf sie zuhumpeln sah.

Die meisten anderen hätten sich dafür wahrscheinlich etwas anhören dürfen, aber Lauren mochte Kyle, und da sie ihn seit Ewigkeiten nicht mehr gesehen hatte, bekam er stattdessen eine Umarmung und einen flüchtigen Kuss auf die Wange.

»Wie läuft's?«, wollte Kyle wissen, doch noch bevor Lauren etwas sagen konnte, brach die Rockmusik ab und aus den Lautsprechern kreischte ein markerschütterndes Quietschen.

»Ich bitte kurz um etwas mehr Ruhe!«, rief Zara Asker. Wieder quiekte das Mikrofon schauerlich und Zaras Tochter Tiffany hielt sich die Ohren mit ihren kleinen Händen zu. »Die Klassenzimmer bleiben bis Neujahr geschlossen, es ist Samstagabend und ich freue mich, verkünden zu können, dass in diesem Augenblick hier auf dem Cherub-Campus Weihnachten beginnt!«

Applaus und Jubel brandeten auf und währenddessen bemerkte James, dass sich Zaras vierjähriger Sohn Joshua an sein Bein klammerte. Er hatte Meatball an der Leine, und Lauren hockte sich hin, um den kleinen Beagle zu streicheln.

»Du bist ja schon total schmutzig«, flötete sie.

»Wenn dich Zara nachher in die Wanne steckt, beschwerst du dich bloß wieder!«

»Nur noch ein paar Warnungen, bevor wir anfangen«, fuhr Zara fort. »Es ist heute sehr kalt und nass. Ich kann damit leben, wenn sich ein paar von euch verletzen sollten, aber ich werde sehr böse, wenn sich jemand eine Erkältung oder gar eine Lungenentzündung holt. Das Spiel dauert fünfzehn Minuten und ich erwarte, dass im Anschluss daran *jeder* Spieler heiß duscht und sich trockene und saubere Sachen anzieht. Als Vorsitzende habe ich das Privileg, alle Unterlagen darüber einzusehen, wer mit wem noch eine Rechnung offen hat. Und ich darf entscheiden, wer gegen wen spielt. Ich freue mich, ankündigen zu dürfen, dass die erste Partie in diesem Jahr lautet: Rothemden-Jungen gegen Rothemden-Mädchen!«

Die Leute brüllten begeistert, als mehr als dreißig kleine Kids aufs Spielfeld stürmten. Manche traten nur zaghaft auf den Matsch, während andere waghalsig und mit vollem Tempo hineinschlitterten.

James lachte über einen kleinen Jungen, der gegen seine ältere Schwester geprallt war und sich jetzt mit ihr prügelte, während der Schiedsrichter bereits den Ball in einer großen Pfütze – die den Mittelkreis darstellte – schwimmen ließ. *Los Jungs!* und *Los Mädels!*, schallte es aus der Menge.

»Ich bin am Verhungern«, erklärte Kyle. »Diese Autobahnraststätten sind einfach nichts für mich. Was haltet ihr von einem Burger, solange da noch keine Schlange ansteht?«

»Bin dabei, wenn du mir noch ein Bier besorgst«, grinste James.

Das Spiel begann und James und Lauren folgten Kyle zusammen mit Joshua und Meatball ins Partyzelt zum Barbecue-Stand. Als Meatball das gebratene Fleisch roch, zog er aufgeregt hechelnd an der Leine. Während James auf die Burger und Hot Dogs wartete, besorgte Kyle am Getränkestand Pepsi und Bier.

Als sie kauend wieder vor dem Zelt standen, war das erste Spiel bereits vorbei und die Rothemden-Jungen hatten gewonnen. Allerdings beschwerten sich die schlammverschmierten Mädchen über den chauvinistischen Schiedsrichter, der den Jungs anscheinend in allerletzter Minute einen unverdienten Strafstoß zugebilligt hatte.

Zara sagte das nächste Spiel an, das zwischen den Cherubs aus dem sechsten und dem achten Stock des Hauptgebäudes stattfinden würde. Als James seine Nachbarn aufs Spielfeld marschieren sah, darunter seine Ex-Freundin Kerry Chang, seine Freunde Bruce, Shakeel, Andy, Rat und Kevin, feuerte er sie wild an.

»Tretet ihnen in den Hintern, achter Stock!«, rief Lauren Bethany und ihren Freunden zu, die sich auf der anderen Hälfte des Spielfeldes formierten.

Da die Stockwerke des Hauptgebäudes nicht nach Alter und Geschlecht aufgeteilt waren, standen nun neben kräftigen Sechzehn- und Siebzehnjährigen auch frisch qualifizierte Zehnjährige auf dem Feld. Bei einem ernsthaften Spiel hätte es deshalb wahrscheinlich jede Menge Verletzte gegeben, aber die Matschmeisterschaft bestand aus reinen Freundschaftsspielen – bei denen es allerdings nicht selten vorkam, dass die Kinder übereinander purzelten oder die Spieler Matschklumpen in die Zuschauerreihen warfen.

Die Rothemden waren inzwischen alle unter der Dusche und zwei Drittel der anderen Cherubs bildeten die großen Teams auf dem Spielfeld, sodass das Publikum ziemlich ausgedünnt war und größtenteils aus dem Personal, den Kindern aus dem siebten Stock und Kids wie James und Lauren bestand, die an irgendwelchen Verletzungen litten.

Da sah James am Tor auf der anderen Seite des Felds eine einsame Gestalt.

»Ich sehe was, was du nicht siehst und das fängt mit J an.«

»Oh cool«, fand Lauren. »Ich muss ihn unbedingt noch damit aufziehen, dass er in den Hintern gebissen wurde.«

Kyle hatte noch nichts von dem neuesten Campus-Klatsch gehört und musste lachen. »Was ist denn da passiert?«

Während Lauren, James und Kyle sich in Jakes Richtung bewegten – Joshua hatte gesehen, wie Zara seine Schwester Tiffany mit Keksen fütterte und war hinübergerannt, um sich seinen Anteil zu sichern –, erzählte Lauren von Jakes unheilvoller Begegnung mit den Wachhunden der Militärpolizei.

»Na, wie geht's deinem Hintern?«, lachte Lauren, als sie hinter Jake auftauchte.

»Du nutzloses Weichei!«, brüllte James über das Spielfeld hinweg, nachdem Shakeel eine hundertprozentige Torchance vergeben hatte.

Jake wandte sich mit grimmigem Blick zu Lauren um.

»Fang bloß nicht damit an, ja?«, warnte Jake sie. »Ich hab es echt satt, dass sich jeder darüber lustig macht, und ich schwöre dir, beim nächsten Mal raste ich aus!«

»Wir sind wohl ein bisschen empfindlich, was?«, grinste Lauren.

»Tut es noch sehr weh?«, fragte Kyle immerhin ein wenig mitleidsvoller.

»Zwölf Stiche in meinem Hintern. Was glaubst *du* denn?«

»Am besten, du kaufst dir so einen Gummiring zum Sitzen«, lachte James.

»Lass doch mal sehen«, verlangte Lauren, griff nach seiner Trainingshose und zog kräftig daran.

»Lass das!«, schrie Jake wütend. »Findest du das etwa witzig? Lass du dir doch mal von so einem Riesenköter ein Loch in den Hintern beißen, dann sehen wir ja, wer dann noch lacht!«

Lauren schüttelte den Kopf. »Nicht weinen, Jakeylein!«

Kyle schüttelte missbilligend den Kopf. »Jetzt lass den armen Kerl doch mal in Ruhe, Lauren.«

»Es ist doch immer dasselbe«, kommentierte Lauren, als sie einen Schritt von Jake zurücktrat. »Diejenigen, die am besten austeilen können, sind die letzten, wenn's ums Einstecken geht.«

Da wandte sich Jake plötzlich grinsend wieder zu Lauren um. »Ach ja? Ich sag dir was: Warum erzählst du deinem Bruder dann nicht einfach, dass sein Liebesleben den Bach runtergeht?«

Lauren erschrak und versuchte, so zu tun, als wüsste sie nicht, wovon Jake redete.

»Wie bitte?«, fragte sie verächtlich.

Jake zog sein Handy aus der Tasche.

»Sieh mal hier, James. Deine Schwester hat Kevin gezwungen, das Original zu löschen, aber ich hab zum Glück noch eine Kopie.«

»Jake, du bist so ein Arschloch!«, schrie Lauren wütend, als er das Bild auf dem Display vergrößerte.

Die Aufnahme leuchtete nur schwach in der Dunkelheit, aber James brauchte nicht lange, um das Motorradposter über seinem Bett zu erkennen – und die Tatsache, dass *auf* seinem Bett Michael Hendry auf Dana lag.

»Von wann ist das?«, wollte James wütend wissen.

»Von gestern«, grinste Jake. »Frag deine Schwester, die weiß darüber mehr als ich.«

James sah Lauren finster an. »*Was* weißt du?«

Lauren streckte abwehrend die Hände aus. »Du

warst auf einer Mission. Ich wollte es dir ja sagen, aber ich wollte dir nicht das Weihnachtsfest ruinieren.«

»Du wusstest ganz genau, dass ich mir den Kopf darüber zerbreche, warum sich Dana so seltsam verhält«, stieß James hervor. »Du bist meine Schwester, Lauren. Wie konntest du zulassen, dass so was hinter meinem Rücken passiert?«

»Lauren ist ein Miststück«, bemerkte Jake, zuckte jedoch gleich darauf zusammen, als sich James wütend zu ihm umdrehte.

»Noch ein Wort, Jake, und ich prügle dich bis ins nächste Jahr hinein!«

Kyle hatte Mühe, den Zusammenhängen zu folgen, legte James aber besänftigend die Hand auf die Schulter. »Komm schon, Kumpel, beruhige dich.«

»Wusstest du etwa auch davon?«, fragte James vorwurfsvoll.

Kyle lächelte. »James, ich bin seit Juli nicht mehr auf dem Campus gewesen. Hol mal tief Luft und zähl bis zehn.«

»Ich soll mich beruhigen?!«, regte sich James auf. »Der halbe Campus scheint zu wissen, dass Dana mit Michael Hendry poppt, und meine eigene Schwester lügt mich glatt an …«

»Ich habe dich nicht angelogen«, verteidigte sich Lauren. »Ich wollte es dir ja sagen, aber ich hatte gehofft, dass Dana mir zuvorkommt. Und das Foto habe ich nur gelöscht, weil ich nicht wollte, dass du es auf diese Weise herausfindest.«

James war wütend, aber er glaubte Lauren, dass sie nur auf seine Gefühle Rücksicht genommen hatte. Seine eigentliche Wut galt Dana.

»Wo ist dieses betrügerische Miststück?«

»Ich habe sie nicht gesehen«, antwortete Lauren. »Du weißt doch, dass sie bei solchen Aktionen nicht gerne mitmacht. Wahrscheinlich ist sie in ihrem Zimmer und liest.«

James blickte auf das Spielfeld, wo Michael Hendry für den achten Stock als Flügelstürmer spielte.

»Gib mir das Handy«, schrie er und riss es Jake aus der Hand.

»James, beruhige dich!«, verlangte Kyle erneut und packte James energisch am Arm. Doch der riss sich los.

»Wenn mir noch einmal einer sagt, dass ich mich beruhigen soll…!«, drohte er und stürmte auf das schlammige Spielfeld.

Jake sah James feixend nach. Lauren humpelte voller Wut auf ihn zu und packte ihn an der Kapuze seiner Jacke.

»Du widerliches kleines Stück Scheiße!«, schrie sie.

»Ach, leck mich!« Jake versuchte, sich lässig aus Laurens Griff zu winden, doch da schlug ihm Lauren hart ins Gesicht.

Jake stolperte und fiel hin.

»Meine Stiche!«, stöhnte er, wand sich auf dem Boden und hielt sich den Hintern.

Lauren stemmte die Hände in die Hüften. »Du bist

so ein Baby! Ich hab dich ja kaum angetippt!«, höhnte
sie.

16

James hatte eigentlich gar nicht vorgehabt, auf das
Matschfeld zu rennen, seine Turnschuhe durch-
weichen zu lassen und jedes Mal einen grausamen
Schmerz im Rücken zu spüren, wenn er im Schlamm
ausrutschte. Während ein paar kleinere Spieler den
Ball um das Tor am oberen Teil des Hanges jagten,
hielt sich Michael Hendry in dem halbdunklen Bereich in der Mitte auf. Seine Hose war hinten mit
einer dicken Schlammschicht bedeckt und er schlug
die Hände aneinander, um sie zu wärmen.

James hielt wütend das Handy in der ausgestreck-
ten Hand, als er sich Michael von hinten näherte.
Doch seine Lust auf einen Angriff schrumpfte gewaltig angesichts Michaels imponierender Muskeln. Sein
Kampftraining nutzte James gar nichts, da Michael
genau dasselbe absolviert hatte. Alles, worauf James
bauen konnte, war der Überraschungseffekt.

»He, du Scheißkerl!«, rief er.

Noch bevor er sich umdrehte, wusste Michael, dass
er entlarvt worden war. Und noch bevor er reagieren
konnte, hatte ihm James das Handy an die Schläfe
geknallt. Die Plastikhülle zerbrach von der Wucht des

Schlages, und James ließ zwei kräftige Hiebe in den Magen folgen, die die meisten anderen umgehauen hätten. Doch der größere, durchtrainierte Michael steckte sie weg, packte James an seiner Kapuze und trat ihm mit den Metallstollen seines riesigen Fußballschuhs gegen den Knöchel.

»Willst du dich mit mir anlegen?«, schrie er.

James jaulte auf und brach zusammen. Aber trotz der Schmerzen in seinem Rücken und dem Knöchel umfasste er Michaels Fuß und zerrte ihn durch den Matsch nach oben in die Luft, während er aufsprang. Michael versuchte, sich mit einem Tritt zu befreien, während James seinen Fuß festhielt und schmerzhaft verdrehte.

Inzwischen waren die anderen Spieler auf sie aufmerksam geworden, und einige von ihnen kamen angelaufen, um den Kampf zu beenden, während der Schiedsrichter aufgeregt in seine Pfeife blies.

»Du Verräter!«, schrie James und drehte Michaels Fuß mit einem Ruck herum.

Der Schmerz ließ Michael zusammensacken. Er fiel nach vorne in den Dreck und riss James mit sich, rollte sich über ihn und verpasste ihm einen kräftigen Hieb auf den Hinterkopf. Eiskaltes Wasser durchtränkte James' Kleidung. Wild um sich schlagend versuchte er, sich zu befreien, als Michael einen weiteren brutalen Treffer landete.

Wahrscheinlich wäre er gnadenlos verprügelt worden, wenn ihn nicht Bruce Norris gerettet hätte. Bruce lähmte Michael mit einem gezielten Tritt in den Rücken, legte ihm dann die Arme um die kräftige Brust und zog ihn zurück.

Doch obwohl Bruce für seine Größe extrem stark war, gelang ihm das nur mithilfe von Shakeel und Rat. Durch die beiden Schläge auf den Kopf war James zwar benommen, aber bei Bewusstsein, und so merkte er, dass er gleich doppelt in Schach gehalten wurde: Michaels Freundin Gabrielle zog ihn aus dem Matsch und von seinem Widersacher weg, während ihm seine Exfreundin Kerry den Arm auf den Rücken drehte.

»Um Himmels willen, James«, rief Kerry, als James vor Schmerz aufstöhnte. »Es ist doch nur ein Spiel. Und du wolltest doch eigentlich gar nicht mitspielen, wegen deines Rückens!«

James und Michael versuchten, sich loszureißen, als der Schiedsrichter angelaufen kam und beiden ein wenig hilflos die rote Karte zeigte.

»Glaubst du, es geht hier etwa um das blöde Spiel?«, fuhr James Gabrielle über seine Schulter hinweg an. »Dann schau dir mal Jakes Handy an! Schau, was dein toller Freund mit Dana angestellt hat!«

Gabrielles Augen blitzten auf und ihr Blick sagte James, dass sie offenbar schon vermutet hatte, dass da irgendetwas lief.

»Gab, nicht!«, rief Kerry besorgt und hielt James noch fester.

»Du hast gesagt, du arbeitest an einem Kunstgeschichtsprojekt!«, schrie Gabrielle Michael an und ließ James los. »Hast du deshalb so viel Zeit in Danas Zimmer verbracht? Du dreckiger, gemeiner ...«

Gabrielle war groß und schlank, aber in einem offenen Kampf hätte sie Michael nie besiegen können. Doch Michael wurde immer noch von Bruce und Shakeel festgehalten. Und noch bevor der Schiedsrichter eingreifen konnte, hatte Gabrielle ihrem Freund mit der Handfläche gezielt unter die Nase geschlagen.

»Ich bring dich um!«, schrie sie, während Michael das Blut aus der Nase schoss.

Als der Schiedsrichter endlich nach Gabrielle griff, um weitere Angriffe zu verhindern, brach sie auf einmal zusammen.

»Ich habe geglaubt, du liebst mich, Michael«, schluchzte sie und ließ sich in die Arme des verdutzten Schiedsrichters fallen.

Kerry wollte ihre beste Freundin trösten, musste dazu aber von James ablassen.

»Benimm dich, sonst passiert was«, drohte sie ihm, bevor sie Gabrielle beistand.

Gabrielles verzweifeltes Schluchzen stachelte James' Wut noch mehr an. Er fühlte sich zwar verletzt, hatte aber selbst schon einige Freundinnen gehabt, und auch wenn er manchmal gedacht hatte, Dana wirklich zu lieben, so hatte doch niemand damit gerechnet, dass ihre Beziehung ewig halten würde – die meisten waren überrascht, dass sie überhaupt so lange gehalten hatte.

Die Beziehung von Michael und Gabrielle war dagegen viel intensiver gewesen. Er war ihre erste große Liebe, und seit sie zusammen waren, bekam man den einen nicht mehr ohne die andere.

James war stinksauer, dass Dana ihn betrogen hatte. Ihm tat der Kopf weh, sein Rücken schmerzte und an seinem Knöchel, wo Michaels Stollen ihn getroffen hatten, drang Blut durch die Socke. Doch mit anzusehen, wie Gabrielles Herz brach, ließ ihm seinen eigenen Schmerz vergleichsweise gering erscheinen.

»Alles okay?«, erkundigte sich Kyle, der sich hinter James durch den Matsch kämpfte, während Gabrielle in Kerrys Armen herzzerreißend schluchzte.

»Mir tut der Kopf weh und mein Knöchel muss vielleicht genäht werden«, meinte James mürrisch. »Tut mir leid.«

Kyle lächelte. »Was tut dir leid?«

»Das hier«, meinte James achselzuckend. »Da bist du seit fünf Monaten mal wieder auf dem Campus und musst dir meinen Mist antun.«

»Dein Mist hat mir gefehlt«, erklärte Kyle trocken. »Erinnert mich nämlich immer daran, wie klug und rational ich doch eigentlich bin.«

James musste trotz seiner Schmerzen lachen. Er hatte Kyles Humor vermisst.

»Leg den Arm um meine Taille«, bot ihm Kyle an. »Ich nehme einen der Golfbuggys und fahre dich zur Krankenstation hinüber.«

Zwei Stunden später klopfte Lauren an James' Tür im sechsten Stock.

»Alles okay?« Sie streckte den Kopf herein und sah James im Bademantel auf seinem Bett liegen. Sein Knöchel war bandagiert und auf dem fast kahlen Kopf verdeckte ein viereckiges Pflaster eine Schnittwunde, die von Michaels Ring stammte.

Bis auf einen Streifen Licht, der aus dem Bad fiel, war es dunkel im Zimmer. Lauren setzte sich auf die Bettkante.

»Hab schon bessere Zeiten gehabt, aber auch schon schlimmere«, sagte James, warf eine Motorradzeitschrift weg, in der er doch nicht gelesen hatte, und setzte sich auf, um seine Schwester anzusehen.

»Du hast doch selbst gesagt, dass du glaubst, zwischen euch sei etwas nicht in Ordnung«, versuchte ihn Lauren zu trösten. »Es hat doch schon eine ganze Weile nicht mehr gestimmt.«

»Ehrlich gesagt, das mit dem Schlussmachen sehe ich sogar ganz locker«, erklärte James. »Aber was mich echt nervt, ist, dass es offensichtlich der ganze Campus gewusst hat, dich eingeschlossen.«

»Ich hätte es dir gesagt, wenn es noch länger gedauert hätte«, beruhigte ihn Lauren. »Für diese dämliche Dana habe ich ganz bestimmt nichts übrig.«

»Aber sie hat klasse Titten«, seufzte James. »Und sie war das erste Mädchen, mit dem ich geschlafen habe, daher werde ich mich wahrscheinlich immer an sie erinnern.«

Lauren grinste. »Hast du nicht schon bei deinem Einsatz gegen die Gangs in London mit einem Mädchen geschlafen?«

James lachte. »Okay, ich formuliere es anders: Dana war das erste Mädchen, mit dem ich Sex hatte, abgesehen von zwei Minuten Todesangst in einer Badewanne mit einem Mädchen, mit dem ich nie wieder gesprochen habe.«

Lauren kicherte. »Das ist typisch James …«

»Aber Gabrielle tut mir wirklich leid«, fuhr James fort. »Als ich zurückgekommen bin, hat sie sich immer noch in Kerrys Zimmer die Augen ausgeweint.«

»Was hat Zara gesagt?«

»Sie ist zur Krankenstation gekommen und hat mich und Michael einander die Hände schütteln lassen wie zwei Fünfjährige. Nur gut, dass Gab seine Nase total zermatscht hat. Zara erlässt uns allen dreien die Strafe, vorausgesetzt, es gibt kein böses Wort mehr zwischen uns. Aber ich muss Jake das kaputte Handy ersetzen.«

»Wie viel?«

»Hundertfünfzig«, stöhnte James. »Aber immerhin kann ich die Summe abstottern.«

»Oh je«, sagte Lauren und versuchte, ihn mit einem Themawechsel aufzuheitern. »Übrigens war das letzte Spiel der Matschmeisterschaft der absolute Knüller: Trainer gegen Schwarzhemden. Bruce hat einen Hattrick geschafft, deshalb haben ihn Mr Pike und Miss Smoke am Ende in den See geschmissen.«

»Klingt echt witzig.«

»Und die Köche haben im Partyzelt heißen Punsch ausgeschenkt und warme Hackfleischpasteten verteilt, damit sich alle hinterher aufwärmen konnten. Im Punsch war ein bisschen Rum, deshalb durften wir jeder nur einen Becher haben. – Weißt du, was mir eingefallen ist?«

»Was denn?«, fragte James misstrauisch.

»In den USA ist doch demnächst dieses große Training. Und da deine Mission jetzt so früh beendet ist, könntest du dich doch dafür melden.«

»Wieso sollte ich mich für ein Sondertraining melden?«

Lauren schüttelte den Kopf. »Es findet an einem Ort namens Fort Reagan statt, und dabei geht es nicht um ein normales Training. Es wird ein riesiges Kriegsspiel gegen amerikanische Soldaten, die für den Straßenkampf trainieren. Wir sollen als Aufständische kämpfen, Mac wird der Anführer der bösen Jungs und wir kriegen Miniferien in Las Vegas, bevor es losgeht.«

»Hört sich ganz gut an«, stimmte James zu. »Und du bist dir sicher, dass es nicht ums Steineklopfen oder Marschieren mit schwerem Gepäck geht?«

Lauren schüttelte den Kopf. »Das hat nichts mit einem CHERUB-Training zu tun. Es wird von der US-Army und den britischen Spezialeinheiten durchgeführt. Sie wollen CHERUB dabeihaben, um ihren Truppen eine neue Herausforderung zu bieten.«

»Ich kann's mir ja mal ansehen«, nickte James.

»Nach den letzten Monaten würde dir eine Pause bestimmt ganz gut tun«, lächelte Lauren. »Allerdings bewerben sich eine ganze Menge Leute. Aber ich bin sicher, dass du es mit deinen bisherigen Einsätzen schaffst.«

»Hab gehört, dass Bruce vielleicht mitmacht«, überlegte James. »Vielleicht rede ich mal mit Mac darüber, wenn er das nächste Mal auf den Campus kommt.«

»Cool«, fand Lauren, als es plötzlich klopfte.

»Du traust dich also echt noch her?«, fragte James böse, als Dana mit einer großen Schachtel in der Tür auftauchte.

Dana schaltete ohne zu fragen das Licht an und stellte die Schachtel auf das Sofa an der Tür.

»Egal, wie es aussieht, James, ich wollte ehrlich zu dir sein«, sagte sie. »Aber Michael wollte es Gabrielle schonend beibringen. Doch dann hat sie Verdacht geschöpft und ihn in die Ecke getrieben, sodass er es abgestritten hat.«

»Tja, wenn man auch alles gleichzeitig haben will«, kommentierte Lauren verächtlich.

»Falls du es noch nicht bemerkt hast, Lauren«, gab Dana ebenso gehässig zurück, »dein Bruder hat auch noch keine Medaille fürs Treusein bekommen.«

»Ich hab dich nur ein Mal betrogen und es außerdem sofort gebeichtet«, verteidigte sich James und sprang vom Bett, um den Inhalt der Schachtel zu untersuchen: CDs, Klamotten, Schulbücher und andere Dinge, die sich im Laufe ihrer dreizehnmonatigen Beziehung in Danas Zimmer angesammelt hatten.

Danas Stimme wurde hart. »Wir sollten jetzt nicht so tun, als wäre das mit uns beiden was Besonderes gewesen. Ich bin ein Freak, mit dem du nur gegangen bist, weil ich große Titten habe. Und du bist ein gutaussehender Typ, der das auch weiß und seine Finger von keinem Rock lassen kann, der nicht bei drei auf einem Baum ist.«

James war wütend. Einerseits hätte er die ganze Sache gerne mit einem lauten Streit beendet und ein paar Gegenstände durch den Raum gefeuert. Aber andererseits tat ihm alles weh und er hatte einfach keine Lust dazu.

»Nimm dir, was du willst«, sagte er nur und deutete aufs Bad. »Das meiste von deinem Zeug ist da drin.«

Lauren sah James an, dass er traurig war. Während Dana im Bad ihre Sachen zusammensuchte – einschließlich dem *Herrn der Ringe*, den James nie ganz zu Ende gelesen hatte – stellte sie sich neben ihren Bruder und legte ihm in geschwisterlichem Beistand eine Hand auf die frotteeumhüllte Schulter.

»Alles Gute noch«, rief James halb zynisch, als Dana mit derselben Schachtel in der Hand hinausging, mit der sie gekommen war. Nur dass jetzt ihre Dinge darin lagen.

»Dir auch«, sagte Dana, hob ihre freie Hand und schloss die Tür hinter sich.

»Zu schade, dass das alles so kurz vor Weihnachten passiert«, fand Lauren.

»Von wegen«, grinste James. »Montag Früh geh ich gleich als Erstes in den Laden und kriege neunund-dreißig Pfund neunundneunzig für ihr Weihnachtsge-schenk zurück!«

17

Am Weihnachtsmorgen stand Meryl Spencer um 6 Uhr 58 vor der Versammlungshalle im Hauptge-bäude und wurde von zappeligen Rothemden fast zu Tode gequetscht.

»Alles zurücktreten!«, forderte sie lautstark. »Und wenn noch mal irgendjemand schubst oder drängelt, könnt ihr alle bis um acht Uhr wieder ins Bett gehen!«

Einige Kinder stöhnten auf, aber es war wohl allen Rothemden klar, dass es sich hierbei um eine leere Drohung handelte. Sie konnten vor Aufregung nicht mehr schlafen und hatten sich in den unterschied-lichsten Hausschuh-Pyjama-Outdoorjacken-Wollmüt-zen-Kombinationen auf den eisigen Weg vom Junior-block zum Hauptgebäude gemacht.

Auch wenn sie sich nicht die Zeit genommen hatten, sich richtig anzuziehen, waren die meisten Rothemden schon über eine Stunde wach – zwei von ihnen hatte man sogar dabei erwischt, wie sie um vier

Uhr morgens durch die Feuertür in die Versammlungshalle einbrechen wollten.

»Wenn ich das sehe, fühle ich mich alt«, lächelte Kyle. »Vor zehn Jahren hab ich auch dagestanden und auf meine Geschenke gewartet. Und jede Minute kam mir vor wie eine Stunde.«

James stand mit Kyle und ein paar anderen Teenagern zusammen, die einerseits gerne ein paar Stunden länger geschlafen hätten, um ihre Geschenke bei einem späten Frühstück aufzumachen. Aber andererseits wollten sie alle die aufgekratzten kleinen Kinder sehen. Unter ihnen befanden sich auch einige Zehn- oder Elfjährige wie Kevin Sumner und Jake Parker: Sie waren jung genug, um aufgeregt zu sein, versuchten aber, cool zu bleiben und sich nichts anmerken zu lassen.

»ZUUUURÜCK!«, schrie Meryl und einer der Betreuer aus dem Juniorblock schnappte sich einen fast hysterischen Jungen.

»Wag es bloß nicht, meine Hand wegzuschlagen!«, befahl er und packte den Jungen am Handgelenk. »So, jetzt nimm meine Hand, und dann lassen wir euch alle endlich rein.«

Als die Vorgesetzte Zara Asker mit ein paar anderen Angestellten ankam, jubelten die Kinder. Die Uhr über Meryls Kopf tickte auf 6 Uhr 59, und jetzt begannen alle, die Sekunden zu zählen.

»Neunundfünfzig, achtundfünfzig, siebenundfünfzig ...«

»Aaaaahhhh!«, schrie ein kleines Mädchen namens Coral, »ich halt das nicht mehr aus, ich bin ja sooo aufgeregt!«

Kevins siebenjährige Schwester Megan packte ihren Bruder am Arm und benutzte ihn als Rammbock, um sich weiter nach vorne zu drängeln.

»Oh Mann, Megan«, beschwerte er sich, da ihm plötzlich peinlich bewusst wurde, dass er von lauter kleineren Kindern umringt war. »Machen ein paar Sekunden wirklich so viel aus?«

»Sechzehn, fünfzehn, vierzehn …«

Bei zehn steckte Meryl den Schlüssel in das Schloss der großen Flügeltür. Bei drei drehte sie ihn herum. Und genau bei null stieß sie die Türen auf. Die siebzig Rothemden erstürmten die Halle in einem solchen Tempo, dass sich Meryl trotz ihrer olympischen Goldmedaille im Sprint nicht daran erinnern konnte, je so schnell gewesen zu sein.

Die Geschenke lagen alphabetisch nach den Namen der Kinder geordnet in langen Reihen auf dem Boden. Während die Sechs- bis Neunjährigen zielstrebig auf ihre Päckchen zu stapften, bekamen ein paar kleinere Rothemden, die das Abc noch nicht so gut beherrschten, Hilfe von völlig übernächtigten Betreuern, die seit vier Uhr morgens auf den Beinen waren.

Bis James und seine Freunde in die Halle traten, ging es dort bereits zu wie bei einer Piranhafütterung: Die Rothemden machten sich gierig über ihre

Geschenke her, sodass die Verpackungsfetzen nur so durch den Raum flogen.

Die Atmosphäre war erfüllt von geschäftigem Rascheln, dem Klingeln irgendwelcher elektronischer Spielzeuge, den Schreien der kleinen Kinder, auf deren Geschenke sich die größeren stürzten, und der begeisterten Rufe *Oh wow! Ich habe ein Lichtschwert… ein Rennauto… eine Barbie bekommen!*

Die Geschenke für James und die anderen qualifizierten Agenten waren am Rande der Halle auf Tischen aufgebaut worden. Sie waren zwar nicht so groß wie die der kleineren Kinder, aber genauso wertvoll, denn auf dem Campus wurde für alle gleich viel Geld ausgegeben. Einen Unterschied gab es nur bei den Geschenken, die sich die Freunde untereinander machten.

Bei A wie Adams entdeckte James seinen Geschenkstapel direkt neben dem von seiner Schwester.

»Sieht so aus, als hätten wir alle neue Laptops für unsere Zimmer bekommen«, lächelte Lauren, während James ein zylindrisches Paket von Meryl auspackte, das irgendwie nach einer Flasche Alkohol aussah, sich dann jedoch als edle Chrom-Klobürste mit ein paar Desinfektions-Klosteinen entpuppte.

»Hahaha!«, lachte Lauren. »Offensichtlich hat sie den Zustand deiner alten Kloschüssel bemerkt!«

»Das war kein Dreck!«, verteidigte sich James grinsend. »Das waren einfach nur ein paar Bremsspuren in meiner Hall of Fame!«

Inzwischen hatten die meisten Rothemden ihre Geschenke ausgepackt, ließen die Tischfeuerwerke aus ihren Weihnachtsstrümpfen knallen und stopften sich mit Milky Ways voll. Nachdem James eine gestreifte Packung Aftershave von Paul Smith aus seinem Strumpf gezogen hatte, fand er darin noch ein Tischfeuerwerk in Form einer Champagnerflasche.

Lauren packte gerade ein Paar New-Balance-Laufschuhe aus, als James es neben ihr knallen ließ.

»Oh Gott!«, kreischte sie auf und stieß ihm mit dem Ellbogen in die Rippen, während ihr die Luftschlangen über den Kopf rieselten. »Du hast mir fast das Trommelfell gesprengt!«

»Frohe Weihnachten«, wünschte James und umarmte seine Schwester. »Wer braucht schon eine Freundin, wenn er eine Schwester wie dich hat?«

»Wie du meinst«, kicherte Lauren. »Aber wenn du jetzt weiterhin Unsinn treibst, gibt's Ärger!«

»James, alter Kumpel!«, rief Bruce und schlug mit der Faust in die Luft, sodass ein riesiger verchromter Schlagring voller fieser Stacheln, Dornen und Klingen aufblitzte. »Das ist das beste Geschenk von allen! Damit kann man Leute auf hundert verschiedene Arten umbringen!«

»Hab gleich an dich gedacht, als ich das Ding bei Ebay gesehen habe«, grinste James, während er weitere Geschenke aus seinem Filzstrumpf zog, wie schicke seidene Boxershorts und eine Tüte Gourmet Jelly Beans.

Während für die kleineren Kinder das Geschenke-
auspacken mit kribbelnder Hochspannung verbun-
den war, hatte es für die älteren eher den Charak-
ter eines gesellschaftlichen Events. James sparte sich
seine restlichen Geschenke für später auf und ging zu
Kerry hinüber.

»Frohe Weihnachten«, wünschte er ihr.

»Dir auch«, entgegnete sie und umarmte ihn.

Da es so früh am Morgen war, hatte sie noch nicht
geduscht. Ihr Nacken roch nach frischem Kerry-
Schweiß, und mit einem Schlag war James unglaublich eifersüchtig auf Bruce.

»Armer Kyle«, sagte Kerry, nachdem dieser ihr
ebenfalls Frohe Weihnachten gewünscht hatte. »So
ganz erwachsen, ohne offizielle Geschenke?«

James war der Erste gewesen, der Lauren und
Kerry mit Weihnachtswünschen umarmt hatte, und
bald darauf umarmten sich auch alle anderen. James
schenkte sogar Bethany eine Umarmung, obwohl er
sie nicht ausstehen konnte.

Er hatte immer noch nicht alles ausgepackt, als er
sah, wie Mac ein paar kleinen Rothemden dabei half,
ihre Schätze in große Mülltüten zu packen, damit sie
sie in ihre Zimmer schleppen und damit spielen konnten.

»Hallo Mac«, begrüßte er ihn. »Ich habe Sie in den
letzten Tagen schon überall gesucht.«

»Tatsächlich?«, lächelte Mac zurück, hockte sich hin
und schaufelte die Modellbausteine eines Sechsjähri-

gen wieder in ihre Schachtel. »Fahim und ich waren bei meinem Sohn in London. Ich bin gestern Abend nur auf den Campus gekommen, um ein wenig Papierkram zu erledigen und wollte über Nacht bleiben, um mir das Chaos hier anzusehen.«

»Wie geht es Fahim?«, erkundigte sich James.

»Gut«, nickte Mac. »Er ist so alt wie meine jüngsten Enkel und sie kommen gut miteinander aus.«

»Und Sie?«

»Ich war sooooo lange verheiratet«, seufzte Mac traurig. »Ohne sie wird es nie wieder dasselbe sein, aber für meinen Sohn ist es noch schwerer. Er hat seine Mutter, Frau und Kinder verloren.«

Macs Augen wurden feucht, doch das kleine Rothemd stemmte ungeduldig die Hände in die Hüften und verlangte energisch seine Bausteine.

»Tut mir leid, Kleiner«, lächelte Mac und sammelte die letzten Teile ein. »Bist du sicher, dass du das alles auf einmal in dein Zimmer schaffen kannst?«

»Klar doch«, nickte der Junge. »Ich packe es auf einen Elektrowagen.«

»Also«, begann James, als das Rothemd seine Geschenke durch die Halle schleifte, »ich wollte fragen, ob es für diese Übung in Amerika noch Plätze gibt.«

»Oh, diese Übung«, erwiderte Mac. »Hört sich ganz lustig an, aber warum fragst du mich?«

»Lauren hat gesagt, Sie seien dafür verantwortlich.«

»Ich habe mich mit ein paar Bewerbungen befasst«,

183

nickte Mac, »aber nur, weil ich die meisten Agenten besser kenne als Mr Kazakov. Er war derjenige, der die Einladung zum Red Teaming erhalten hat.«

»Red was?«

Mac schüttelte den Kopf. »Lauren soll eigentlich mit zu dieser Übung, aber entweder hat sie ihre Unterlagen noch nicht gelesen, oder sie hat dir einfach nichts darüber erzählt. Die Amerikaner führen in den verschiedensten Zentren auf der ganzen Welt ihre Manöver durch. Fort Reagan ist die neueste Einrichtung. Sie ist speziell dafür ausgelegt, Soldaten auf den modernen, offenen Straßenkampf vorzubereiten, wie er im Krieg im Irak oder in Somalia vorkommt. Die Yankees haben Kazakov aufgrund seiner langjährigen Erfahrung im Kampf mit den Russen in Afghanistan, beim Training mit den Spezialeinheiten der NATO und als Berater für taktische Operationen auf dem Balkan und in Bagdad eingeladen. In einem ihrer kompliziertesten Kriegsspiele soll er ein Team anführen. Und da sie immer noch die Sprache des Kalten Krieges sprechen, sind die bösen Jungs die Roten, und die Leitung des roten Teams nennt sich…«

»Red Teaming«, nickte James. »Ich verstehe. Also muss ich mit Kazakov sprechen?«

»Ja«, sagte Mac. »Ich glaube, du hast Glück, denn er wollte eigentlich mehrere Agenten mit deiner Erfahrung haben, aber Zara will nicht so viele auf einmal gehen lassen, falls sie hier für Missionen gebraucht werden.«

James sah sich um. »Ich habe Kazakov heute Morgen noch nicht gesehen.«

Mac musste lachen. »Der Mann hat ein Herz aus Granit! Könntest du dir etwa vorstellen, das Mr Kazakov früh aufsteht, um sich mit feuchten Augen anzusehen, wie die Rothemden ihre Geschenke aufreißen?«

»Nicht wirklich«, lächelte James.

»Er ist letzte Woche von der Grundausbildung zurückgekommen«, erklärte Mac. »Wenn du an der Übung interessiert bist, solltest du ihm so bald wie möglich einen Besuch abstatten.«

18

James war bereits seit über vier Jahren bei CHERUB, aber es war erst das zweite Mal, dass er sich in den fünften Stock des Hauptgebäudes wagte – zu den Quartieren der Angestellten. Der Flur brauchte dringend einen neuen Anstrich und der Teppich war abgetreten, aber immerhin hatten sich die jungen Mitarbeiter – zum größten Teil Singles –, einen Wettstreit um die schönste Weihnachtsdekoration geliefert. Vor jeder Tür erstrahlten festliche Sterne, glitzerndes Lametta, blinkende Lichter, grüne Girlanden und billige Plastikschneemänner.

Mit Ausnahme von der Tür zu Zimmer Achtzehn am Ende des Ganges. Dort war alles kahl und aus dem Raum erschallte lautstark *Schwanensee*.

»Mr Kazakov?«, rief James und hämmerte an die Tür. »Sind Sie da?«

James war klar, dass er da sein *musste*, es sei denn, er ließ seine CD bei voller Lautstärke laufen, wenn er wegging. Vorsichtig öffnete er die Tür und blickte in ein geräumiges Zimmer mit weißen Wänden, einer Balkontür und einem edlen Holzfußboden.

»Mr Kazakov?«, schrie James noch einmal, als er in den Zimmerflur trat. »Sir?«

Die Quartiere der Mitarbeiter waren größer als die der Kinder in den darüberliegenden Stockwerken und hatten ein separates Schlafzimmer und ein Wohnzimmer mit einer kleinen Küchennische.

Kazakov lag im Wohnzimmer auf einem bequemen Sessel. Aus einem teuren Lautsprechersystem, das auf dem Boden stand, dröhnte Tschaikowskys berühmteste Ballettmusik und Kazakov dirigierte das unsichtbare Orchester mit einem Textmarker.

»Hallo!«, rief James, ging vorsichtig auf Kazakov zu und tippte ihm sanft auf die Schulter.

Kazakov sah sich erschrocken um. Dann zog er die Beine an, hechtete mit einem überraschenden Purzelbaum auf die Füße und packte James am Kragen. Bevor er reagieren konnte, hatte ihm Kazakov die

Füße weggezogen, drückte ihn auf den Boden und setzte ihm die Spitze eines russischen Armeedolches zwischen die Augen. Der Griff des Dolches war knorrig und seine Klinge durch das konstante, zwei Jahrzehnte lange Nachschärfen abgenutzt.

»Verdammt noch mal!«, beschwerte sich James. »Runter von mir!«

»Mit diesem Messer habe ich drei Afghanen und einen großen serbischen Killer umgebracht«, knurrte Kazakov, als die *Schwanensee*-Musik ihren Höhepunkt erreichte. »Ich mag es nicht, wenn sich Leute an mich heranschleichen.«

»Ich wollte sie nicht erschrecken«, rief James nervös. »Ich habe geklopft und gerufen, aber die Musik ist einfach zu laut!«

Kazakov rollte von James herunter, steckte das Messer wieder in die Lederscheide an seinem Gürtel und stand auf. Der kräftige Ukrainer zog sich die Combat-Hosen und das Hemd zurecht und regulierte dann mit der Fernbedienung die Lautstärke der Musik.

»Frohe Weihnachten, Mr Adams«, lachte er. »Du solltest an deiner Geschwindigkeit arbeiten. Du hast Reflexe wie ein altes Weib!«

Ächzend zog sich James an der Küchenzeile hoch. Kazakov war schon mindestens der zehnte CHERUB-Trainer, der ihn wegen seiner langsamen Reflexe ermahnte, doch selbst ein spezielles Geschwindigkeitstraining bei Miss Tanaka hatte daran nicht viel geändert.

»Mein Bruder war langsam«, sagte Kazakov und deutete auf eine Reihe von Fotografien. »Das hat ihn umgebracht.«

James sah einen Kazakov in Schwarz-Weiß. Er trug die Uniform der russischen Armee und stand neben einem gleich gekleideten Soldaten, der ihm ähnlich sah. Sie waren beide kaum älter als zwanzig.

»Als wir abhoben, wurde der Hubschrauber von den Taliban getroffen«, erzählte Kazakov. »Ich bin gesprungen, aber mein Bruder war eine halbe Sekunde langsamer und ist verbrannt, als das Benzin explodiert ist.«

»Das tut mir leid«, sagte James verlegen und sein Blick wanderte zum nächsten Bild. Es war in grellen Farben koloriert worden, wie in der alten Sowjetunion üblich, und zeigte den etwas älteren Kazakov in Ausgehuniform mit einer Reihe von Orden, eine spindeldürre Frau in Tutu und Ballettschuhen und einen drei oder vier Jahre alten Jungen in einem etwas seltsamen Matrosenanzug.

»War das Ihre Frau?«, wollte James wissen. »Sie ist absolut umwerfend!«

Kazakov runzelte die Stirn und drehte dann das Bild um, sodass James es nicht mehr ansehen konnte.

»Die Ehe ist eine schwierige Angelegenheit für einen Soldaten«, sagte er traurig. »Sie hat wieder geheiratet, meine Eltern sind tot und mein Bruder ist auch tot. Mein Sohn ist vierundzwanzig und lebt wohl noch, soweit ich weiß. Aber ich habe keine Ahnung, wo er ist oder wie er aussieht.«

Kazakov grollte leise vor sich hin und James suchte nach passenden Worten.

»Du bist ein guter Mann, James«, stellte Kazakov unvermittelt fest. »Wenn du willst, kannst du mitkommen nach Amerika.«

James grinste. »Wie kommen Sie darauf, dass ich Sie danach fragen wollte?«

»Ein junger Mann ist fast wie eine Katze«, klärte ihn Kazakov mit leichtem Bedauern auf, »er will Essen, Sex und Spaß. Das Essen unten in der Kantine ist besser als das, was ich hier mache, und ich hoffe doch sehr, dass du nicht wegen Sex zu mir gekommen bist. Und der einzige Spaß, den ich dir bieten kann, ist ein Platz in meinem roten Team. Habe ich recht?«

»Natürlich haben Sie recht«, lachte James.

»Mit deinen blonden Haaren und den blauen Augen erinnerst du mich tatsächlich ein wenig an meinen Bruder«, sagte Kazakov milde. »Willst du mal sehen, wohin es geht?«

Eigentlich wollte James so schnell wie möglich zu seinen Freunden zurück, doch es konnte ja nichts schaden, sich bei dem Trainer beliebt zu machen.

»Das hier ist das Gelände«, erklärte Kazakov und führte James zu einem Küchentisch voller Notizen, Haftzetteln, Papieren und einer riesigen Collage aus Satellitenbildern, die auf einem Farbtintenstrahl-Drucker ausgedruckt und mit Tesafilm zusammengeklebt worden waren.

James staunte nicht schlecht. Schon das SAS-Trainingsgelände, das ein paar Kilometer vom Campus entfernt lag, hatte ihn beeindruckt. Aber im Vergleich zu Kazakovs meterlanger Karte von Fort Reagan hätte eine Abbildung davon wie ein Postkärtchen gewirkt.

»Über tausend Quadratkilometer Nevadawüste«, präsentierte Kazakov ihm.

James betrachtete die Umrisse von Dutzenden von Wohnblöcken und von über tausend anderen Wohnhäusern, Einkaufsstraßen und Plätzen, umringt von goldener Wüste. Einiges davon war in breiten Alleen angelegt wie in amerikanischen Vororten, während andere Bereiche aus engen Fußgängergassen und nahöstlich anmutenden Gebäuden bestanden, die um Innenhöfe herumgebaut waren, oder aus aneinandergereihten Hütten wie in den Armenvierteln einer Dritte-Welt-Stadt.

In der hintersten Ecke von Fort Reagan lag eine Militärbaracke mit Dutzenden von Zelten und einigen Gebäuden, einem Flugplatz und einem großen Parkplatz, auf dem man die grünen Fahrzeugumrisse von Hummer bis zu Abrams Kampfpanzer ausmachen konnte.

Außerdem entdeckte James noch Baufahrzeuge und eine Menge frisch gepflanzter Bäume.

»Scheint ganz neu zu sein«, bemerkte er.

Kazakov nickte.

»Ist letztes Jahr eingeweiht worden. Es hat sechs Komma drei Milliarden Dollar gekostet und ist das größte Militärübungsgelände der Welt, in dem die amerikanischen Soldaten einen Vorgeschmack auf das bekommen sollen, was sie im Straßenkampf erwarten könnte. An jeder Übung nehmen bis zu zweitausend Soldaten und zehntausend Zivilisten teil – hauptsächlich Collegestudenten und Arbeitslose, die mit Bussen dorthin gekarrt werden und acht Dollar pro Tag bekommen. So ein Manöver dauert zwischen zehn Tagen und drei Wochen und seine Inszenierung kostet mindestens hundert Millionen Dollar.«

»Und wir sollen die Bösen spielen.«

»Genau«, lächelte Kazakov. »Es gab bereits einige solcher Manöver mit Teams von amerikanischen Soldaten und Spezialeinheiten in der Rolle der Aufständischen. Aber was sie tatsächlich brauchen, ist jemand von außerhalb des amerikanischen Militärs, der ihre Standardtechniken herausfordert. Die Briten schicken zum ersten Mal ein paar Truppen hin, um in Fort Reagan mit den Amerikanern zu trainieren, und als die Frage aufkam, wer das rote Team anführen sollte, wurde mein Name in die Runde geworfen.«

»Ist das da etwa ein Golfplatz?«, stieß James hervor und tippte auf die grünste Stelle der Satellitenkarte.

»Ganz genau«, grinste Kazakov. »Davon findet man zwar in Bagdad oder Mogadischu Mitte nicht ganz so viele, aber diese Generäle kommen eben nicht ohne ihre achtzehn Löcher aus.«

James spürte Kazakovs Spott und lachte. »Sie sind kein großer Fan der Amerikaner, was?«

»Ignorante Idioten!«, zischte Kazakov verächtlich.

»Sie haben die Taliban ausgebildet, die meinen Bruder umgebracht haben, und sie haben ihnen die Geschosse geliefert, von denen eines den Hubschrauber getroffen hat. Ich und der Copilot, wir sind davongekommen. Sechzehn andere, einschließlich meiner ganzen Einheit, sind gegrillt worden.«

»Ich dachte, die Taliban, das sind diese Bärtigen, gegen die die Amerikaner kämpfen?«, wunderte sich James.

»Ja, heute schon«, nickte Kazakov. »Aber in den achtziger Jahren hat die CIA die Taliban ausgebildet und sie mit Waffen im Kampf gegen die Sowjetunion versorgt. Genauso war es mit Saddam Hussein. Die Amerikaner haben ihm die Waffen geliefert, um im Iran einzufallen. Und mithilfe amerikanischer Technologie sind auch jene chemischen Waffen entwickelt worden, mit denen im Irak die Kurden vergast wurden.«

James lächelte unsicher. »Politiker sind manchmal wie Fünfjährige. Einmal sind sie die besten Freunde und gleich darauf wälzen sie sich im Dreck, treten, beißen und schlagen aufeinander ein.«

»Guter Vergleich«, fand Kazakov. »Ich habe da so eine Strategie: zehn CHERUB-Agenten, dreißig Offiziere der Spezialeinheiten und mehrere Hundert Sympathisanten unter der Zivilbevölkerung. Innerhalb von achtundvierzig Stunden werde ich diese amerikanischen Generäle auf die Knie zwingen und sie betteln lassen, sich ergeben zu dürfen.«

Die Heftigkeit in Kazakovs Worten überraschte James.

»Aber es ist doch nur eine Übung«, gab er zu bedenken. »Und die Amerikaner *sind* unsere Verbündeten.«

»Vergiss es.« Kazakov schlug mit der Faust auf den Küchentisch. »Ich werde es den eingebildeten Yankees mit ihren Kriegsspielen und ihren Militärakademien schon zeigen, wie es ist, in die Gosse zu steigen und eine ordentliche Straßenschlacht zu führen!«

James wunderte sich ein wenig. Das, was Kazakov erzählte, hörte sich nicht gerade nach Ferien in Las Vegas und einem anschließenden leichten Training an, wie Lauren es ihm verkauft hatte.

»Und wann geht es los?«, wollte er wissen.

»An Neujahr«, erklärte Kazakov. »Ich schicke euch im Laufe des Tages noch einen Plan.«

»Na dann.« Mit einem Blick auf die Uhr zog sich James zur Tür zurück. »Ich treffe mich im Speisesaal mit den Jungs zum Frühstück. Ich wünsche Ihnen Frohe Weihnachten und ich schätze, wir sehen uns dann zum Weihnachtsessen unten.«

»Vielleicht«, entgegnete Kazakov düster. »Aber Weihnachten ist nicht so mein Ding und ich muss noch viel vorbereiten.«

19

James gähnte, als sie zehn Kilometer vom Campus entfernt das Tor des militärischen Flugplatzes passierten. Er war bis halb drei Uhr wach geblieben, um das neue Jahr zu begrüßen, und dann früh wieder aufgestanden, um noch etwas Wäsche zu waschen, damit er für die zweiwöchige Reise auch genügend Kleidung mitnehmen konnte.

Die hydraulische Tür des mit sechsundzwanzig Sitzplätzen ausgestatteten Busses ging zischend auf und ein Sicherheitsbeamter der Royal-Air-Force stieg ein. »Die Reisepässe bitte!«, verlangte er.

Alle hielten ihre Pässe bereit, sowohl die CHERUB-Mitarbeiter Mac, Meryl und Kazakov als auch die Agenten James, Lauren, Rat, Kevin, Jake, Bruce, Andy, Kerry und Gabrielle – nur Bethany kramte panisch in ihrem Rucksack herum, bis sie ihren Pass schließlich in einer versteckten Seitentasche fand.

»Ich habe die Ausfuhrgenehmigung für Waffen, Sprengstoff und Drogen«, erklärte Mac und deutete auf einen Stapel Papiere.

»Wir haben Sie hier schon eine ganze Weile nicht mehr gesehen«, entgegnete der Offizier, sah sich die Papiere einzeln an und stempelte sie nacheinander ab, was ein wenig umständlich war, da er sie nur auf einer federnden Schaumstoff-Kopfstütze ablegen konnte.

»Tja«, lächelte Mac. »Ich bin sozusagen in Halb-Pension gegangen.«

»Alles fertig«, sagte der Offizier, gab Mac die Papiere zurück und wandte sich dann an Trainer Pike. Pike nahm zwar nicht an der Übung teil, hatte sich aber als Bus-Chauffeur angeboten und bekam nun Anweisungen, welche Taxiways er am besten zu ihrem Flugzeug nehmen sollte.

Es kam nicht selten vor, dass größere Gruppen von CHERUB-Agenten die Flugzeuge der Royal-Air-Force nutzten – und darin eine völlig andere Flugerfahrung als in einem kommerziellen Jet machten: In einem ausgebauten Tristar-Airliner, mit dem normalerweise Truppen in den Nahen Osten verschickt wurden, war es ungefähr genauso gemütlich wie in einem winzigen Militärtransporter ohne Druckausgleich. Der Service war miserabel, die Sitze waren steinhart, es gab Armeerationen aus der Tüte und Unterhaltungsprogramme waren nicht vorhanden.

Doch als James nun in die kalte Nachmittagssonne trat, stellte er angenehm überrascht fest, dass ihr Flieger den typisch blau-weißen Royal-Flight-Anstrich hatte, jener Air-Force-Abteilung, die darauf spezialisiert war, Angehörige des Königshauses, Staatsoberhäupter und andere wichtige Gäste zu transportieren.

Der VIP-Service begann schon beim Ausstieg aus dem Bus: Weiß behandschuhte Stewards hatten sich aufgestellt, um alle zu begrüßen. Dann verfrachtete die Crew eilig das Gepäck und Kazakovs Spezialausrüstung aus dem Bus ins Flugzeug. In der Nähe hob gerade mit lautem Getöse ein Typhoon-Eurofighter von der Startbahn ab.

»Obercool!«, stieß James hervor, als er oben an der Treppe einen ersten Blick ins Flugzeug warf.

Es war die Luxusversion eines normalen Fluglinien-Airbus', in dem anstatt einhundertfünfzig enger Sitzreihen zwei Dutzend riesige Ledersessel standen, die man zu einem Bett umbauen konnte.

In der Mitte des Flugzeugs befand sich eine Lounge mit roten Ledersesseln und einem Union Jack als Teppich – der je nach Geschmack als trendy oder absolutes No-Go gelten konnte. Im hinteren Teil gab es eine private Suite, die komplett mit Mini-Büro, Toilette und Dusche sowie einem luxuriösen Doppelbett eingerichtet war. Jake stürmte sofort hinein und nahm das Bett in Beschlag, bevor er vom Chefsteward ohne Umschweife wieder hinausbefördert wurde, der ihm entrüstet klarmachte, dass diese Räumlichkeiten für niemanden bestimmt seien, der *nicht* mit Königliche Hoheit oder Mr President angeredet würde.

»Das Flugzeug sieht nagelneu aus«, bemerkte James und ließ sich in einen der knirschenden Ledersessel fallen. Sofort wurden ihm ein Teller mit frischem, aufgeschnittenem Obst, ein heißes Union-Jack-Handtuch und eine Zeitung gereicht, die aussah, als sei sie gebügelt worden.

»Es ist auch neu«, antwortete die Stewardess. »Das Flugzeug wird offiziell erst in Betrieb genommen, wenn der Prince of Wales in diesem Monat damit nach Australien fliegt. Aber vorher unternehmen wir noch ein paar Probeflüge, um zu sehen, ob alles richtig funktioniert.«

»Wir bekommen also den königlichen Rundum-Service?«, lächelte James und drückte auf einen Knopf, der seinen Sitz nach hinten kippen ließ.

»Bitte aufrecht lassen bis nach dem Start«, mahnte die Stewardess. »Du kannst dir ja schon mal die Speisekarte ansehen. Wir werden ein leichtes Mittagessen servieren, wenn wir unsere Flughöhe erreicht haben.«

Jake zupfte den Chefsteward am Ärmel.

»Ich will Belugakaviar und den besten Wein, den Sie haben!«, rief er, klatschte in die Hände und fügte hinzu: »Zack, zack!«

James lachte, während das Bordpersonal alles andere als begeistert wirkte. Als er zu Meryl Spencer auf die andere Seite des Ganges hinübersah, stellte er erstaunt fest, dass sie bereits zur Startbahn rollten.

»Besser als drei Stunden in der Abflughalle von Heathrow«, kommentierte Meryl trocken.

*

Der Flug nach Las Vegas würde neuneinhalb Stunden dauern. Nach drei Stunden hatten sich James und die anderen Agenten in der Lounge des Fliegers versammelt, wo Meryl ihnen Blackjack beibrachte.

»Woher kannst du so gut Karten spielen?«, wollte

Lauren wissen, während Meryl geschickt die Spiel-karten mischte.

»Ich war Promi-Casino-Host in Las Vegas von 1998 bis … äh … 1998 drei Monate später.«

»Was soll das denn sein?«, wollte Rat wissen.

»Alle großen Casinos konkurrieren darum, reiche Spieler anzulocken«, erklärte Meryl. »Als ich mich aus dem aktiven Sport zurückgezogen habe, hat mir eines der großen Casinos in Vegas eine halbe Million Dollar angeboten, wenn ich sechs Monate lang für sie arbeite. Als Casino-Host gewinnt man ein bisschen hier und da, diniert mit den großen Spielern, teilt ge-legentlich mal Karten an einem der Tische aus, mo-deriert Casino-Events und gibt Mr und Mrs Nobody aus Arkansas Gelegenheit, sich mit dir zusammen fotografieren zu lassen. Aber vor allem wird von dir erwartet, dass du stundenlang in einem fischernetz-artigen blöden kleinen Kleidchen herumspazierst, das nie und nimmer für eine 90 Kilo schwere, 1,90 große jamaikanische Sprinterin gemacht wurde.«

»Eine halbe Million für sechs Monate.« James pfiff durch die Zähne. »Dafür würde ich auch Fischernetze tragen.«

»Ich dachte, das machst du sowieso schon um-sonst«, grinste Rat.

»Saublöder Job«, fuhr Meryl fort. »Die dümmste Ent-scheidung, die ich je getroffen habe. Zum Glück stellte ich mich so hoffnungslos dämlich an, dass sie mich ausbezahlt haben, noch bevor ich kündigen konnte.«

Alle lachten. Meryl teilte neu aus und gab jedem Spieler zwei Karten.

»Karte«, verlangte Jake weiterhin.

Lauren stöhnte auf. »Jake, der Croupier hat sechs, du hast siebzehn. Wenn du über einundzwanzig hast, hast du verloren.«

»*Karte*«, beharrte Jake.

Meryl gab Jake eine vier, und seine einundzwanzig machten es dem Croupier unmöglich, ihn zu schlagen.

»Blackjack«, grinste Jake und streckte Lauren die Zunge heraus. »Hab ich doch gleich gesagt!«

»Es war trotzdem die falsche Entscheidung«, mischte sich Rat ein. »Die Wahrscheinlichkeit, dass du eine höhere Karte als vier bekommst, war viel größer, und dann hättest du verloren.«

»Das sagst du doch nur, weil Lauren deine Freundin ist«, höhnte Jake.

»Das sage ich, weil die Wahrscheinlichkeit ziemlich hoch ist«, entgegnete Rat gelassen. »Gelegentlich hast du vielleicht Glück, aber auf lange Sicht wird dich der Croupier bis aufs Hemd ausziehen und du verlierst dein ganzes Geld.«

»Und warum hab ich dann hier mehr Pennies als du, Schlaukopf?«, fuhr Jake ihn an.

Andy musste lachen. »Weil du ein glücklicher kleiner Scheißer bist!«

Mac hatte versucht, in einem der Sessel in der Nähe der Mittellounge ein wenig Schlaf zu finden und richtete sich jetzt ruckartig auf.

»He!«, rief er. »Andy, pass auf, was du sagst. Und der Rest könnte mir den Gefallen tun und ein wenig leiser sein!«

»Tut mir leid, Mac«, entschuldigte sich Meryl.

Sie teilte erneut die Karten aus, bis sich die Spieler übernommen hatten oder keine mehr annehmen wollten, zeigte dann ihre zweite Karte und zog noch eine weitere.

»Der Croupier hat neunzehn«, lächelte sie und sammelte von allen außer Jake und Bethany die Pennies ein.

»Das Interessante am Blackjack ist die relativ geringe Gewinnspanne des Casinos«, erklärte Meryl, während sie die Karten mischte. »Wenn man sich die Grundstrategie einprägt, hat man weitaus bessere Gewinnchancen als bei jedem anderen Spiel im Casino. Profispieler nutzen sogar eine Technik, die man Kartenzählen nennt, um ihre Chancen zu erhöhen.«

»Dann bring uns die doch bei«, verlangte Andy aufgeregt.

Jetzt gab Mac den Versuch, zu schlafen, endgültig auf und setzte sich gerade hin. »Ihr könnt so viel üben, wie ihr wollt, aber in Vegas werdet ihr sowieso erst spielen, wenn ihr über einundzwanzig seid«, bemerkte er.

»Und selbst wenn ihr es schon wärt, könntet ihr nicht einfach ins nächste Casino gehen und anfangen, die Karten zu zählen«, ergänzte Meryl lächelnd. »Das Prinzip ist zwar ganz einfach, aber man muss schon etwas mathematische Begabung haben, um es zu beherrschen. Jede Karte zwischen zwei und fünf zählt eins, die von zehn bis As minus eins. Und je größer die Zahl wird, desto besser stehen die Chancen des Spielers gegenüber dem Croupier.«

»Hört sich nicht allzu schwer an«, meinte Andy. »He, James, du bist doch unser kleines Mathegenie.«

James hatte fasziniert zugehört. »Ich muss also nur versuchen, die Karten zu zählen, die der Croupier austeilt? Und es sind nur zweiundfünfzig Karten in einem Spiel?«

Meryl nickte. »Wäre ja schön, wenn das tatsächlich so einfach wäre, James, aber um das Zählen zu erschweren, benutzen die Casinos bis zu acht Spiele pro Tisch, und ein professioneller Blackjack-Croupier teilt die Karten wesentlich schneller aus als ich. Wenn jemand plötzlich größere Summen gewinnt, mischen sie die Karten oder tauschen das Spiel aus und du musst von vorne anfangen.

Außerdem – sobald die Casino-Besitzer merken, dass du mitzählst, werden sie dich durchsuchen, fotografieren und dich auf die Straße setzen. Und dann verbreiten sie dein Foto in der ganzen Stadt, sodass du nicht mal mehr in die Nähe eines Spieltisches kommst, es sei denn, du verkleidest dich.«

»Also muss man alle Karten im Kopf behalten und darf sich das nicht anmerken lassen«, lächelte Lauren. »Kriegt dein Dickschädel das hin, James?«

»Das kann man nie wissen, bevor man es nicht

versucht hat«, gab James zurück. »Zuerst muss ich aber mehr darüber erfahren und genau herausfinden, wie das alles geht. Mac, funktioniert das Internet an Ihrem Computer?«

»Gegen eine kleine Gebühr schon«, grinste Mac.

»Ich tausche mit Ihnen den Platz«, bot James an. »Ich sitze ganz vorne, weit weg von dem Lärm hier, und außerdem kann man von dort aus der hübschen Stewardess unter die Uniform schauen, wenn sie sich im Gang bückt.«

Mac lachte, während Kerry ihm eine Kopfnuss verpasste und James ein Chauvinistenschwein schimpfte.

»Klingt gut«, fand Mac und stand auf. »Aber versprich mir, keinen Versuch zu unternehmen, um meine gesicherten E-Mails zu lesen. Die Technikabteilung vom MI5 hat es so eingerichtet, dass sich die ganze Festplatte löscht, wenn man dreimal das falsche Passwort eingibt.«

Die Kinder mussten lachen.

»Das ist gar nicht lustig«, fuhr Mac halb scherzhaft fort. »Ich habe das blöde Ding schon *zwei* Mal leer gefegt. Dann muss man den ganzen Kram zum MI5 nach London schicken, damit sie dort die Software neu installieren. Und beim zweiten Mal hat so ein zwanzigjähriges Bürschchen glatt einen Bericht an den Innenminister geschickt und gemeint, dass ich aufgrund meines Alters ein Sicherheitsrisiko darstelle.«

»Na, Sie werden eben auch älter«, kommentierte Jake taktlos.

»Richtig, Jake«, lächelte Mac und drohte ihm mit dem Finger. »Aber ich habe immerhin noch eine Sicherheitsfreigabe, die es mir erlaubt, mich in den Bericht deiner nächsten Fitnessprüfung einzuhacken. Also pass auf, was du sagst, sonst findest du dich vielleicht ganz schnell in einem von Mr Kazakovs beliebten vierwöchigen Intensiv-Fitness-Programmen wieder.«

»Oh ja, bitte, Mac!«, flehte Lauren. »Lassen Sie Jake leiden, dann sind Sie für immer mein bester Freund!«

»Halt die Klappe«, verlangte Jake. »Tut mir echt leid, Mac, ich wollte nicht unhöflich sein.«

Jakes hastige Entschuldigung ließ die anderen in lautes Gelächter ausbrechen.

»Jetzt schleimt er aber«, prustete Rat.

James ließ der Blackjack-Gedanke nicht mehr los. Mit Blick auf Meryl sagte er: »Okay, Croupier. Ich lasse mir jetzt meine Pennies auszahlen, um zu lernen, wie man Vegas betrügt.«

»He, spiel doch einfach weiter«, beschwerte sich Jake. »Was soll denn das, jetzt aufzuhören? Von uns kann doch sowieso niemand in einem richtigen Casino um Geld spielen.«

»Das Spiel wird aber langweilig«, fand James. »Und ich bin neugierig, welche Mathematik hinter dieser Kartenzählerei steckt. Vielleicht steht mir ja eine steile Karriere als Casino-Hai bevor.«

»Du magst Mathe, nicht wahr, James?«, grinste

Lauren und schlug sich dann mit der Hand vor den Mund. »Hüstel, pust, Riesenstreber, hüstel!«

Mac ging den Gang entlang zu James' Platz, während James sich auf Macs warmen Ledersessel niederließ und den winzigen Laptop aufklappte.

»Okay«, sagte Meryl und teilte die Karten neu aus. »Spieler, ich bitte um eure Einsätze. Maximum sind fünf Pennies pro Spiel.«

20

Aufgrund der Zeitverschiebung war es zwei Uhr nachmittags, als sie in Las Vegas landeten. Das große Flugzeug mit dem königlichen Wappen und dem Union Jack an der Seite versetzte die Flut von Limousinenchauffeuren und Casino-Hosts am Privatjet-Terminal des McCarren-Airports in ungeheure Aufregung.

Meryl legte Mac den Arm um die Taille, als sie durch den Zoll ins Hauptterminal gingen.

»Tut alle so, als wären wir steinreich«, empfahl ihnen Meryl lächelnd. »Ihr werdet staunen, was schon der geringste Duft von Geld in dieser Stadt alles bewirkt.«

Meryl blieb stehen und sah sich auffällig verwirrt um. Eine halbe Sekunde später lief ein untersetzter sonnengebräunter Mann auf sie zu, der aussah, als wolle er Golf spielen.

»Ein Frohes neues Jahr und willkommen in Las Vegas«, wünschte er mit chemisch gebleichtem Lächeln.

»Wir haben noch gar keine Unterkunft«, erklärte Meryl, »aber man hat mir gesagt, das Caesar's Palace sei nett.«

»Das Caesar's hat zwar eine lange Tradition, aber ich bin Julio Sweet, VIP-Host im Reef Casino Resort. Ich kann Ihnen eine Limousine anbieten, um Sie dorthin zu fahren, sowie eine Suite in der Top-Etage, auf freundliche Einladung des Managements.«

Meryl lächelte wohlwollend und versuchte, überrascht zu klingen. »Auf Einladung?«, antwortete sie. »Oh, das ist wirklich sehr nett von Ihnen, aber ich muss meine zehn Adoptivkinder und unseren russischen Bodyguard mitnehmen.«

»Wir haben über fünftausend Zimmer!«, sagte Julio und das gebleichte Lächeln wurde noch strahlender. »Ich bin sicher, wir werden Sie alle gut unterbringen.«

Das Reef Casino ging mit seinem Angebot ein kalkuliertes Risiko ein. Der Preis für ein paar Nächte im Hotel, freie Fahrten mit der Limousine und kostenloses Essen war verschwindend gering im Vergleich zu den hunderttausend oder sogar Millionen Dollar, die ein Reicher, der hier mit seinem Privatjet auftauchte, während seines Aufenthalts im Hotel-Casino verlieren konnte.

Die Hostess eines anderen Casinos umkreiste sie

neidisch und ergriff sofort ihre Chance, als Julio sein Handy nahm, um die Limousine zu rufen.

»Darf ich Ihnen meine Karte geben?«, fragte sie. »Sie können mich *jederzeit* anrufen, Tag und Nacht, im Casino Taipei. Dann erhalten Sie ein vollständiges Dinner in einem unserer Restaurants, Behandlungen im luxuriösesten Spa von Las Vegas, und selbstverständlich bieten wir Ihnen und den Kindern auch jeglichen anderen Service.«

»Meinst du, die beschafft uns auch Nutten?«, flüsterte James Rat ins Ohr.

Rat musste lachen, doch Lauren stieß ihn an.

»Nicht lachen!«, warnte sie. »James ist so schon schlimm genug, da musst du ihn nicht auch noch ermutigen.«

Der Mann vom Reef schenkte seiner Rivalin einen bitterbösen Blick, gab hektisch ein paar Instruktionen in sein PDA ein und versuchte Meryl und ihre »Familie« zu einem der Ausgänge zu bugsieren.

»In fünf Minuten werden zwei Limousinen für Sie und Ihre Familie hier sein sowie ein Lieferwagen für das Gepäck.«

»Oh, das ist äußerst freundlich von Ihnen«, lächelte Meryl, die immer noch die Überraschte spielte.

»Ein sehr schönes Flugzeug, mit dem Sie da gekommen sind. Gehört es der britischen Königsfamilie, wenn ich fragen darf?«, erkundigte sich ihr Host.

»Ihre Majestät ist eine entfernte Cousine«, log Mac und versuchte, seinen schottischen Akzent so gepflegt wie möglich klingen zu lassen. »Sie ist regelmäßig unser Gast auf unserer Skihütte in den Schweizer Alpen, und als wir uns in letzter Minute entschieden haben, diesen Ausflug zu unternehmen, hat sie uns großzügigerweise den königlichen Flieger überlassen.«

»Faaannntastisch!«, jubelte Julio. »Sie haben ja solches Glück, die Queen persönlich zu kennen. Durch dieses Terminal kommen zwar unzählige Milliardäre und Filmstars, doch ich glaube nicht, dass wir schon jemals königliche Gäste hatten.«

Mac genoss es auf der einen Seite, dem Host eine so haarsträubende Geschichte aufzutischen, aber zugleich hatte er doch ein schlechtes Gewissen.

»Ich bin nur ein sehr entfernter Cousin«, betonte er. »Und für gewöhnlich prahlen wir damit nicht.«

»Selbstverständlich«, stimmte Julio sofort zu. »Das Reef-VIP-Team wird sich äußerst diskret um Ihre Wünsche kümmern.«

Da hielten die beiden Limousinen und der Lieferwagen mit dem Logo des Reef Casinos an der Straße vor dem Terminal an.

»Und wie lange beabsichtigen Sie zu bleiben?«, erkundigte sich Julio.

»Zwei Nächte«, entgegnete Meryl. »Wenn das in Ordnung ist?«

*

Die Gratis-Suiten lagen im fünfunddreißigsten und damit höchsten Stock des Reef Casino Resorts und boten eine fantastische Aussicht über das südliche Ende des Vegas Strip. Meryl, Kazakov und Mac hatten eine riesige Suite mit drei Schlafzimmern und Marmorwänden, während die Kinder auf drei kleinere, aber keineswegs weniger luxuriöse Suiten im selben Gang verteilt waren.

James teilte sich eine Suite mit Jake und Kevin, doch bei zwei Schlafzimmern mit je zwei Doppelbetten, zwei großen Bädern und einem Wohnzimmer mit einem 80-Zoll-Flachbildschirm war das kein großes Problem.

Bis sich alle geduscht und umgezogen, die drei Jungen den Zimmerservice ausprobiert und sich eine heftige Schlacht mit den M&Ms aus der Minibar geliefert hatten, war es bereits dunkel. Und als die beiden von Julio organisierten Limousinen die dreizehnköpfige Truppe zu einer Rundfahrt um die spektakulär beleuchteten Casinos am Strip abholten, waren alle schon ziemlich müde. Nach englischer Zeit war es fünf Uhr in der Früh, und besonders Jake und Kevin konnten kaum noch die Augen offen halten.

Am nächsten Morgen wachte James vom Jetlag geplagt bereits um halb sechs auf. Er nutzte die Zeit, um sich im Casino umzusehen. Zwei Tage zuvor war Las Vegas noch voller Touristen gewesen, die hier ins neue Jahr gefeiert hatten. Doch jetzt waren nur noch die hartgesottenen Spieler übrig, die die Nacht durchgemacht hatten, sowie das Reinigungspersonal, das mit großen Maschinen die Böden polierte.

James durfte zwar noch nicht spielen, aber als Hotelgast konnte er sich im Casino aufhalten, solange er nicht vor einem der Tische oder Automaten herumlungerte. Eigentlich hätte er erwartet, dass Männer in Smoking und Fliege an eleganten Roulette-Tischen saßen wie in den James-Bond-Filmen. Doch die Wirklichkeit präsentierte ihm eine große, schlecht gelüftete Halle mit mehreren Tausend piependen Spielautomaten. Die Cocktailserviererinnen, die zwischen den Reihen hin und her liefen, sollten wohl sexy aussehen, aber nach einer Nacht auf hohen Absätzen wirkte ihr Lächeln eingefroren und das Make-up verlief im Schein der hellen Lichter.

Hinter der Spielhalle lag eine überdachte Einkaufsstraße mit über einem Dutzend Restaurants und einer exklusiven Shopping-Mall, vor der ein Schild prahlte: *Das Einkaufsparadies auf vierhunderttausend Quadratmetern!* Doch die einzigen Läden, die an einem Dienstagmorgen um sechs Uhr auf hatten, waren der 24-Stunden-Schnellimbiss und der Souvenirladen des Hotels.

James wusste selbst nicht genau, warum er ausgerechnet auf den Souvenirladen zusteuerte. Ein paar Minuten lang betrachtete er die billigen Vegas-Briefbeschwerer, die Schneekugeln mit dem Vegas Strip und die Plastik-Elvis-Figuren, die per Knopfdruck *Viva Las Vegas* sangen. Die Verkäuferin hatte Elvis wahrscheinlich schon ein paar Millionen Mal gehört und warf James einen bösen Blick hinter ihrer Zeitschrift zu, damit er bloß nicht noch einmal auf die Idee kam, Elvis singen zu lassen.

Im Bücherregal ganz hinten im Laden fand James Reiseführer und Straßenkarten, aber die Hälfte des Regals enthielt auch Bücher über das Glücksspiel. James' Blick fiel auf einen schmalen Band mit dem Titel *Das ultimative Blackjack-Handbuch.*

Er nahm es heraus und blätterte es kurz durch. Überrascht stellte er fest, dass im Casino-Shop tatsächlich ein Buch mit mehreren ausführlichen Kapiteln über die Techniken des Kartenzählens verkauft wurde. Aber da diese Informationen im Web sowieso frei zugänglich waren, verdiente das Hotel wohl lieber noch etwas am Verkauf des Buches.

»Das macht sieben dreiundachtzig mit Steuern«, sagte die Verkäuferin, als James ihr das Buch gab. »Ich hab auch alte Casino-Kartenspiele für fünfzig Cent, wenn du willst.«

James fiel ein, dass er ein Kartenspiel brauchen würde, wenn er ein paar der Beispiele im Buch durcharbeiten wollte, und nickte. »Und ein Päckchen Kaugummi«, fügte er hinzu.

»Zehn Dollar dreiundsiebzig.«

Erst als er ihre gebräunten Beine hinter dem Tresen entdeckte, fiel James plötzlich auf, wie attraktiv die Verkäuferin war. Er sah sich um, ob außer ihm noch jemand im Laden war, und versuchte dann kurz entschlossen, zum ersten Mal in seinem Leben bei einer erwachsenen Frau zu landen.

»Wann hast du denn Feierabend?«, fragte er. Diesen Satz kannte er aus tausend Filmen.

Sie lächelte. »Was geht dich das an?«

»Weiß nicht«, antwortete James fantasielos. »Wir könnten uns ja treffen und irgendwohin gehen ... oder so.«

Die junge Frau musste lachen. »Klar, wir gehen zu McDonalds und ich kaufe dir ein Happy Meal.«

James hatte das Gefühl, einen Eimer Wasser über den Kopf bekommen zu haben und sagte beleidigt:

»Ich bin älter als ich aussehe.«

»Wie alt denn?«

James wurde knallrot und sammelte sein Wechselgeld ein. »Achtzehn.«

»Monate oder Jahre?«, kicherte sie. »Halt dich lieber an die Mädels aus deiner Schule. Aber für den Versuch kriegst du Pluspunkte, und der englische Akzent ist echt süß!«

*

Der Dauerwerbesender des Hotels hatte Kevin und Jake erfolgreich für den Vergnügungspark und das Aquarium des Reef begeistert, sodass sie unbedingt hingehen wollten, während James und die anderen Cherubs sich lieber die Stadt anschauten.

Das Reef befand sich am südlichen Ende des Las Vegas Boulevard, genannt der Strip, an dem entlang fast alle Sehenswürdigkeiten lagen. Nach einem üppigen Frühstück in ihrer Suite machten sich die acht älteren Cherubs auf den Weg nach Norden – der sie sechs Kilometer lang über Gehwege, Rolltreppen und Laufbänder durch riesige Casinos mit Pyramiden- und Eiffelturm-Nachbildungen und venezianischen Kanälen führte; außerdem gab es jede Menge Shows, darunter spektakuläre Wasserspiele und eine unglaubliche mittelalterliche Schlacht. Da sie den typischen Touristen-Attraktionen nicht widerstehen konnten, unternahmen sie eine 3-D-Pharao-Fahrt – die sich als ziemlich albern herausstellte – und wagten sich in eine Indoor-Achterbahn – die viel langweiliger war als gedacht –, bis sie einstimmig beschlossen, sich nur noch auf die Sehenswürdigkeiten und das Shopping zu konzentrieren.

Mit ihrem Weihnachtsgeld in der Tasche bummelten sie durch ein paar der riesigen Shopping-Malls, die einige Schnäppchen versprachen. James leistete sich Cargo-Shorts und ein Polohemd, doch da er ja auch noch Jakes Handy ersetzen musste, konnte er nicht ganz so viel ausgeben wie die anderen.

In Nevada, einem der heißesten Orte der Welt, war es im Winter angenehm mild, sodass die kleine Gruppe bei der Ankunft am Nordende des Strips in ihren Jeans und Sweatshirts weder schwitzte noch fror. Allerdings schmerzten ihnen die Füße und so erfragte Kerry die Adresse des nächsten Kinos und sie quetschten sich in eine der vor jedem Casino stehenden Limousinen, um sich zum Abschluss ihrer Sightseeing-Tour einen Film anzusehen, der in England noch nicht lief.

Es war bereits nach acht Uhr abends, als sie wieder im Hotel ankamen. Ihr Host Julio hatte dafür gesorgt, dass sie das Abendessen auf der Dachterrasse vor der Suite der Erwachsenen einnehmen konnten.

Meryl, Kevin und Jake erzählten von ihrem Besuch im Aquarium, ihrem gemeinsamen Sightseeing und dem Mittagessen mit ein paar alten Freunden, die Meryl noch aus ihrer Zeit als Casino-Host kannte. Und während alle Cherubs die braven Adoptivkinder mimten, war überraschenderweise Mac derjenige, der etwas aus seiner Rolle fiel: Er hatte den größten Teil des Tages im Casino verbracht und kam nun ziemlich angeheitert und mit einer hübschen Texanerin im Arm zurück, die in den Vierzigern war, enge Jeans und schicke Cowboystiefel trug.

»Ich hab sieben Riesen beim Baccarat verloren«, grinste er, »aber dafür eine wunderschöne Frau gewonnen!«

James hatte ihn noch nie betrunken erlebt, aber da Mac ein halbes Jahr zuvor seine Frau und zwei seiner Enkelkinder verloren hatte, fand er, dass er die Chance ruhig nutzen durfte, sich auszutoben. Und Mac konnte es sich durchaus leisten, siebentausend Dollar in einem Casino liegen zu lassen.

Zwar wusste niemand genau, wie reich Mac eigentlich war. Aber es war bekannt, dass er vor seinem Job als CHERUB-Vorsitzender seine Anteile an der von ihm gegründeten Computerfirma für mehrere Millionen Pfund verkauft hatte. Und wenn man den Gerüchten Glauben schenkte, dann hatte er sein Vermögen in den darauffolgenden fünfundzwanzig Jahren durch gelungene Investitionen sogar noch vermehrt.

Die Kinder waren gut gelaunt und alberten beim Essen lautstark herum, und nachdem Mac und Meryl bereits ein paar Drinks genossen hatten, störten sie sich nicht weiter daran. Als sie beim Dessert angekommen waren, tauchte plötzlich Kazakov in Begleitung des freundlich lächelnden Hosts Julio Sweet und eines untersetzten Casino-Security-Mannes auf. Kazakovs Gesicht war knallrot angelaufen und auf seinem Hemd prangte ein hässlicher grauer Fleck, weil er einen übervollen Aschenbecher umgeworfen hatte.

»Hallo, hallo«, lächelte Meryl. »Wo zum Teufel waren Sie den ganzen Tag? Ich habe Sie ja seit dem Frühstück nicht mehr gesehen.«

»Es gab eine Auseinandersetzung unten im Casino«, erklärte der Wachmann kühl. James fiel auf, dass er eine dunkle Sonnenbrille und ein Headset trug wie die FBI-Agenten in den Filmen. »Wir haben den Gentleman gebeten, sich für den Rest seines Aufenthaltes vom Casino-Bereich fernzuhalten.«

»Verdammte Yankees!«, grollte Kazakov. »Ich habe sechs Mal auf Schwarz gesetzt, und sechs Mal kam Rot. Ich schwöre, dieses Spiel war getürkt!«

Kazakov war ziemlich groß und hätte den Wachmann höchstwahrscheinlich überwältigen können, wenn er gewollt hätte. Daher entstand eine gespannte

Stille am Esstisch, bis Mac plötzlich mit der Faust auf den Tisch schlug und schallend lachte.

»Sie hätten auf Meryl hören sollen«, spottete er. »Roulette ist ein Halsabschneiderspiel.«

»Sechs verdammte Mal«, knurrte Kazakov. »Ich hatte schon viertausend Dollar gewonnen. Und fünf Minuten später war ich dreitausend im Minus. Bamm!«

»Das war's dann für Sie mit dem Spielen«, stellte Meryl fest. »Ich bin übrigens auch ziemlich enttäuscht. Ich habe acht Dollar an den Fünf-Cent-Automaten verloren.«

Mac wankte über die Dachterrasse und fischte fünf Hundert-Dollar-Chips aus der Tasche seines Jacketts.

»Das sollte reichen, um Ihren Kummer zu ersäufen.« Mac drückte ihm die Chips in die Hand und umarmte den verdutzten Kazakov. »Holen Sie sich einen Stuhl, essen Sie was und vergessen Sie das alles.«

Julio nahm rasch Kazakovs Chips an sich und tauschte sie gegen Hundert-Dollar-Scheine ein, damit Kazakov gar nicht erst in Versuchung geriet, wieder hinunter an die Spieltische zu gehen.

»Bringen Sie mir ein Steak«, verlangte Kazakov. »Das größte, blutigste Steak der Stadt und eine Flasche Wodka, um den ganzen Ärger hinunterzuspülen.«

Die Aufgabe eines Casino-Hosts ist es, die Gäste zum Spielen zu animieren, damit sie so viel wie möglich verlieren. Und Julio hatte seinen Job bis jetzt äußerst geschickt erledigt, nachdem Mac und Kazakov zehntausend Dollar verloren hatten, obwohl sie mit der Absicht gekommen waren, höchstens ein Zehntel davon aufs Spiel zu setzen.

Julio begleitete Mac zu seinem Platz am Esstisch zurück.

»Vielleicht darf ich Sie später nach dem Dessert wieder an den VIP-Tischen begrüßen? Sie erwähnten Ihre Vorliebe für schottischen Single Malt Whisky und hinter der Bar haben wir eine wirklich ausgezeichnete Sammlung, darunter ein fünfzig Jahre alter Springbank. Ich glaube, davon gibt es keine hundert Flaschen mehr.«

Julio wollte Mac unbedingt wieder an den Baccarat-Tisch locken. Das zwar kalkulierte, aber dennoch hohe Risiko, das er eingegangen war, als er vier der besten Hotelsuiten an Leute vergab, die zwar in einem tollen Flugzeug angereist waren, aber keinen Ruf als Spieler hatten, sollte sich schließlich auszahlen. Doch bis jetzt reichten die zehn Riesen kaum für die Miete der vier Luxussuiten aus, und dazu kamen noch die Mahlzeiten, der Zimmerservice und die Fahrten mit der Limousine.

»Sie sind ja nur noch bis morgen in Las Vegas«, schmeichelte Julio und legte Mac eine Serviette auf den Schoß. »Einem so viel beschäftigten Mann wie Ihnen bietet sich wahrscheinlich so bald nicht mehr die Möglichkeit zum Spiel, und ich bin sicher, dass Ihre neue... äh... Freundin auch gerne noch ein wenig Zeit mit Ihnen an den Tischen verbringen würde.«

»Ich würde wahnsinnig gerne noch etwas spielen«, hauchte die Texanerin und küsste Mac aufs Ohrläppchen.

»Aber erst esse ich mein Dessert auf«, erklärte Mac.

Die älteren Cherubs machten sich langsam Sorgen um Mac.

»Daddy«, sagte Kerry streng, »du musst morgen früh aufstehen. Vielleicht solltest du lieber hier oben bleiben und noch ein wenig mit uns zusammensitzen.«

Julio schoss Kerry tödliche Blicke zu, während Mac ungerührt sein Dessert weiterlöffelte und sich dann mit der Texanerin nach drinnen zurückzog.

»Ich hoffe, es geht ihm gut«, sagte James zweifelnd.

Bruce zuckte mit den Achseln. »Ich finde, der alte Knabe soll sich ruhig amüsieren.«

Meryl prüfte mit einem Blick über die Schulter, ob Mac, Julio und die Texanerin auch wirklich außer Hörweite waren und lächelte dann: »Mac ist ein großer Junge und ich lasse ihm seinen Spaß. Aber wenn alles danach aussieht, als würde Julio ihn übers Ohr hauen, gehe ich runter und hole ihn aus dem Casino.«

21

Nach dem Essen tobten Kevin und Jake wie die Irren in der Suite herum. Sie schlugen sich mit ihren Handtüchern und hatten den Fernseher im Wohnzimmer viel zu laut gestellt. James schrie sie an, endlich Ruhe zu geben, aber sie ignorierten ihn einfach, sodass er gegenüber in der Mädchen-Suite Zuflucht suchte.

Kerry öffnete die Tür in Bademantel und Pantoffeln.

»Was macht ihr denn so?«, fragte James.

»Ich sehe *Ugly Betty*«, erklärte Kerry und ließ ihn eintreten.

James blickte sich in der luxuriösen Suite um, konnte jedoch niemanden sonst entdecken.

»Wo sind denn die anderen alle hin?«

»Bethany und Andy sind in die Arkaden gegangen, Lauren hat irgendetwas mit Rat zu schaffen und Gabrielle hat Kopfschmerzen und ist schon im Bett.«

»Wie geht es denn Gab?«, fragte James, als er Kerry zum Sofa folgte.

»Was glaubst *du* denn?«, antwortete sie etwas schärfer und drehte den Fernseher leiser. »Michael hat ihr praktisch das Herz aus dem Leib gerissen.«

James wies auf die Tür. »Ich kann auch was anderes machen, wenn ich dich störe.«

»Nein, setz dich«, lächelte Kerry. »Hier sind sie etwa zehn Folgen weiter und ich habe keine Ahnung mehr, um was es geht.«

Sie setzten sich auf das riesige Ledersofa vor dem Fernseher und Kerry stellte eine große Schachtel Pralinen vom Tisch zwischen sie beide. Kerrys Beine sahen unglaublich glatt aus und James fragte sich, ob sie unter dem Bademantel nackt war.

»Wie läuft es denn mit dir und Bruce zurzeit?«

»Er ist so lieb«, lächelte Kerry. »Hast du die Kette gesehen, die er mir zu Weihnachten geschenkt hat? Die ist soooo schön! Muss richtig teuer gewesen sein.«

»Als ich dich das letzte Mal gefragt habe, hast du gesagt, es würde nicht so richtig knistern zwischen euch«, meinte James und nahm sich eine Praline aus der Schachtel. »Du hast gesagt, ihr würdet euch vielleicht trennen.«

»Bruce ist völlig anders als du«, neckte ihn Kerry. »Er ist ein Gentleman.«

»Er ist einer meiner besten Freunde«, nickte James. »Auch wenn er von seinem Kampfsport so was von besessen ist, dass es schon langweilig wird. Manchmal redet er über nichts anderes.«

Als er sich eine halbmondförmige Praline schnappte, verpasste ihm Kerry einen Hieb auf die Finger. »Nicht die mit Orangencremefüllung! Die mag ich am liebsten!«

»Warum kommst du nicht her und holst sie dir?«, grinste James, streckte ihr die Zunge heraus und balancierte die Praline darauf. Dann beugte er sich zu ihr hinüber und ließ seine Hand in ihren Schoß gleiten.

Kerry boxte ihn heftig in die Rippen und sprang auf.

»AUU!«, jaulte James. »Jetzt hab ich mir auf die Zunge gebissen!«

»Auf welchem Planeten lebst du eigentlich, James?« Kerry stieß ihn mit dem Fuß weg.

»Ich mache doch nur Spaß!«, wehrte sich James.

»Ich habe tagelang geheult, als du mich wegen Dana hast sitzen lassen. Jetzt lässt sie *dich* sitzen, und eine Woche später soll ich mich dir an den Hals werfen, als sei nie etwas geschehen?«

»Es tut mir leid«, entschuldigte sich James. Er bereute, dass er sich von der Vorstellung, Kerry könnte unter dem Bademantel nackt sein, hatte hinreißen lassen.

»Du bist ekelhaft«, schauderte Kerry. »Bruce ist angeblich einer deiner besten Freunde. Und er hat in seinem kleinen Finger mehr Respekt vor mir als du im ganzen Körper.«

»Kerry, du weißt, dass ich immer noch Gefühle für dich habe. Ich bin zu weit gegangen und es tut mir wirklich, wirklich…«

»Verschwinde einfach«, befahl Kerry. »Vergiss, was passiert ist, aber versuch das bloß nie wieder!«

*

Nach Privatjet, Luxushotel und Edelsuiten holte sie die harte Realität zwei Tage später wieder ein: auschecken um 5 Uhr 30 morgens, dann vier Stunden Fahrt zu einem der entlegensten Orte der Wüste von Nevada, dem Trainingsgelände Fort Reagan.

Der Portier des Reef nahm Mac beiseite und reichte ihm eine billige VIP-Karte, mit der er bei späteren Besuchen Casino-Punkte sammeln konnte, sowie einen Gutschein für eines der Restaurants.

Der Tonfall war höflich, die unterschwellige Aussage war kristallklar: ›Sie haben nicht genug Geld verspielt, um all die Gratis-Geschenke zu rechtfertigen, die wir Ihnen verschafft haben, und falls Sie wiederkommen wollen, können Sie Ihr Zimmer auf jeden Fall selbst bezahlen.‹ Auch die Tatsache, dass sie keinerlei Hilfe für ihr Gepäck bekamen, sprach eine deutliche Sprache, und so mussten die Kinder mehrmals mit dem Lift hinauf und wieder hinunter fahren, um Kazakovs Ausrüstung zu dem Treffpunkt zu schaffen, von wo sie abgeholt wurden.

Bei ihrem Gefährt handelte es sich um ein schäbiges grünes Exemplar eines alten Armeebusses, auf dessen Seiten UNITED STATES ARMY prangte. Der Fahrer war ein kräftig gebauter Afro-Amerikaner, der vor Kazakov salutierte und dann Identity-Armbänder austeilte, die nach Krankenhaus aussahen und einen Mikrochip und ein winziges Foto enthielten. Sobald man eines der Armbänder angelegt hatte, konnte man es nur noch mit einer Schere wieder entfernen.

Da alle Cherubs noch müde waren, breiteten sie sich ohne viel Aufheben in dem geräumigen Bus aus und verhielten sich ruhig, während sie durch die Vororte von Las Vegas fuhren und bei Sonnenaufgang in die offene Wüste gelangten.

James hatte einen Platz ziemlich weit hinten gewählt und saß einem sehr verkatert aussehenden Mac gegenüber. Er hustete immer wieder, sodass ihm James schließlich die Wasserflasche aus seinem Rucksack gab.

»Danke«, sagte Mac leise, weil Jake zwei Plätze vor ihm schlief. »Und wie hat dir Vegas gefallen?«

»Ziemlich cool«, antwortete James. »Ich werde auf jeden Fall noch mal herkommen, wenn ich älter bin. Wie lief's denn nach dem Essen noch an den VIP-Tischen?«

Mit seinem verknitterten Hemd und dem unrasierten Gesicht war Mac nur noch der Schatten jenes großen Mannes, den er auf dem Campus dargestellt hatte.

»Ich habe noch mal achthundert Dollar verloren«, lächelte Mac. »Aber das war nicht annähernd genug, um Julio zufriedenzustellen.«

»Und Ihre Freundin?«, erkundigte sich James frech und erwartete fast, dass Mac jetzt die Autoritätsperson hervorkehren und ihm sagen würde, er solle sich um seinen eigenen Kram scheren.

»Sie hat mit Julio gemeinsame Sache gemacht«, antwortete Mac stattdessen. »Ich bin kurz nach eins in mein Zimmer zurückgetorkelt und da meinte sie: *Julio hat gesagt, dass du für eine Freirunde nicht genug verspielt hast, also wenn du mit mir schlafen willst, kostet das sechshundert Dollar.*«

James lachte laut auf, sodass Jake ein Auge öffnete.

»Und, haben Sie sie bezahlt?«, fragte er.

»Wofür hältst du mich eigentlich?«, fragte Mac ungläubig. »Ich habe geantwortet, dass ich lieber eine schöne Tasse Tee hätte und sie zum Teufel geschickt.«

*

Um acht Uhr lag Las Vegas bereits über hundert Kilometer hinter ihnen. Die Autobahn führte sie ab und zu an einer Stadt mit Fast-Food-Restaurants und ein paar Läden vorbei, doch den Ort ihrer Rast hatte Kazakov schon im Vorfeld bestimmt, als er dort dreißig Fässer Bier bestellt hatte.

»Ich habe keine Ahnung, wie Kazakovs Pläne aussehen«, grinste Mac, als sie aus dem Bus stiegen und sich auf einem Parkplatz die Beine vertraten.

»Ich bin mir nicht mal sicher, ob ich es überhaupt wissen will«, grinste James zurück. »Obwohl die Sache mit den Bierfässern ziemlich lustig werden könnte.«

Kazakov, der Busfahrer und der Mann, der extra für sie seinen Getränkeladen so früh aufgeschlossen hatte, beeilten sich, die Fässer in den Bus zu laden, während die restlichen Cherubs sich in einem 24-Stunden-Diner stärkten. Der Laden war zu achtzig Prozent voll besetzt und die schweißgebadete Bedienung musste die zwölf Leute auf zwei Tische verteilen, zwischen denen eine Gruppe uniformierter amerikanischer Soldaten saß.

James bestellte etwas, das *Cake and Steak Grand*

Slam hieß und sich als riesiger Teller erwies, auf dem so ziemlich alles zu finden war, was auf der Speisekarte stand, vom großen T-Bone-Steak bis zu einem Haufen Pfannkuchen in einem Swimmingpool aus Ahornsirup.

Kazakov kam noch vor dem Essen an den Tisch, während der Fahrer ein paar Kollegen aus Fort Reagan entdeckte und sich zu ihnen setzte.

»Fahrt ihr alle ins Fort?«, fragte die Bedienung, als sie die Bestellungen verteilte. »Sieht aus, als würde dort heute ein neues großes Manöver anfangen.«

Auf ihrem Namensschild stand Natasiya, und Kazakov lächelte sie an.

»Was macht ein nettes ukrainisches Mädchen hier draußen in der Wüste?«, fragte er.

»Geld verdienen und Kinder großziehen, wie die anderen Bedienungen«, lächelte sie. »Die meisten halten mich für eine Russin.«

»Die kennen hier den Unterschied nicht«, erklärte Kazakov kopfschüttelnd. »In England ist es dasselbe. Manche glauben sogar, ich sei Pole.«

Da James doppelt so viel auf seinem Teller hatte wie alle anderen, rief Bruce vom Tisch hinter den US-Soldaten herüber: »He, Fettwanst, willst du das alles aufessen?«

James war klar, dass er das nicht schaffen würde und gab Lauren und Rat je einen seiner Pfannkuchen ab, während Kevin zwei Scheiben knusprigen Schinkenspeck zu seinem Toast bekam.

»Bist du sicher, dass du nichts willst, Bruce?«, rief James zurück. »Könntest ein bisschen Fleisch auf deinen mageren Rippen vertragen.«

»Mager vielleicht, aber dich schaffe ich allemal noch«, gab Bruce zurück.

Am Tisch zwischen ihnen drehte sich eine Soldatin zu James um und verlangte gedehnt: »Hättet ihr zwei vielleicht die Güte, still zu sein? Ich würde gerne frühstücken, ohne dass ihr mir die Ohren voll brüllt!«

»Sorry«, lächelte James und widmete sich dann seinem Steak, als sich hinter Kazakov ein kräftiger Corporal erhob. Er hielt eine leere Sirupflasche hoch und verlangte von der Bedienung unwirsch eine neue.

»Beschissener Service hier«, beschwerte er sich, als er sich wieder setzte. »Diese Russin kriegt von mir kein Trinkgeld. Wahrscheinlich hat sie das Bedienen im Gulag gelernt.«

Kazakov knallte seine Kaffeetasse auf den Tisch und wirbelte zu dem Corporal herum. »Halten Sie die Klappe und benehmen Sie sich!«

Der Corporal zeigte Kazakov seine jugendlich strahlendweißen Zähne, als Natasiya mit einer neuen Flasche Ahornsirup kam.

»Kümmere dich um deinen eigenen Kram, Alter!«

Kazakov wandte sich kopfschüttelnd wieder seinem Frühstück zu und murmelte laut: »Typisch Amerikaner. Ignorant, laut und *dumm*.«

Der stämmige Corporal schoss erneut von seinem Stuhl hoch und tippte Kazakov auf die Schulter. »He, ich mag es nicht, wenn Ausländer in mein Land kommen und so reden.«

»Können wir nicht *alle* einfach damit aufhören und in Ruhe weiterfrühstücken?«, warf Meryl mit einem freundlichen Lächeln ein.

Aber Kazakov ignorierte sie und sprach jetzt so laut, dass ihn alle im Restaurant verstehen konnten.

»In *meinem* Land liebt man die amerikanische Flagge. Man kann den schönen weichen Stoff in kleine Rechtecke schneiden und sich damit den Hintern abwischen!«

James und Rat mussten sich beherrschen, um nicht loszuprusten, als die Leute an den umliegenden Tischen – Zivilisten und Soldaten – empört aufschrien.

Dem Corporal traten fast die Augen aus dem Kopf. Er beugte sich über Kazakov und fragte: »Wollen wir das draußen regeln?«

»Jederzeit, Cowboy«, grinste Kazakov und erhob sich.

Der Corporal erschrak. Bis dahin waren ihm hauptsächlich Kazakovs graue Haare aufgefallen, doch jetzt stand er Auge in Auge jemandem gegenüber, dessen Statur und vernarbtes Gesicht aussahen, als hätte er bereits einige Kriege im Alleingang gewonnen.

»Na, hast du deine Meinung geändert, Cowboy?«, höhnte Kazakov. »Ich bin wohl größer als die Mädels aus deinem Highschool-Ringerteam?«

Im Restaurant herrschte Totenstille. Die Leute hatten aufgehört zu essen und beobachteten aufmerksam die spannende Szene, die sich vor ihren Augen abspielte. James sah sich um und bemerkte widerwillig, dass an mindestens sechs anderen Tischen Soldaten saßen, von denen keiner so aussah, als wollte er Kazakov auf seine Weihnachtspost-Liste setzen.

»Es lohnt sich nicht, deswegen zu streiten, Boss«, sagte James und zupfte den Ukrainer am Ärmel.

Die Soldatin versuchte ebenfalls, ihren Kameraden zu beruhigen, und auch der große Busfahrer war von seinem Tisch aufgestanden, um für Ruhe zu sorgen.

Nach ein paar Sekunden – in denen alles möglich gewesen wäre – setzten sich Kazakov und der Corporal wieder. Doch dann fuhren plötzlich alle Köpfe in eine einzige Richtung herum, aus der das eindeutige Geräusch einer Waffe drang, die durchgeladen wurde.

Aus der Küche kam eine Frau, die es ernst zu meinen schien, als sie mit den beiden Läufen einer Schrotflinte auf Kazakovs Kopf zielte.

»Ma'am, dazu besteht kein Grund«, versuchte der besorgte Mac sie zu beruhigen.

»Ach ja?«, fauchte sie ungläubig. »Ich hab zwei Söhne und eine Tochter in der Armee, Mister, und Sie schieben Ihren antiamerikanischen Arsch besser augenblicklich aus meinem Restaurant!«

Die anderen Gäste jubelten und klatschten, als Kazakov aufstand und vom Tisch zurücktrat.

»Und der Rest Ihrer Bande auch«, befahl die Chefin und fuchtelte mit dem Gewehr zu James und den anderen.

Mac deutete auf Kevin und Jake. »Wir wollten doch nur mit den Kindern etwas frühstücken.«

Die Chefin sah die beiden Jungen an und rief dann der Bedienung zu: »Natasiya! Mach daraus eine Bestellung zum Mitnehmen!«

Das ukrainische Mädchen kam mit einem Haufen Pappbechern und Styroporschachteln angelaufen. Das war zwar nicht ideal, aber Mac nickte der waffenschwingenden Frau trotzdem anerkennend zu, während James und die anderen ihr Essen so schnell wie möglich in die Schachteln packten und ihre Getränke aus den Gläsern in die Pappbecher umgossen.

»Vielen Dank, Ma'am«, sagte Mac und griff in die Tasche.

»Lassen Sie Ihre Pfoten da, wo ich sie sehen kann!«, brüllte die Chefin und trat so dicht an Mac heran, dass er die Gewehrläufe direkt unter der Nase hatte.

»Beruhigen Sie sich bitte!«, stieß er hervor. »Ich wollte nur meine Brieftasche holen!«

Inzwischen waren Kazakov und alle Cherubs mit ihren Essenspaketen auf dem Weg nach draußen.

»Die hat es dir aber gezeigt, Arschloch!«, rief einer der Soldaten. »Hast dir einen Tritt von einer Frau eingefangen!«

James glühte vor Scham, als er durch die Automatiktür nach draußen ging und schnell noch Servietten, Strohhalme und Plastikbesteck mitnahm. Kazakov fuhr auf, als ihn ein Stück Maisbrot am Hinterkopf traf, doch Meryl stieß ihm in den Rücken und befahl ihm, weiterzugehen.

»Amerikanische Schwachköpfe!«, schrie Kazakov, und als er ins Sonnenlicht hinaustrat, wandte er sich noch einmal um und schnippte mit den Fingern nach den Gästen.

Mac kam als Letzter heraus. Und dann gingen auf dem Weg zum Bus alle auf Kazakov los.

»Mir ist egal, wer Sie sind oder welchen Rang Sie haben«, tobte der Busfahrer. »Wenn Sie so was noch mal abziehen, können Sie zu Fuß laufen!«

»Sind Sie denn total verrückt geworden?«, schrie Mac ihn an. »Sich mit dreißig Soldaten anzulegen! Zum Glück war nur *ein* Gewehr auf uns gerichtet!«

»Ignoranter amerikanischer Abschaum!«, brüllte Kazakov. »Ihr Geschoss hat meinen kleinen Bruder getötet und ihr korruptes Casino hat mich um dreitausend Dollar erleichtert!«

Meryl stieg in den Bus und stöhnte auf. »Kazakov, Sie sind ein erwachsener Mann. Sie sollten nicht um mehr spielen, als Sie sich leisten können, zu verlieren.«

James ließ sich auf einen Sitz hinter Bruce fallen, nahm sein Steak aus der Schachtel und biss kräftig hinein.

»Schade, dass es nicht richtig zur Sache gegangen ist«, grinste Bruce. »Ich hab mich schon seit Monaten nicht mehr richtig geprügelt.«

»Psycho«, gab James zurück. »Aber das Steak ist

verdammt gut. Vielleicht können wir auf dem Rückweg ja noch mal da anhalten ...«

22

Hätte man die Bronzestatue des vierzigsten Präsidenten der Vereinigten Staaten durch die von Mickey Maus ersetzt, wäre Fort Reagan leicht als Vergnügungspark durchgegangen. Während sich der Armeebus in eine Fahrzeugschlange vor dem Tor einreihte, verlor der dahinter liegende riesige Parkplatz allmählich die Schlacht gegen den heranwehenden Sand. James folgte dem Grenzzaun mit den Augen, bis er sich am Horizont verlor.

Die Busse des Militärpersonals wurden durch eine Expressreihe gewinkt, während der zivile Verkehr sich deutlich mehr Zeit nehmen musste. Die Soldaten überprüften Papiere, durchforsteten Kofferräume und untersuchten den Unterboden der Fahrzeuge mit Spiegeln, die sie an langen Stangen befestigt hatten.

Bei den zivilen Autos handelte es sich zumeist um billige Anfängermodelle, deren Insassen zum größten Teil junge Collegestudenten waren, die sich die achtzig Dollar pro Tag nicht entgehen lassen wollten. Aber um eine möglichst realistische Zivilbevölkerung von achtzigtausend Menschen zusammenzustellen, hatte die US-Regierung auch ältere Paare, Kinder-Fußballmannschaften, einen blinden Wanderklub und zwei Behinderten-Teams der Basketballliga angeheuert.

»Die Amerikaner machen keine halben Sachen, was?«, grinste Bruce.

Das Ausmaß der ganzen Operation war beeindruckend. Durch die Fenster des Armeebusses sahen sie die schier endlosen Reihen von geparkten Autos und die fröhlichen Studenten, die mit Rucksäcken und Kühltaschen voller Bier auf den Haupteingang zustrebten.

Mac und Kazakov blieben im Bus, als dieser die Militärzufahrt passierte, während Meryl zusammen mit den Kindern und ihren Rollkoffern den kilometerlangen Weg bis zur Ankunftshalle zu Fuß zurücklegte. Der Wellblechbau war so groß wie ein Supermarkt, vor dem sich eine Schlange von über tausend Menschen durch die Absperrungen schob.

Über ein Megafon erschallten die Befehle der Soldaten: »Bitte halten Sie Ihre Ausweise, Dokumente, Sozialversicherungskarte und das Gesundheitsprotokoll bereit!«

Die Schlange kroch entsetzlich langsam voran und James hörte diese Anweisung ungefähr schon zum dreißigsten Mal, während er die aufgekratzten Collegemädchen beobachtete, die alle die gleichen Jacken mit der Aufschrift *USC Soccer* auf dem Rücken trugen.

Im Laufe ihrer Wartezeit verdoppelte sich die Schlange noch. Jake und Kevin schaukelten auf den

Metallbarrieren, bis Meryl sie anschnauzte; ein älteres Paar kramte nach Sonnenbrillen und durchsuchte sein Gepäck, um sicherzugehen, dass es auch die richtigen Medikamente eingepackt hatte.

Sobald sie die Absperrungen überwunden hatten und drinnen waren, ging es endlich schneller voran. Es gab Schalter von A bis W wie am Flughafenzoll und ein Soldat zeigte allen, zu welchem Schalter sie mussten.

»Willkommen in Reaganistan«, begrüßte eine Soldatin Meryl, als die CHERUB-Gruppe das vordere Ende der Schlange vor Schalter R erreicht hatte. »Die Papiere bitte.«

Meryl hatte jede Menge Pässe und Formulare in der Hand, doch dann wurden sie mit Blick auf ihre ID-Armbänder plötzlich durchgewinkt. Von da an ging es an den nächsten Schaltern glücklicherweise ebenso schnell weiter.

Nachdem sie in weniger als zehn Minuten durch die Ankunftshalle geschleust worden waren, folgten sie einer roten Linie, die zu einem Gebäude für Ausrüstung und Information führte.

»In diesem Paket sind Schutzbrillen, Notfallalarmgerät und alles für Ihre ersten drei Mahlzeiten«, verkündete ein Soldat und wiederholte genau diesen Satz bei all den nachfolgenden Leuten jedes Mal aufs Neue.

An der nächsten Station wurden die Chips in ihren Armbändern gescannt und ein Laserdrucker spuckte die verschiedenen Unterbringungszuweisungen sowie eine Karte von Fort Reagan und ein paar allgemeine Richtlinien aus. Beim letzten Halt bekamen sie alle ein Sicherheitshandbuch für Fort Reagan und – was noch wichtiger war – einen Reißverschlussbeutel mit fünfhundert Reaganistan-Dollar und einem Wohnungsschlüssel.

Die Geldscheine bestanden aus Ein-, Fünf-, Zehn- und Zwanzigdollarnoten und waren mit einer skurrilen Mischung aus dem Logo der US-Armee und Abbildungen von Waffen mit arabischen Schriftzeichen sowie dem Bild eines unbekannten Mannes mit Turban bedruckt.

James zog einen Zwanziger hervor und las die Ausschlusserklärung auf der Rückseite laut vor. »Dieser Geldschein ist Eigentum der Regierung der Vereinigten Staaten. Er ist für den Kauf von Nahrungsmitteln und anderen notwendigen Dingen innerhalb der Grenzen des Militärübungsgeländes von Fort Reagan bestimmt und hat keinen Wert als Währung. Beim Verlassen von Fort Reagan müssen alle Scheine abgegeben werden. Bei Zuwiderhandlung drohen Haft und ein Bußgeld von bis zu fünfzigtausend Dollar.«

»Die wollen wohl nicht, dass die bei Ebay auftauchen«, grinste Lauren.

Über einen langen Gang erreichten sie schließlich einen mit Teppichboden ausgelegten Wartebereich, in dem schon mehrere Hundert Leute saßen. Ein großer Flachbildschirm an der Wand sagte ihnen, dass der nächste *Einführungsfilm mit Sicherheitshinweisen für Fort Reagan* in 14 Minuten beginnen sollte.

Nach der langen Busfahrt und einer Stunde Schlange stehen mussten sie alle dringend auf die Toilette – was bei den Jungen schnell erledigt war, während sich die Mädchen schon wieder an einer langen Schlange anstellen mussten und gerade noch rechtzeitig zurückkamen, bevor sich die Automatiktüren zu einem großen Vorführungssaal öffneten und die Leute hineinströmten.

Dreihundert Menschen quetschten sich nebeneinander auf Sitzbänke ohne Rückenlehne, dann gingen die Lichter aus und die Automatiktüren schlossen sich wieder.

»Ich will Popcorn«, kicherte James, als auf der Leinwand eine Totalaufnahme von Fort Reagan erschien und eine schmierige Stimme aus dem Off erklang.

»*Im zwanzigsten Jahrhundert fanden die größten und blutigsten Kriege der Menschheitsgeschichte statt, doch zu Beginn des dritten Millenniums wurde die ganze Welt von einer neuen Art der Kriegführung erschüttert.*«

Auf der Leinwand erschienen die Bilder von amerikanischen Truppen, die mit Hummern durch die Straßen von Bagdad fuhren, und von lächelnden Soldaten mit weißen UN-Helmen, die einen Hügel hinaufgingen und freundlichen Bäuerinnen zuwinkten.

»*Die Kriege des einundzwanzigsten Jahrhunderts finden nicht auf dem offenen Meer statt oder auf ab-*

gesteckten Schlachtfeldern, nicht einmal in der Luft, sondern in dicht bevölkerten Siedlungsgebieten. Anstelle von Kampfpanzern und Artilleriefeuer wird der amerikanische Soldat heutzutage mit Aufständischen und Terroristen konfrontiert, deren Kriegstaktik aus Sprengsätzen, Autobomben, Geiselnahmen, Entführungen und Erpressungen besteht. Das Militär muss lernen, nicht nur in der offenen Schlacht zu kämpfen, sondern sich gegen einen rücksichtslosen Feind zu behaupten, der die Zivilbevölkerung als Schutzschild missbraucht.

Das Verteidigungsministerium hat erkannt, dass die Soldaten nur in einer Einrichtung des einundzwanzigsten Jahrhunderts die Kriegführung des einundzwanzigsten Jahrhunderts kennenlernen können und müssen, um auf diese Situationen vorbereitet zu sein. Das Ergebnis ist Fort Reagan, gebaut für über sechs Milliarden Dollar.

Sie, die Sie nach Fort Reagan gekommen sind, werden eine wichtige Rolle dabei spielen, die amerikanischen Truppen auszubilden, um in einer tatsächlichen Schlacht amerikanische Leben zu retten. Jeder Aspekt unserer Übungen ist minutiös geplant und auf äußerste Realitätsnähe bedacht, dennoch bleibt die persönliche Sicherheit das oberste Gebot. Also entspannen Sie sich und passen Sie gut auf, wenn wir Sie durch die Sicherheitseinrichtungen von Fort Reagan führen, dem weltbesten Trainingsgelände für den Straßenkampf.«

Nach der Sicherheitseinweisung – die von der Empfehlung, immer seine Schutzbrille bei sich zu haben
und sie aufzusetzen, sobald in der Nähe mit Übungs-
munition geschossen wurde, bis zu dem Ratschlag
reichte, auf Treppen nicht zu rennen und sich von fah-
renden Autos fernzuhalten – wurden die Zuschauer
zu einer Art Versammlungsplatz im Freien geführt:
einem Stadion, dessen Tribünen wohl etwa tausend
Leute aufnehmen konnten. Dort mussten sie eine weitere halbe Stunde warten, bis zwei Armeeoffiziere das
sandbedeckte Podium betraten und einer der beiden
ein wenig verlegen seine Rede begann.

»Bürger von Reaganistan! Wir danken Ihnen, dass
Sie an dieser Stadtversammlung teilnehmen. Ich bin
US-General Shirley, Kommandeur der eintausend-
fünfhundert Mann starken Truppe, die geschickt
wurde, um den Frieden in unserem kleinen Land
wiederherzustellen. Unsere Truppen sollen die demo-
kratisch gewählte Regierung von Präsident Mongo
unterstützen und die Terroristen der Reaganista-Be-
wegung ausschalten. Dabei suchen wir insbesondere
nach deren Anführer, Scheich McAfferty.«

Die Cherubs mussten lächeln, als auf der Leinwand
hinter dem General ein verschwommenes, zwanzig
Jahre altes Foto von Mac erschien.

»McAfferty ist angeblich für mehr als hundert terroristische Anschläge innerhalb der letzten drei Monate verantwortlich. Unsere Aufgabe ist es, McAfferty
und seine Anhänger zu verhaften, ihre Waffen und

Munition zu beschlagnahmen und die Terrorangriffe zu unterbinden.«

Der General machte eine Pause. Ein paar Leute in der Menge begannen zu klatschen, und es wurden sogar ein paar »USA!«-Rufe laut.

»Unglücklicherweise sympathisieren etwa zehn Prozent der Zivilbevölkerung mit den Aufständischen und unterstützen sie. Zweifellos gehören dazu auch einige von Ihnen, die Sie hier sitzen. Wir glauben außerdem, dass die Aufständischen über Soldaten verfügen, bis zu einhundert an der Zahl und von einer ausländischen Macht militärisch ausgebildet. Innerhalb der nächsten zwei Wochen werden meine Männer durch Ihre Stadt patrouillieren, Durchsuchungen vornehmen, Terroristen bekämpfen und versuchen, die Gewalt zu beenden. Wir entschuldigen uns im Voraus für die Unannehmlichkeiten, die dabei entstehen könnten.«

James sah die anderen Cherubs an und schüttelte den Kopf. »Wie schmierig ist das denn?«

»Irgendwo zwischen Margarine und Altöl«, nickte Rat.

»Falls irgendjemand eine Frage hat ...«, fuhr der General fort.

Plötzlich sprang James fast einen Meter in die Höhe und Hunderte von Menschen schrien entsetzt auf, als es hinter den Sitzreihen einen lauten Knall gab und eine Feuerkugel in die Luft stieg. Eine Frau kam mit blutverschmiertem Gesicht und laut weinend die Tribünentreppe hinuntergelaufen, ihr Baby fest an die Brust gepresst, während es etwas seitlich davon eine weitere Explosion gab und eine Alarmsirene zu heulen begann.

»Meine Damen und Herren!«, rief der General. »Wie es aussieht, werden wir von Terroristen angegriffen! Bitte bewahren Sie Ruhe und kehren Sie zügig in Ihre Häuser zurück!«

Es handelte sich zwar eindeutig um einen Spezialeffekt, der die Konfliktatmosphäre veranschaulichen sollte, dennoch waren alle im Publikum erschrocken und misstrauisch – als fürchteten sie noch weitere Explosionen, während sie die Tribünen mit ihrem Gepäck und ihren 24-Stunden-Rationen verließen.

»Schmierig, ja?«, grinste Lauren, als sie hinter James die Tribüne hinunterkletterte. »Du hast ausgesehen, als wolltest du dir in die Hosen machen!«

Es gab zwar keine Explosionen mehr, aber unter den Tribünen und auf der Straße vor dem Stadion sorgte eine Rauchmaschine dafür, dass die Menge auseinanderstob, bevor auch nur einer seine Karte hervorholen und sich orientieren konnte. Es war alles darauf angelegt, dass sich die Zivilisten unsicher fühlten.

Hinter der neuen Asphaltstraße, die direkt zum Stadion führte, verlor man in einem Gewirr von unterschiedlich großen weißen Häusern und schmalen Gassen, die die Anlage einer alten Stadt nachbilden sollten, leicht den Überblick.

Meryl führte die zehn Kinder ein paar Hundert Meter aus dem Rauch heraus und sah dann auf ihre Karte.

»Es sind keine zwei Kilometer bis zu unserer Unterkunft«, erklärte sie. »Angeblich soll es hier einen Bus geben, der auf dem Gelände herumfährt.«

»War da, wo wir eben hergekommen sind, nicht eine Bushaltestelle?«, fragte Kevin.

»Ich glaube, wir sind an einer ellenlangen Schlange vorbeigekommen«, meinte Bethany. »Wahrscheinlich ist es besser, wenn wir laufen.«

23

Wie in den meisten echten Städten der Entwicklungsländer dieser Welt gab es auch in Fort Reagan nur wenige Straßenschilder, und um zusätzliche Verwirrung zu stiften, wiesen die ausgegebenen Karten viele Ungenauigkeiten auf. Deshalb fanden Meryl und die Cherubs das Haus, in dem sie die nächsten zwei Wochen über wohnen sollten, erst nach einigen Umwegen.

Um möglichst viele verschiedene reale Stadtsituationen nachzubilden, bestand Fort Reagan aus unterschiedlichsten Vierteln, deren Unterkünfte von niedrigen Betonschuppen der Elendsviertel bis zu großen Privatvillen und Hochhausreihen reichten. Meryls

Gruppe bezog vier Wohnungen im vierten Stock eines grauen Betonblocks. Kazakov und Mac waren eine Straße weiter je zwei Einfamilienhäuser zugewiesen worden.

Die Inneneinrichtung der Wohnungen war so einfach wie möglich gehalten, um das Risiko zu minimieren, dass die gelangweilten und häufig betrunkenen Studenten etwas kaputt machten. Die Betonwände waren kahl, die Böden weiß gefliest und die Badezimmereinrichtung bestand aus unzerstörbarem Metall, das man eher in einer Gefängniszelle erwartet hätte. In den Küchen gab es ein paar billige Utensilien, Plastikteller, einen Kühlschrank, einen schäbigen Herd und eine Waschmaschine.

»Deprimierend«, sagte James zu Rat, als sie ihre Sachen in dem engen Schlafzimmer mit den beiden Einzelbetten und den Armeedecken darauf auspackten. Gerade hatten sie das Schild an der Wand entdeckt, das davor warnte, dass die US-Armee sich das Recht vorbehielt, für beschädigtes Eigentum Schadenersatz zu verlangen.

»Ich mag den Geruch nach nacktem Beton mit einem Hauch von Kanalisation«, grinste Rat.

»Aye aye«, machte James. Er blickte aus dem Fenster und sah im Haus gegenüber ein Mädchen. Sie griff nach hinten, um ihre langen Haare mit einer Spange zu bändigen, und die Bewegung ließ ihre Brüste deutlich hervortreten. »Oh ja, einmal das Gesicht in diesen wunderbaren Melonen versenken!«

Der Gedanke an Melonen trieb Rat augenblicklich zum Fenster, doch er reagierte etwas enttäuscht.

»Nett«, meinte er, »aber das sind bestenfalls Mangos. Da warst du bei Dana besser dran.«

»Sprich bloß nicht von ihr«, zischte James.

Rat antwortete nicht, weil die Studentin sie entdeckt hatte, mit den Fingern nach ihnen schnippte und etwas sagte, was offensichtlich mit »Perverse!« endete.

»Ach, komm schon, Baby!«, rief James. »Zeig doch mal!«

Rat brach lachend auf dem Bett zusammen, als das Mädchen das Fenster öffnete und James anschrie: »Ich schicke euch gleich meinen Freund rüber, damit er euch in den Hintern tritt!«

»Ich zahle fünf Reaganistan-Dollar pro Titte!«, rief James zurück. Das Mädchen knallte wütend das Fenster zu und zog das Rollo herunter.

Rat lag immer noch lachend auf dem Bett, als eine Minute später Lauren hereinkam.

»Was ist denn so lustig?«, wollte sie wissen.

»Nichts«, schnaufte Rat, »ich beobachte nur James ultra-geschmeidige Art, mit der Damenwelt umzugehen.«

Lauren wedelte abwehrend mit der Hand. »Davon will ich lieber gar nichts wissen... Meryl hat einen Anruf von Kazakov bekommen. In fünfzehn Minuten findet ein Strategie-Meeting statt und er will, dass wir bereit sind, bevor die Amerikaner mit den Durchsuchungen anfangen.«

James ging in den Flur und entdeckte überrascht einen kräftigen Engländer, der aus ihrem Wohnzimmerfenster schaute. Er war nur mittelgroß, aber fast genauso breit wie hoch und bestimmt niemand, mit dem man sich anlegen wollte.

»Kennst du schon den Sarge?«, fragte Lauren. »Er weiß Bescheid, hat schon mit CHERUB zusammengearbeitet.«

»Sergeant Cork, SAS«, sagte der Mann und zog eine Augenbraue hoch, als er James und Rat kräftig die Hand schüttelte. »Sechzehn meiner Jungs werden Kazakov helfen, den Aufstand in Gang zu halten.«

»Cool«, fand James. »Und was ist an unserem Balkon so interessant?«

»Sieht aus, als ob man von dem Geländer dort gut aufs Dach klettern kann. Da oben können wir einen Posten aufstellen, dann sehen wir jede Armeepatrouille schon von Weitem, wenn sie von ihrer Basis loszieht.«

»Klingt ein wenig übertrieben«, meinte James.

»Nicht, wenn wir unsere Waffen länger als ein oder zwei Tage behalten wollen«, lächelte der Sarge. »Ich trage dich für die Mitternacht-bis-vier-Uhr-Wache ein, ja?«

»Höchst unwahrscheinlich«, grinste James. »Wenn ihr uns Kids als Wachposten einsetzt, werden die Amis gleich Verdacht schöpfen. Nehmen Sie lieber Ihre eigenen Jungs.«

Um möglichst wenig Aufmerksamkeit zu erregen,

näherten sich die Cherubs Kazakovs Haus nur in kleinen Gruppen. James ging zusammen mit Rat und Lauren. Am Ende ihrer Straße befand sich eines der zwei Dutzend von Soldaten betriebenen Cafés, in denen man für zwei Reaganistan-Dollar etwas zu essen bekommen konnte. Trotz seines Riesenfrühstücks holte sich James dort einen Burger, während Lauren und Rat sich Getränke und Samosas kauften.

Als sie mit ihrem Proviant wieder auf die Straße traten, wünschte ihnen eine Patrouille einen schönen guten Tag und informierte sie darüber, dass jedem eine Belohnung von hundert Reaganistan-Dollar winke, der ihnen genaue Informationen über Waffen oder Aufständische geben konnte.

»In der Stadtmitte sind ein paar Geschäfte, in denen es Computerspiele und so was gibt«, fügte einer der Soldaten hinzu. »Es lohnt sich also, die Ohren offen zu halten.«

»Danke«, antwortete Lauren fröhlich, als die Soldaten weitergingen. Doch sobald sie außer Hörweite waren, änderte sich ihr Ton. »Wenn die so weitermachen, wird uns jeder in der Stadt verpfeifen.«

»Aber wenigstens sind die vegetarischen Samosas gut«, erklärte Rat und sah zum Himmel auf, als er ein feines, kaum hörbares Summen vernahm.

In den Rumpf einer ferngesteuerten weißen Drohne war eine reflektierende, mit Überwachungsgeräten ausgestattete Halbkugel eingebaut.

»Da werden keine Kosten gescheut«, stellte James

misstrauisch fest, als er ebenfalls aufsah. »Diese Dinger verfügen über ein Lasersteuerungssystem, das vom Piloten ferngesteuert wird. So können sie einen unsichtbaren Strahl auf ihr Ziel richten. Das Geschoss findet dann diesen Strahl und trifft das Ziel punktgenau.«

»Aber bei einer Übung werden sie doch keine Gebäude in die Luft jagen«, überlegte Rat. »Allerdings würde dieses Teil die Dachposten vom Sarge in zwei Sekunden entdecken.«

*

Kazakovs Haus war von außen äußerst luxuriös, hatte einen gepflegten Rasen und eine sauber gestutzte Hecke, doch abgesehen davon, dass es mehr Platz bot, war es genauso spartanisch eingerichtet wie die Wohnungen der anderen.

Die zehn CHERUB-Agenten saßen mit Meryl und dem SAS-Sergeanten in einem Keller, der weder von der Straße noch vom Haus dahinter eingesehen werden konnte.

»Ich habe die Operationen der Aufständischen in drei Zellen eingeteilt«, erklärte Kazakov. »Der Sarge und ich sind die einzigen Kontaktmänner. Zelle eins arbeitet bereits daran, ein sicheres Umfeld für Mac zu schaffen. Zelle zwei besteht hauptsächlich aus dem SAS-Team, das mit unseren achthundert zivilen Sympathisanten zusammenarbeitet.«

»Man hat uns unterwegs gerade Geld angeboten,

wenn wir jemanden verraten«, erzählte Lauren. »Wie können wir sicher sein, dass wir ihnen trauen können?«

»Man kann nie völlig sicher sein«, antwortete Kazakov. »Aber die Aufständischen verdienen zwanzig Dollar pro Tag extra und das Geld bekommen sie nicht, wenn sie die Seiten wechseln. Außerdem habe ich meinen eigenen Anteil an Reaganistan-Dollar bekommen, wir können also auch ein paar Bestechungen vornehmen, wenn sich die Gelegenheit bietet.«

»Her damit!«, rief Jake. »Ich erschieße so viele Amis, wie Sie wollen, wenn ich genug für ein X-Box-Spiel kriege!«

»Halt die Klappe«, verlangte Bethany. »Das hier ist ernst.«

Kazakov fuhr fort: »Die Aufgabe von Zelle zwei ist es, die Waffen und die Munitionslager zu bewachen, die amerikanischen Patrouillen zu überfallen und mit Simulationsgeschossen zu beschießen, Farbbomben und Rauchgranaten zu zünden und überhaupt: den Amis das Leben so schwer wie möglich zu machen. Zelle drei besteht aus den Leuten in diesem Zimmer, und unsere Aufgabe ist es, meine spezielle Strategie in die Tat umzusetzen.«

»Und wie sieht die aus?«, fragte James.

Kazakov lächelte. »Die Amerikaner erwarten, dass wir in aller Stille operieren. Also ist unser Plan, ganz offen ihre Basis anzugreifen und den Sieg zu erzwingen.«

James starrte ihn entgeistert an. »Äh, hier sind dreizehn Leute im Raum und da draußen sind ungefähr fünfzehnhundert amerikanische Soldaten.«

»Zählen kann ich auch«, gab Kazakov zurück. »Aber die Amerikaner haben die Verhältnisse geändert, damit sie bei ihren Übungen gut dastehen. Normalerweise sagt man beim Militär, dass man für zehn Zivilisten einen Soldaten braucht, um den Aufstand erfolgreich zu unterdrücken. Im Irak hatten die Amerikaner höchstens einen Soldaten auf hundert Zivilisten, deshalb haben sie ständig den Kürzeren gezogen. Bei dieser Übung stehen nun achttausend Zivilisten eintausend Soldaten gegenüber. Das bedeutet, dass auf einen Soldaten jeweils nur acht Zivilisten kommen. Damit haben sie genug Männer, um täglich alle Straßen zu sperren und die Häuser zu durchsuchen. Wenn wir so mitspielen, wie sie es erwarten, können wir den Aufstand mit etwas Glück vielleicht eine Woche durchhalten, aber auf keinen Fall zwei. Zum Glück hatte ich ein paar Monate Zeit zum Planen, und ich hatte Zugang zu den Berichten über alle Übungen, die in Fort Reagan seit seiner Eröffnung vor achtzehn Monaten durchgeführt worden sind. Der erste Teil meines Plans wurde bereits erfolgreich durchgeführt, während ihr eure Sicherheitseinweisung hattet.«

Kazakov nahm einen kleinen Empfänger aus der Tasche. »Der Kommandant, General O'Halloran, hat mir netterweise das Militärhauptquartier gezeigt. Der

Sarge und ich konnten einen Videotransmitter im Raum anbringen.«

Sergeant Cork lächelte. »Wir sind also immer auf dem Laufenden darüber, was sie vorhaben. Die Jungs von Zelle eins wechseln sich ab, um das Signal rund um die Uhr zu überwachen.«

Die Cherubs lächelten, verstanden aber nicht, wie ein einziges Abhörgerät – egal, wie gut es platziert war – ihnen den entscheidenden Vorteil gegenüber tausend ausgebildeten US-Soldaten bringen sollte.

»Solange die Amerikaner jede unserer Bewegungen überwachen, können wir nicht viel tun«, fuhr Kazakov fort. »Drohnen wie die, von denen James und Lauren mir vorhin erzählt haben, können nahezu lautlos zehn bis zwölf Stunden lang über ein Gebiet hinwegstreichen und jede unserer Bewegungen registrieren. Deshalb müssen wir sie loswerden, sobald es dunkel wird.«

24

Um sechs Uhr war es dunkel. Die Atmosphäre in Fort Reagan war entspannt: Die jungen, studentischen Zivilisten hielten sich in den Restaurants und den winzigen Supermärkten auf, aßen an den kühlen Straßenecken Junkfood, rissen Witze und flirteten miteinander.

Es herrschte zwar absolutes Alkoholverbot, aber nachdem sich die Durchsuchung beim Einlass auf Röntgenstrahlen zur Erkennung von Messern und Waffen beschränkt hatte, war es kein Problem gewesen, Wodka in Mineralwasserflaschen einzuschmuggeln – mit dem sich jetzt offenbar die Hälfte der Leute betrank.

Die Soldaten waren allgegenwärtig. Wenn James aus dem Fenster sah, konnte er sicher sein, zumindest einen von ihnen zu entdecken. Manchmal klopften sie an die Haustüren oder führten friedliche Leibesvisitationen auf der Straße durch, aber wie in einem richtigen Krieg hatte die US-Armee den Befehl, sich langsam die Gunst der Zivilbevölkerung zu sichern. Das sah meist so aus, dass die Soldaten Studentinnen ansprachen und alte Männer ihre Gewehre halten ließen und sich mit ihnen über längst vergangene Kriege unterhielten.

James beugte sich nervös aus dem Wohnzimmerfenster, als er Schüsse hörte. Doch dann sah er, dass es sich nur um ein paar Soldaten handelte, die mit einigen Pfadfindern in einem leeren Swimmingpool zusammenstanden und mit ihren Simulationsgeschossen auf Pepsi-Dosen ballerten.

Bei aller Liebe zum realistischen Detail, die sich in den Gebäuden und den Waffen von Fort Reagan widerspiegelte, erkannte James doch einen wesentlichen Makel: Die Zivilisten waren zu neunzig Prozent weiß und sprachen zu hundert Prozent Englisch.

Ohne Sprachbarrieren und kulturelle Unterschiede glich die Atmosphäre eher der einer Erstsemester-woche an der Uni als der eines Krisengebietes der Dritten Welt. Die einzige Gefahr bestand darin, von kompakter Kreide und Farbe getroffen zu werden, was allerdings auch nicht gerade eine bedrohliche Stimmung erzeugte.

James stellte seine Armbanduhr auf 18:30 Uhr Orts-zeit und ging mit Rat und Jake in die Lobby, um sich mit Bethany und Lauren zu treffen. Gemeinsam traten sie auf die Straße. Fort Reagan war noch keine zwei Jahre alt, doch die Straßenbeleuchtung war absicht-lich schummrig und das Pflaster uneben.

Ein paar Ecken weiter verhallte der Lärm der Fast-Food-Restaurants allmählich und sie bogen in eine schmale Gasse ein, in der Graffiti an die Wände ge-sprüht waren und zerbeulte Mülltonnen herumlagen, was immerhin eine düstere Stimmung erzeugte.

Am Ende der Gasse wurden sie plötzlich von einer Taschenlampe geblendet. Männerstimmen und das scheppernde Geräusch schwerer militärischer Ausrüs-tung erklangen.

»Was macht ihr Kids denn hier im Dunkeln?«, blaffte sie ein Offizier an.

»Wir sehen uns nur um«, antwortete James achsel-zuckend in seiner Rolle als gelangweilter Teenager. »Sonst gibt's ja nichts zu tun.«

Die drei Soldaten umringten die Kinder, und einer zog eine knisternde Papiertüte aus der Tasche.

»Etwas Süßes?«, fragte er.

Die Kinder griffen in die Tüte.

»Danke, Sir«, sagte Rat artig, während er in ein Toffee biss.

»An eurer Stelle würde ich mich nicht zu weit von der Unterkunft entfernen, damit ihr euch nicht verlauft«, riet der Offizier. »Und am besten tragt ihr die Schutzbrillen, wenn ihr im Dunkeln herumgeht. Die Simulationsgeschosse piksen zwar nur etwas, wenn sie den Körper treffen, aber aus der Nähe können sie durchaus ein Auge verletzen.«

Die fünf Cherubs nickten gehorsam, zogen ihre Brillen hervor und gingen weiter. James sah sich noch ein paarmal nach den Soldaten um, doch sie machten keine Anstalten, ihnen zu folgen, als sie um die Ecke bogen und eine Metalltreppe in den Keller eines Gebäudes hinunterstiegen, das einen Laden darstellen sollte.

Die Unterkünfte und die kleinen von der Armee betriebenen Läden und Restaurants waren zwar vollständig eingerichtet worden, dennoch waren viele der Häuser nur leere Betonhüllen. Aber selbst das Verteidigungsbudget der Vereinigten Staaten konnte es sich nicht leisten, weitere Hunderttausend Zivilisten zu bezahlen, die notwendig gewesen wären, um ganz Fort Reagan mit realistischem Leben zu füllen.

Im Keller gab es elektrisches Licht, aber man hatte sich nicht die Mühe gemacht, die Leitungen unter Putz zu legen, sodass an den Wänden entlang nur

lose angetackerte Kabel zwischen den Energiespar-
lampen verliefen. In der Nähe leckte eine Wasserlei-
tung und auf der anderen Seite des Raumes breitete
sich Schimmel um eine Pfütze herum aus.

»Sarge, Kazakov«, lächelte James beim Eintreten.
»Wie läuft's?«

»Gut«, flüsterte Kazakov. »Kerry und Gabrielle sind
bereits oben und erkunden die Gegend. Offenbar
arbeiten sechs bis acht Soldaten an der Fluglande-
bahn. Nur Ingenieure und Techniker, keine Spur von
Wachen.«

»Hier ist eure Ausrüstung«, sagte der Sarge und
wies auf einen Stapel Waffen und Munition. »Kom-
pakte Maschinenpistolen, Farbbomben, Betäubungs-
granaten, Rauchgranaten – bitte nicht verwechseln –
sowie Gasmasken und Funkgeräte. Ich nehme an, ihr
könnt damit umgehen?«

»Klar«, antwortete Jake, zog den Reißverschluss
seiner Tasche auf und steckte die Munitionsclips hinein. Dann hängte er sich ein paar Granaten an den
Gürtel.

»Die Patrouillen sind überall«, warnte der Sarge.
»Wir müssen davon ausgehen, dass wir irgendwo zwischen hier und dem Flugplatz angehalten und durchsucht werden. Bethany, ich werde deine Sachen tragen und du gehst zwanzig Meter vor uns her. Wenn
dich eine Patrouille anhält, schreist du, als hätte sie
dich erschreckt, dann kommen wir aus dem Hinterhalt.«

»Sollen wir mogeln, wenn wir getroffen werden?«, fragte Lauren. »Sollen wir versuchen, die Farbe abzuwaschen oder so?«

»Nein«, erklärte Kazakov bestimmt. »Wir wollen gewinnen, aber wenn man bei einem Kriegsspiel betrügt, wird die ganze Sache sinnlos.«

»Außerdem wird die Farbe nur aufschäumen und sich ausbreiten, wenn man versucht, sie mit Wasser und Seife abzuwaschen«, fügte der Sarge hinzu. »Wenn ihr erschossen werdet, bleibt ihr die vorgeschriebenen fünfzehn Minuten tot liegen und geht dann geradewegs zur Reinigungsstation, wo es die richtigen Chemikalien dafür gibt.«

»Man ist ja sowieso nur für vierundzwanzig Stunden tot«, bemerkte Rat. »Und einer der Studenten hat mir erzählt, dass das Essen im Armeelager besser ist als hier.«

»Dann lass dich doch erschießen«, grinste Bethany, aber Kazakov sah sie nur finster an.

»Wenn ich irgendjemanden dabei erwische, dass er nachlässig wird, kann er sich auf einen netten Zwanzig-Kilometer-Eilmarsch mit schwerem Gepäck gefasst machen, wenn wir wieder auf dem Campus sind«, drohte Kazakov. »Ist das klar?«

»Ich hab doch nur Spaß gemacht!«, erschrak Bethany.

»Wie weit ist es zur Landebahn?«, fragte James.

»Zwei Kilometer«, antwortete Kazakov. »Aber wir machen einen Umweg durch die Nebengassen, daher werden es wohl eher drei sein.«

Als sie die Treppe wieder hinaufgingen, deutete der Sarge auf einen versiegelten Plastikbeutel, der ein Granulat enthielt. »James, das wirst du auch brauchen.«

»Was zum Teufel ist *Phenolphtalein Suspension*?«, fragte James, als er das Etikett las und den großen Beutel in seinen Rucksack steckte. Die zahlreichen Gefahrenaufkleber irritierten ihn.

»Eine kleine Aufmerksamkeit für meine amerikanischen Freunde«, erwiderte Kazakov mit kryptischem Lächeln.

»Während sich die anderen mit der Landebahn befassen, gehen wir beide ins Hauptquartier der Amis und schütten ihnen das Zeug in ihre Trinkwasserversorgung«, erklärte der Sarge.

»Abführmittel«, ergänzte Kazakov und lachte schallend. »Die werden vom Klo gar nicht mehr runterkommen!«

*

Bei der Landung ging der kleine Düsenantrieb aus, die Drohne rollte leise noch ein paar Hundert Meter weiter und prallte dann in ein grünes Netz, das über die Landebahn gespannt war. Zwei Techniker kamen angelaufen und schoben die Drohne ein paar Schritte zurück, dann bückte sich einer der beiden und öffnete eine Treibstoffluke. Keiner der Techniker ahnte, dass sie aus einem Gebüsch kaum zwanzig Meter entfernt durch Ferngläser beobachtet wurden.

»Netter Hintern«, stellte Kerry fest. »Das Einzige, was mir an Bruce nicht gefällt, ist sein knochiger Arsch.«

Gabrielle lag auf dem Bauch und beobachtete, wie die beiden Männer die Drohne zum Hangar brachten.

»James hat auch einen netten Hintern«, bemerkte sie.

»Ich kann es immer noch nicht fassen«, schnaubte Kerry. »Der glaubt echt, er kann mich für Dana sitzen lassen und mich dann zurückhaben, wenn ihm gerade danach ist.«

»Männer sind Schweine«, seufzte Gabrielle. »Man sollte sich an die hübschen halten, da hat man wenigstens ein bisschen Spaß.«

Kerry musste lächeln, doch dann erklang Kazakovs Stimme in ihrem Headset. »Wir sind auf Position. Sagt mir, was ihr seht, Mädels.«

Kerry klappte das Mikro vor den Mund und warf noch einen raschen Blick durch das Fernglas.

»Zwei auf der Landebahn, eine Technikerin im Hangar und zwei, vielleicht auch drei Piloten drinnen, die die Drohnen per Fernsteuerung lenken. Der beste Zeitpunkt zum Losschlagen ist, wenn sie das Haupttor aufmachen, um die Drohne hineinzuschieben. Und das wird wahrscheinlich in der nächsten Minute oder so passieren.«

»Bruce, bist du in Position?«, fragte Kazakov über sein Mikro.

»Roger«, antwortete Bruce.

»Nicht schießen, Bruce, diese Uniformen dürfen keine Farbflecken haben. Okay, Kerry, alle Teams hören auf dein Kommando!«

Kerry wartete, bis die Techniker die Drohne zum Hangar gerollt und auf den elektrischen Toröffner gedrückt hatten.

»Los«, sagte Kerry.

Zusammen mit Gabrielle beobachtete sie, wie Bruce und Andy aus dem Unterholz auf der anderen Seite der Landebahn sprangen. Bruce bewegte sich unglaublich schnell; er trat einem der unbewaffneten Techniker in den Bauch, versetzte ihm, als er zusammenklappte, einen Karateschlag in den Nacken und hatte dem anderen Mann bereits einen Tritt gegeben, noch bevor Andy überhaupt angekommen war.

Kazakov, der Sarge, James, Rat, Lauren und Bethany hatten sich die Kapuzen über die Köpfe gezogen und kamen jetzt ebenfalls angelaufen, während Andy und Bruce die benommenen Techniker unter dem Hangartor hindurchzogen.

Im Hangar hatten auch Hubschrauber Platz, doch das hell erleuchtete Innere war bis auf drei Drohnen an der linken Wand leer. Die Technikerin kniete vor einer der Drohnen, neben sich Schaltkreise und ihre Werkzeugkiste. Als sie aufsah und bemerkte, dass ihre Kollegen am Boden lagen, war Bethany Parker nur noch zwei Meter von ihr entfernt.

Bethany entsicherte ihre Maschinenpistole und zielte damit auf das Gesicht der Technikerin.

»Willst du blind werden?«, rief sie. »Wer ist sonst noch im Gebäude?«

Die Technikerin lächelte. »Du kannst mich mal, Limey.«

Bethany hatte keine Ahnung, was ein Limey war, aber es klang wie eine Beleidigung, daher trat sie der Frau in den Bauch.

»Mach das noch mal«, knurrte sie und lächelte spöttisch, als sich die Technikerin krümmte. »Also, wer ist sonst noch hier?«

Während Bethany sich die Frau vornahm, half Andy James und dem Sarge dabei, die beiden Techniker aus ihren Uniformen zu schälen und ihre Ausweise an sich zu nehmen. Kazakov, Lauren und Kerry liefen in den hinteren Teil des Hangars und in einen Gang, der zum Kontrollraum führte. Gabrielle blieb als Wache am Hangartor stehen, und Jake und Bruce kümmerten sich um die Drohnen.

»Du kriegst kein einziges Wort aus mir heraus!«, rief die Technikerin und geriet dann in Panik, als sie sah, wie die Jungen mit der Zerstörung der Drohnen begannen.

Kazakov hatte sich mit einem seiner früheren SAS-Kollegen in Verbindung gesetzt und die Blaupausen einer Drohne erhalten, die fast identisch mit dem Modell war, das die Briten einsetzten. Gefährliche Waffen wie Messer, Betäubungspistolen und vor allem Sprengstoff waren in Fort Reagan zwar nicht erlaubt, aber Kazakov war zu dem Schluss gekommen, dass man ebenso gut die Abdeckung zur Steuerung abschrauben und eine Farbgranate darin explodieren lassen konnte, um die empfindliche Elektronik ziemlich vollständig lahmzulegen.

Die Technikerin warf sich auf Jake und Bruce und schrie: »Das dürft ihr nicht! Wisst ihr eigentlich, was die Dinger kosten?«

Bethany hatte genug von ihrem Geschrei und ließ die Maschinenpistole rattern. In weniger als zwei Sekunden verließen zwanzig Kugeln den Lauf. Die Technikerin schrie auf und krachte rückwärts gegen die Wand, während neonrosa Farbe über ihre Uniform lief.

Mittlerweile waren die beiden männlichen Techniker ihre Uniform los, und James stellte entsetzt fest, dass derjenige, dessen Hose ihm wohl am besten passen würde, keine Unterwäsche trug.

»Du Schwein!«, beschwerte er sich und untersuchte die Hose.

»Na, hoffentlich hat er dir keine braunen Geschenke hinterlassen«, grinste Andy, als James seine Turnschuhe und Jeans gegen die ekelhaft warmen Hosen und die Stiefel des Technikers eintauschte.

Schnell knöpfte er sich die Fliegerjacke über seinem Sweatshirt zu und las den Namen auf dem Abzeichen. Dann zog er sich die tarnfarbene Mütze ins Gesicht und hoffte, dass sich die Wachen am Tor zum Armeegelände nicht fragten, warum First Lieutenant Juan-Carlo Lopez ein blonder, blauäugiger Sechzehnjähriger war.

»Fertig, James?«, fragte der Sarge, während er sich die Jacke des anderen Technikers zuknöpfte.

»Jawohl, Sarge«, antwortete James, knallte die Hacken zusammen und salutierte.

Kaum waren sie außer Sichtweite im Dunkeln verschwunden, da ging die erste Farbgranate hoch. Kazakov war kein Flugzeugingenieur und hatte keine Ahnung, dass die Drohnen, um Benzin zu sparen und die Geräusche zu mindern, eine kaum zwei Millimeter dicke Außenhülle aus Carbon hatten. Er hatte erwartet, dass die Farbe innerhalb der Drohnen explodierte und die Elektronik beschädigte, doch stattdessen wurde jetzt die erste Drohne regelrecht auseinandergerissen.

Carbonteile schossen in alle Richtungen durch den Hangar, begleitet von einem rosa Farbregen, der sich bis an die Decke verteilte. Es grenzte an ein Wunder, dass keiner der Cherubs genug davon abbekam, um als tot zu gelten.

Rat und Andy brachen in Lachen aus, bis sie bemerkten, dass die Drohnen voll getankt waren und das Benzin der ersten Drohne jetzt über den Boden floss.

Lauren und Kerry waren gerade in den Kontrollraum eingedrungen, als der Lärm der Explosion sie in Deckung gehen ließ. Die beiden Piloten, die von hier aus die Drohnen lenkten, saßen vor großen Flachbildschirmen, auf denen sie die verschiedenen Aufnahmen aus den beiden Drohnen im Auge behielten, die momentan über Fort Reagan kreisten.

Als einer der Piloten die beiden Mädchen entdeckte, riss er seine Pistole aus dem Gürtel und schoss Kerry in die Brust. Die Gewalt des Simulationsgeschosses stieß sie gegen Mr Kazakov. Lauren feuerte aus ihrer Maschinenpistole, dass die Wand und die beiden Piloten vor Farbe trieften.

»Auf den Boden, ihr seid tot!«, befahl Kazakov und setzte der verdutzten Pilotin, die von der Wucht der Geschosse aus ihrem Drehstuhl geworfen worden war, seinen riesigen russischen Armeestiefel auf die Brust. Kerry hustete und die Farbwolken hinterließen einen öligen Geruch in der Luft.

Kazakov und Lauren betrachteten die farbverschmierten Monitore und sahen sich dann die Steuerung an, die aus einer gewöhnlichen Tastatur, einem Joystick und einem Schubhebel bestand.

»Die dürft ihr nicht anfassen!«, brüllte der Pilot.

»Wenn ihr euch nicht gleich tot stellt, wie es die Regeln verlangen, trete ich euch in den Hintern!«, warnte Kazakov.

Lauren probierte vorsichtig den Joystick aus und sah, dass die Ansicht auf dem Bildschirm nach links schwenkte – sie hatte die Drohne unter Kontrolle. Durch die Hauptkamera, die in der Nase der Drohne saß, erkannte sie am Bildrand das schwach erleuchtete Armeelager und lenkte die Drohne dorthin. In diesem Augenblick explodierte im Hangar nebenan eine zweite und dritte Farbgranate.

Diese Explosionen lösten statische Funken aus, die

durch das ausgelaufene Benzin der ersten Drohne Feuer fingen. Die Flammen jagten den Benzinspuren auf dem Boden nach und liefen in einem vielzackigen Stern auseinander. Ein Alarmsignal ertönte und alle – Cherubs wie Techniker – flüchteten aus dem Hangar nach draußen. Außer Jake.

Jake kämpfte sich vom hinteren Teil des Hangars zur Tür des Kontrollraums durch.

»Wir brennen, Leute«, rief er, betrachtete kurz die farbverspritzten Wände und zupfte Lauren am Ärmel.

»Augenblick«, verlangte Lauren. »Du bist doch sonst nicht so um mich besorgt.«

Sie hatte keine Angst. Nur zwei Meter von ihr entfernt befand sich eine Feuertür, durch welche die beiden »toten« Piloten bereits auf dem Weg nach draußen waren. Lauren wollte nicht das Risiko eingehen, jemanden zu verletzen, wenn sie die Drohne über Fort Reagan abstürzen ließ, daher steuerte sie sie in die Wüste und lenkte sie auf eine sanfte Abwärtsbahn.

»In ein oder zwei Minuten wird sie irgendwo in der Wüste runterkommen«, erklärte sie.

Kazakov war nicht ganz so geschickt mit der Steuerung und brauchte ein wenig länger, um seine Drohne auf einen ähnlichen Kurs zu schicken. Sobald sie draußen waren, schaltete er sein Mikro ein und fragte: »Sind alle in Sicherheit?«

»Wenn Jake, Kerry und Lauren bei Ihnen sind, dann ja«, bestätigte Rat, der sich vor dem Hangar befand.

Rat erschrak, als aus den Wänden des Hangars eine kräftige Wolke von Löschpulver explodierte. Da jeder Flugzeugtank große Mengen leichtentzündlichen Benzins enthielt, hatte man diesen neuen Hangar mit einem speziellen Feuerlöschsystem ausgestattet, das explosionsartig den gesamten Sauerstoff aus dem Gebäude verdrängte und auch das heftigste Feuer innerhalb von Sekunden ersticken konnte.

Rat lief um das Gebäude herum zu Kazakov und den anderen. Der schrille Alarm und die weißen Löschpulverwolken, die zum Himmel aufstiegen, würden zweifellos jede Menge Soldaten aus dem keine fünfhundert Meter entfernten Hauptquartier anlocken.

»Sie werden jeden Augenblick hier sein«, sagte Kazakov. »Wir sollten machen, dass wir wegkommen – alle außer dir, Kerry. Du läufst zur Reinigungsstation, hältst aber die Klappe. Ich will, dass du in vierundzwanzig Stunden satt und ausgeruht wieder in der Wohnung bist.«

25

James warf einen Blick zurück und sah, wie hinter ihnen die Löschpulverwolke aus dem Hangartor quoll. Hundert Meter vor ihnen liefen die Soldaten im Hauptquartier aufgeregt durcheinander, während der Sarge über sein Funkgerät mit Kazakov sprach.

»Was hat Kazakov gesagt?«, fragte James, während sie sich dem Armeelager rasch näherten.

»Er glaubt, es sei sein Geburtstag«, grinste Sarge. »Wir beide sollen weitermachen wie geplant.«

»Hätten wir nicht drin sein sollen, *bevor* da die Hölle los ist?«

Sarge grinste. »Ihr habt doch gelernt, zu improvisieren, oder?«

James antwortete nicht mehr, weil sie das Haupttor fast erreicht hatten. Vor dem offenen Gittertor hielten ein männlicher und ein weiblicher Soldat Wache. Jeder musste hier seinen Ausweis zeigen, und da bereits ein Dutzend Soldaten in Sichtweite waren, hatten sie auch nicht die Möglichkeit, sich den Weg freizukämpfen.

»Nachricht für den General«, sagte der Sarge mit amerikanischem Akzent und zeigte den Ausweis vor, den er in der Jackentasche des Technikers gefunden hatte.

Doch den sah sich der dunkelhäutige Soldat nicht mal an. Stattdessen fragte er neugierig: »Was zum Teufel ist da drüben los?«

»Eine Drohne hat Feuer gefangen«, antwortete der Sarge achselzuckend. »Ich glaube, irgendein dämlicher Techniker hat einen Benzintank in Brand gesteckt.«

»Ist jemand verletzt?«

»Glaub nicht.«

»Das wird dem General aber überhaupt nicht gefallen!«, lachte der Soldat. »Ich bin froh, dass ich nicht in Ihren Schuhen stecke.«

James schwenkte den Ausweis von Juan-Carlo Lopez eine halbe Sekunde lang in Richtung der Soldatin und lief dann dem Sarge nach. Sie rief ihm zwar noch ein »Hey!« hinterher, aber James reagierte einfach nicht darauf und sie unternahm auch nichts weiter.

Obwohl das Hauptquartier eine dauerhafte Einrichtung war, sollte es wie alles andere in Fort Reagan ein Kriegsgebiet darstellen. Deshalb bestanden die Behausungen aus Fertigbauten mit aneinandergeschraubten Aluminiumteilen sowie großen Zelten mit Vinylboden, elektrischer Beleuchtung und Klimaanlage.

Nach etwa fünfzig Metern schlugen James und der Sarge einen Bretterweg zwischen zwei großen Zelten ein, in denen die Soldaten schliefen. Der Sarge ging in die Hocke und beleuchtete mit einer kleinen Taschenlampe eine Papierkarte. Im Lichtkegel flatterten Wüstenmotten herum.

»Was suchen wir denn?«, fragte James.

»Hundertfünfzig Meter in diese Richtung«, erklärte der Sarge und deutete nach Norden. »Das einzige feste Gebäude auf diesem Gelände. Es versorgt das ganze Armeelager mit Trinkwasser und Strom.«

Die Neuigkeiten über das Geschehen am Hangar verbreiteten sich wie ein Lauffeuer. Als der Sarge weiterlief, erklangen drei Sirenentöne, und über Lautsprecher wurden Befehle erteilt.

»*Meldung feindlicher Handlungen. Alle Patrouilleneinheiten, die keinen Dienst haben, versammeln sich sofort vor dem Fuhrpark!*«

Daraufhin hörte James aus den etwa sechzig Meter langen Unterkunftszelten rechts und links von ihm jede Menge Flüche und Kommentare wie: *Was für einen Mist haben die jetzt schon wieder mit uns vor?* Er hörte, wie Ausrüstungsgegenstände herumgeworfen wurden und folgte dem Sarge voller Schadenfreude über den Bretterweg.

Hinter den Zelten befand sich ein geteerter Parkplatz voller US-Army-Hummer und gepanzerter Wagen. Zur Sicherheit der Zivilbevölkerung waren die Wagen vorne und hinten neongelb gestrichen und an den Fahrertüren klebten Hinweise, dass die Höchstgeschwindigkeit mechanisch auf 25 km/h beschränkt war.

Die Soldaten rannten zum Fuhrpark, sprangen in die offenen Hummer und reihten sich dann in die Fahrzeugschlange ein, die zu dem großen Gittertor unterwegs war.

»Macht, dass ihr eure Ärsche hochkriegt!«, brüllte ein wütender Offizier. »Fahrt in eure Sektoren und befragt jeden Idioten, den ihr zu fassen bekommt! Ich will diese beschissenen Aufständischen hier zum Verhör sehen! Wir haben genügend Leute dafür und ich will, dass diese Organisation bis Sonnenaufgang vernichtet ist!«

»Ich glaube, wir haben ihm den Abend vermiest«, sagte James lächelnd, während sie zur anderen Seite des Parkplatzes gingen.

Das Gebäude für die Strom- und Wasserversorgung war ein Betonschuppen mit Blechdach. Auf der einen Seite stand ein halb eingegrabener Öltank für den Generator. Auf der anderen führten eine Menge Wasserleitungen und Starkstromkabel über einen felsigen Abhang zum Rest des Lagers.

Da der Asphaltweg, der direkt zu dem Gebäude führte, hell erleuchtet und von der Ausfahrt leicht einsehbar war, wählte der Sarge einen steilen, in die Felsen eingehauenen Fußpfad. Die einzige Beleuchtung, die sie hier hatten, kam von den fernen Autoscheinwerfern, und James erschrak, als er mit der Schulter an einen Felsen stieß und eine Eidechse davonhuschte.

»Ich geb dir Deckung«, sagte der Sarge, legte das Gewehr an und stieß James in Richtung Schuppen.

Als James über die schmale Asphaltstraße vor dem Gebäude huschte, konnte er nur seinen eigenen Atem hören. Die schwere Stahltür ächzte und er betrat einen dunklen Gang.

»Hallo?«, fragte er. Falls er hier Gesellschaft hatte, wollte er möglichst unschuldig erscheinen.

Hinter einer Tür mit einer Million gelber Warnhinweise summte der Generator, und der verbrannte Geruch erinnerte James an einen Schaltkreis, den er im Physikunterricht einmal geschmolzen hatte.

Als er sicher war, alleine zu sein, ging James den Gang entlang, der zu einem doppelt so hohen Raum führte. Hier stand ein riesiger runder Wassertank mit einer sechssprossigen Inspektionsleiter an der Seite.

Er griff nach dem Funkgerät. »Die Luft ist rein, Sarge.«

Als der Sarge ankam, hatte James den Beutel mit dem Phenolphtalein bereits aus seinem Rucksack geholt und wollte ihn gerade mit seinem Taschenmesser aufschlitzen.

»Nicht!«, stieß der Sarge hervor. »Wenn du auch nur drei Staubkörner davon einatmest, gehst du in zwanzig Stunden ab wie eine Rakete!«

Er warf ihm Gummihandschuhe und eine Atemschutzmaske zu und kletterte ebenso ausgestattet die Leiter am Tank hoch. Dann öffnete er die Inspektionsklappe. James schnitt ein Loch in den Beutel und reichte ihn hinauf.

Der Sarge schüttete das Phenolphtalein in den Tank, während James aus dem Rucksack des SAS-Mannes einen zweiten Plastikbeutel holte.

»Kinderspiel«, fand der Sarge, als er die Leiter wieder herunterstieg.

Sie steckten die beiden leeren Beutel in einen großen, verschließbaren Plastiksack, warfen die Handschuhe und Masken mit hinein, machten ihn zu und entsorgten ihn in einem Mülleimer in der Nähe. Der Sarge reichte James ein Desinfektionsmittel.

»Nimm reichlich davon«, befahl er. »Wasch dir damit die Hände und dann Nase und Mund. Sobald du in die Wohnung zurückkommst, knotest du die Uniform in einen Müllbeutel und wirfst sie weg, dann duschst du heiß. Bis dahin solltest du nichts essen oder trinken, was du angefasst hast, und halt die Finger von deinem Mund fern.«

Die strengen Vorsichtsmaßnahmen verblüfften James. »Wie giftig ist das Zeug denn?«

»Militärisches Niveau, für Spezialaufgaben«, erklärte der Sarge und kniff die Augen zu, während er sich das Gesicht desinfizierte. »Die Droge steckt in mikroskopisch kleinen Plastikkapseln, die sich zwanzig Stunden nach dem ersten Kontakt mit Wasser auflösen. Schon von einem dreißigstel Gramm bekommt man starke Magenkrämpfe und Durchfall.«

»Nicht nett«, fand James, sah auf die Armbanduhr und warf sich seinen Rucksack über die Schulter, bevor sie zum Ausgang gingen. »Theoretisch wird also in zwanzigeinhalb Stunden jeder Ami in diesem Lager unter akuter Scheißerei leiden?«

»Genau das hofft Kazakov«, lachte der Sarge.

26

Nach vollendeter Mission kletterten James und der Sarge über den Felspfad zum Hauptteil des Lagers zurück. An der Parkplatzausfahrt stand jetzt nur noch eine kurze Fahrzeugschlange, an deren Ende der letzte Hummer auf den Befehl wartete, in welchem Gebiet er patrouillieren sollte.

Immer noch dröhnte die Stimme des Offiziers durch die Nacht, der die Patrouillen organisierte.

»Ich will Informationen! Ich will, dass jemand dafür büßt! Ihr seid meine Jungs – und jetzt raus mit euch!«

»Der Plan war doch eigentlich, dass wir längst wieder draußen sind, bevor überhaupt jemand bemerkt, dass wir die Drohnen angegriffen haben«, beschwerte sich James. »Wie zum Teufel sollen wir denn nach Hause zurückkommen, wenn fünfhundert Männer nach uns suchen!«

Der Sarge zuckte mit den Achseln. »Wenn da draußen fünfhundert Männer nach uns suchen, können hier ja nicht mehr viele sein.«

Er ging in das erste der riesigen Unterkunftszelte und rief: »Hat jemand Corporal Smith gesehen?«

Das Risiko dieser Aktion war ziemlich gering: Wäre das Zelt voller Männer gewesen, hätte er sich leicht zurückziehen und behaupten können, er habe sich geirrt. Aber wie erwartet, waren alle auf Patrouille geschickt worden. James folgte dem Sarge nach drinnen. Die herumliegenden Kleidungsstücke und die im Halbdunkel flackernden kleinen Fernseher zeugten von dem überstürzten Aufbruch der Soldaten.

Das Zelt war in einzelne Bereiche abgeteilt, in denen jeweils vier Betten standen. Jede vierte Abteilung war eine Art Gemeinschaftsraum mit einem großen Fernseher und einem Billardtisch oder einem Fußballtisch. Als James und der Sarge durch das Zelt gingen, begegneten sie nur einem einzigen Soldaten. Er hatte einen Gipsfuß, lag in Unterhosen auf dem Bett und rockte zu den Klängen seines iPods.

»Sieht doch so weit ganz gut aus«, stellte der Sarge fest, als sie ungefähr drei Viertel des Zeltes durchquert hatten.

In einer der Abteilungen nahm er eine saubere Uniform, ein Handtuch und Stiefel aus einem offenen Schrank und zeigte James dann eine Plastikduscheinheit in der hinteren Ecke.

»Haben wir das Wasser nicht gerade vergiftet?«, fragte James misstrauisch.

»In den Leitungen zwischen dem Tank und hier ist noch jede Menge Wasser«, erklärte Sarge. »Es dauert mindestens eine oder zwei Stunden, bis es hierher gelangt.«

»Und wenn jemand kommt?«

»Dann sehen wir weiter«, antwortete der Sarge beiläufig. »Ich will eine Dusche und saubere Sachen. Und danach bleiben wir hier einfach für eine oder zwei Stunden ganz in Ruhe sitzen und ziehen ab, wenn sich die Lage draußen wieder beruhigt hat.«

James gefiel dieser Plan. Er mochte weder Lieutenant Lopez' aufdringliches Aftershave noch den Gedanken, dass seine Kleidung mit Mikrokapseln voller Phenolphtaleinpulver verseucht sein könnte.

Die Sache mit der Dusche erwies sich jedoch als schwierige Angelegenheit. Das schmutzige Plastikbecken gab sofort unter James' Füßen nach, als er hinter den Vorhang trat, und er bemerkte irritiert, dass jegliche Armaturen fehlten. Doch dann begriff er, dass die Dusche nur funktionierte, wenn man den Duschkopf nahm und auf einen Hebel drückte.

Als er zwei Minuten später wieder herauskam, warf ihm der nackte und stark tätowierte Sarge ein Handtuch zu und ging dann selbst hinein. Die Uniform, die James nun anzog, gehörte zwar auch wieder jemand anderem, aber zumindest waren das grüne T-Shirt und die sandfarbenen Hosen frisch gewaschen. Die einzigen vernünftigen Stiefel, die er fand, waren ihm zwei Nummern zu groß, aber er konnte sich mit zwei Paar sauberen Socken behelfen. Bevor er in die Stiefel schlüpfte, sprühte er sie noch mit einem Deodorant aus.

»Was hast du gesehen?«, fragte eine Frauenstimme.

James drehte sich um und zog die Augenbrauen hoch, als er die Soldatin vom Haupttor in Begleitung eines Offiziers entdeckte. Sie waren zwei Abteilungen weiter und sprachen mit dem Soldaten, der mit seinem gebrochenen Fuß auf dem Bett lag. James hechtete in die Ecke zur Dusche.

»Gesellschaft!«, stieß er nervös hervor.

»Na und?«

»Sie suchen uns! Da ist die Frau vom Tor!«

»Im Ernst?« Jetzt erschrak auch der Sarge, schoss

270

aus der Duschkabine und griff nach dem feuchten Handtuch, das James über ein Bettende gehängt hatte.

James drehte sich noch einmal um und sah die Frau auf sie zukommen.

»Verschwinde«, befahl der Sarge und hüpfte in eine Hose. »Ich komme dann nach.«

Doch gerade als James mit seinem Rucksack über den Mittelgang lief, gab es einen scharfen Knall und eine rosa Explosion und er tauchte zwischen zwei Betten unter.

Der nur mit Hosen bekleidete Sarge schnappte sich sein Gewehr und feuerte schnell hintereinander zwei wohlgezielte Schüsse ab. Während der Sarge ihm Deckung gab, glitt James über den Vinylboden in die nächste Abteilung, doch nur zwanzig Meter weiter kamen drei Soldaten durch die Zeltklappe herein.

Die Gemeinschaftsbereiche hatten Ausgänge mit Reißverschlüssen und einige davon standen offen, um frische Luft hereinzulassen. Doch James war klar, dass er diese nicht vor den Soldaten erreichen würde. Seine einzige Chance war ein Schlitz in der Zeltleinwand, durch den eine tragbare Klimaanlage ragte.

»Die kenne ich doch!«, entfuhr es dem Sarge, der in beide Richtungen feuerte, während James auf ein Bett sprang. »Diese Frau vom Tor: Die war auf einer NATO-Konferenz der Spezialeinheiten letztes Jahr auf Malta. Sie muss bereits Verdacht geschöpft haben, als wir an ihr vorbei sind.«

James schlug mit aller Kraft auf die Klimaanlage. Das Bett rutschte zurück und die Zeltleinwand wölbte sich, und was noch besser war: Die Klimaanlage löste sich aus ihren Halterungen in der Zeltwand. James spannte den Stoff mit einer Hand und hämmerte immer weiter auf die Klimaanlage ein.

Nach einem Dutzend schmerzhafter Schläge brach die Klimaanlage endlich ganz ab und schlug draußen laut scheppernd auf den Sand auf.

»Super«, lächelte der Sarge, der die herannahenden Soldaten mit weiteren Schüssen in Schach hielt.

James warf seinen Rucksack durch den Schlitz und zog sich vom Bett hoch. Er steckte den Kopf hindurch, aber bei den Schultern wurde es so eng, dass der Sarge das Feuer vorübergehend einstellen musste, um ihn hindurchzuschieben. Die äußere Beschichtung der Zeltleinwand wirkte wie eine Rutsche, und James landete hart im Sand. Seine Hände schmerzten.

»Nimm beide Rucksäcke!«, schrie der Sarge und warf seinen durch den Schlitz hinterher.

James war leicht desorientiert und erkannte erst nach ein paar Sekunden, dass der Sarge nicht mit ihm kommen würde: Wenn er mit seinem jugendlichen Körper schon einen Schubs brauchte, um durch den Zeltschlitz zu kommen, dann bestand für den Sarge nicht die leiseste Hoffnung, es zu schaffen.

»Ich bin tot!«, schrie der Sarge, als die Schießerei im Zelt endlich aufhörte. »Benutz die Rauchbomben und verschwinde von hier!«

James hoffte, sich ein paar Sekunden Zeit zu verschaffen, indem er eine Rauchgranate aus seinem Rucksack holte, den Stift abzog und sie durch den Zeltschlitz warf. Dann begann er zu rennen. Während der Grundausbildung wurde den Cherubs eingebläut, sich immer an die Taktik zu halten, aber jetzt bemerkte James, dass er sich zu sehr auf die Organisation von Kazakov und Sarge verlassen hatte. Denn jetzt war er auf sich allein gestellt.

Die Chancen standen schlecht. Er befand sich auf einem gesicherten Gelände, das in höchster Alarmbereitschaft war. Und sobald die Soldaten im Zelt aufhörten zu husten und ihre Funkgeräte benutzten, würden alle nach ihm suchen. Das Haupttor war allerdings nur fünfzig Meter entfernt und James' beste und wahrscheinlich einzige Fluchtmöglichkeit bestand in einem Überraschungsangriff.

Er lief bis zum Ende des Bretterweges zwischen den Zelten und duckte sich. Das Gittertor war jetzt geschlossen und die Wachen waren auf vier Mann verdoppelt worden, doch trotz der angespannten Lage schienen sie nicht sonderlich aufmerksam.

James schaute vorsichtig über die Schulter und nahm dann sein Gewehr. Die Scheinwerfer am Zaun boten ihm genügend Licht, um zu zielen. Er legte sich eine Betäubungs- und zwei Rauchgranaten im Sand zurecht, ließ sich dann auf ein Knie nieder, legte das Gewehr an und nahm den ersten Soldaten ins Visier.

Er traf ihn genau in den Rücken, und ein kleiner

Ruck nach links genügte, um den zweiten ebenfalls mit einer rosa Farbwolke auszuschalten.

»Angriff!«, schrie der dritte Soldat und ging in Deckung, sodass James' dritter Schuss über seinen Kopf hinweg sauste.

James riss den Stift aus der Betäubungsgranate und schleuderte sie auf das Tor zu. Dann warf er die erste Rauchgranate in das Niemandsland zwischen Tor und Zelt und ließ die zweite zwischen seinen Füßen am Boden liegen. Er schaltete seine Waffe auf Automatikfeuer um, verließ seine Deckung und rannte genau in dem Augenblick auf das Tor zu, als der Blitz aus der Betäubungsgranate grell zum Himmel zuckte.

Von der Granate geblendet, war der vierte Wachsoldat erst einmal außer Gefecht gesetzt, während der dritte Mann auf dem Bauch lag und auf gut Glück in den immer dichter werdenden Rauch feuerte. Aus den Zelten hinter James kamen jetzt weitere Soldaten, und als ihm eine Kugel am Kopf vorbeipfiff, fiel ihm ein, dass er seine Schutzbrille nicht aufgesetzt hatte.

Ein Schreck durchfuhr ihn bei dem Gedanken daran, blind zu werden, aber er lief trotzdem weiter. Rauch drang ihm in die Lungen und er hörte von allen Seiten Soldaten auf ihn zu laufen, als er nur noch fünf Meter vom Tor entfernt war.

Plötzlich lichtete sich der Rauch etwas und bot James freies Schussfeld auf den letzten Wachsoldaten – doch durch die aufsteigende Panik verfehlte er ihn. Sein Gegner nahm sich mehr Zeit zum Zielen und sein Schuss ging so dicht an James vorbei, dass er ihn spüren konnte. Schließlich traf die letzte Kugel aus James' Magazin den Soldaten in den Oberschenkel.

Jetzt wurde aus allen Richtungen geschossen, doch der Rauch verschaffte James ausgezeichnete Deckung. Er packte das Gittertor und bemerkte fast zu spät, dass er erst einen Riegel aus dem Boden ziehen musste, um es zu öffnen. Zwei Kugeln prallten auf den Zaun, während er sich nervös nach den vier Wachen umsah. Wenn er entkam, würden sie mit Sicherheit ordentlich was von ihrem Offizier zu hören bekommen. Da griff einer von ihnen nach seinem Knöchel.

»Du mogelst!«, schrie James und trat zu.

Er wusste selbst nicht genau wie, aber er schaffte es, das Tor weit genug aufzuziehen, um hindurchzuschlüpfen. Der dichte Rauch ließ seine Augen tränen, seine Lungen brannten und er hatte das Gefühl, dass an seinen Beinen Betonklötze hingen. Aber irgendwie schaffte er es, vom Lager zu fliehen.

27

James rannte mehrere Hundert Meter über das offene Gelände vor dem Hauptquartier. Gelegentlich schlugen Farbgeschosse um ihn herum auf. Schließlich erreichte er die wirre Ansammlung von niedrigen Hütten, die eine Barackensiedlung darstellen sollte.

Anders als in der realen Welt, in der solche Elendsviertel aus allem möglichen Müll bestanden, verfügte die Fort-Reagan-Version über Strom und sanitäre Anlagen. Die dicht aneinandergebauten Unterkünfte boten zwar nicht viel Privatsphäre, glichen aber in vielerlei Hinsicht typischen Studentenwohnheimen.

Aus allen Richtungen erschallte Musik und auf dem Marktplatz brannte eine Art Lagerfeuer, um das barfüßige Mädchen herumtanzten. Um eine möglichst authentische Atmosphäre zu schaffen, wurde hier das Essen an Ständen verkauft und auf den Straßen liefen sogar Hühner und Ziegen frei herum. Die meisten davon waren zahm und ließen sich von den Studenten mit Chips füttern.

Die Seitenstraßen waren verlassen. James bog mehrere Male ab, bevor er in einer Gasse zwischen den Hütten anhielt und nach Atem rang. Misstrauisch sah er sich um. Noch waren ihm keine Soldaten in diese Gegend gefolgt.

Er nahm das Funkgerät aus der Tasche und flüsterte: »Kazakov!«

»Laut und deutlich«, antwortete der Ukrainer. »Was ist los?«

»Die Ware ist an Ort und Stelle, aber wir mussten uns den Weg freischießen. Der Sarge wurde erschossen und ich brauche Hilfe, um nach Hause zu kommen.«

»Negativ«, erklärte Kazakov. »Wir brauchen dich hier nicht und man könnte dir im Dunkeln leicht folgen. Halte dich bis zum Tagesanbruch lieber von der Wohnung fern.«

James schnalzte mit der Zunge. »Und was soll ich jetzt machen? Wo soll ich schlafen?«

»Lass dir etwas einfallen«, verlangte Kazakov. »Ich hab genug zu tun. Kazakov Ende.«

»Unglaublich«, murrte James. »Nach allem, was ich für diesen ukrainischen Mistkerl getan habe!«

Mit seinen Waffen konnte James sich zwar einigermaßen gut verteidigen, aber die Kombination aus einer schlecht sitzenden Uniform der US-Armee und seinem jugendlichen Alter ließ ihn nicht gerade unauffällig erscheinen. Es würde eine lange Nacht werden. Er musste so schnell wie möglich einen Platz finden, an dem er sich verstecken konnte.

*

Sobald die Drohnen außer Gefecht gesetzt waren, hatte Kazakov seine SAS-Teams angefunkt, die sich daraufhin an die vereinbarten Posten auf den Hausdächern begaben und von dort aus aufs Geratewohl

Schüsse auf die amerikanischen Soldaten abfeuerten.

Dann brachte Kazakov Lauren, Bethany, Rat, Gabrielle, Bruce, Jake und Andy im Laufschritt zu den Wohnungen zurück. Als sie von einem Checkpoint der Armee aufgehalten wurden, nutzten sie ihre Waffen, schalteten drei Soldaten mit Kugeln und Farbgranaten aus und erschreckten ein Häufchen Zivilisten zu Tode, die dort in der Schlange standen, um durchsucht zu werden.

Innerhalb von zwanzig Minuten nach dem Anschlag auf die Drohnen hatte General Shirley Dutzende von zusätzlichen Checkpoints installieren lassen, um die Aufständischen daran zu hindern, sich frei zu bewegen. In den unruhigsten Vierteln wurden Ausgangssperren verhängt und die Soldaten befahlen allen, sich in ihre Häuser zu begeben.

Es war klar, dass etwa zehn Prozent der Bevölkerung für Geld mit den Aufständischen kooperierten. Und so wich das anfangs noch scherzhafte Geplauder zwischen Bürgern und Soldaten einem rauen Umgangston voller Misstrauen. Das Ganze war zwar nur ein riesiges Manöver, doch jeder Soldat war hoch motiviert, gut dabei abzuschneiden: Bei hervorragenden Leistungen winkten eine Beförderung und höherer Sold, während bei einer schlechten Vorstellung die Karriere stagnieren konnte oder sogar die Rückversetzung zu einer weniger angesehenen Einheit drohte.

Viele der studentischen Zivilisten reagierten aggressiv auf die mit einem Schlag verhängten Ausgangssperren. Um diese Zeit hatten sie bereits einiges getrunken und sahen nicht ein, sich um halb neun Uhr abends in ihre kahlen Unterkünfte einsperren zu lassen. Auch die Wartezeiten an den Checkpoints verbesserten ihre Laune nicht gerade und so machten sie ihrem Zorn lautstark Luft, wenn sie zehn Minuten Schlange stehen mussten, nur weil sie in der nächsten Straße etwas zu essen kaufen oder einen Freund besuchen wollten. Dadurch wiederum liefen sie Gefahr, von den wütenden Soldaten zwei oder drei Mal innerhalb weniger Stunden durchsucht zu werden.

Kazakovs Einfamilienhaus war besonders anfällig für überraschende Durchsuchungen, deshalb kehrte er zusammen mit den Kindern in die relative Anonymität der Wohnblocks zurück. Als sie verschwitzt und keuchend die Wohnung der Mädchen erreichten, warfen sie ihre Ausrüstung ab und verteilten sich erschöpft auf den Sitzgelegenheiten.

»Na, wie geht es meinen Augen und Ohren?«, erkundigte sich Kazakov, als Kevin mit dem Fernglas um den Hals aus einem der Zimmer kam.

»Gut«, lächelte Kevin, obwohl er immer noch schmollte, dass er nicht an der Aktion beteiligt worden war. »Ein Suchteam ist hier von Tür zu Tür gegangen. Ich bin den Gang im dritten Stock entlanggelaufen und habe ihnen mit der Farbgranate eine Falle gestellt, wie Sie es mir gezeigt haben. Damit habe ich alle drei erwischt.«

»Gute Arbeit«, nickte Kazakov. »Und die SAS-Scharfschützen?«

»Das scheint zu funktionieren«, meinte Kevin. »Sie haben alle Soldaten ausgeschaltet, die sich bei der Kantine aufhielten. Und sie haben die Straßensperren mit Granaten beschossen, bis sich die Soldaten aus der Gegend zurückzogen. Hab schon eine halbe Stunde lang keine mehr gesehen.«

Meryl kam mit einem Tablett mit dampfenden Pizzastücken aus der Küche, auf die sich die Kinder voller Heißhunger stürzten.

»Wo sind denn die anderen?«, fragte sie.

»Kerry und der Sarge wurden erschossen und James versteckt sich.«

»Soll ich ihm etwas zu essen aufheben?«

Kazakov schüttelte den Kopf. »Ich habe ihm gesagt, er solle sich über Nacht draußen verstecken, für den Fall, dass ihm jemand folgt.«

»Er klang echt genervt, als Mr Kaz ihm das gesagt hat«, grinste Bethany.

»Umso mehr Pizza für uns«, freute sich Jake und nahm sich ein zweites Stück.

»Und was ist mit der ganzen Ausrüstung?«, wollte Lauren wissen. »Wenn die Armee dieses Gebäude durchsucht, sitzen wir in der Falle.«

»Wir bleiben hier«, erklärte Kazakov bestimmt und nahm den kleinen Video-Empfänger aus der Hosentasche. »Und wir behalten alle Waffen hier. Jemand wird die vorderen und hinteren Ausgänge im Auge behalten müssen. Wenn die Soldaten aus irgendeinem Grund hier auftauchen, haben wir hoffentlich genug Zeit, ihnen auf der Treppe einen Hinterhalt zu legen, bevor sie uns zu nahe kommen.«

Kazakov verband den Empfänger über ein AV-Kabel mit dem Fernseher, der an der Wand hinter einer schützenden Plexiglasscheibe hing.

»Das wird gut«, grinste Kazakov und freute sich wie ein Kleinkind an Weihnachten. Dann fluchte er ein wenig über die Fernbedienung, bis er den richtigen Knopf fand und ein grobkörniges Farbbild aufleuchtete. Der Rand eines Schreibtisches und ein paar Computerbildschirme waren aus einem schiefen Winkel zu erkennen. Am unteren Bildrand waren Datum und Uhrzeit eingeblendet.

»Gute Kameraführung, Spielberg«, grinste Jake.

»Ich hatte nur ein paar Sekunden Zeit, um das Gerät anzubringen«, erwiderte Kazakov gereizt. »Haltet die Klappe und hört zu!«

Die Festplatte auf Kazakovs Empfänger hatte einen Aufnahmespeicher von mehreren Hundert Stunden. Er spielte jene Aufzeichnung ab, die ein paar Minuten vor ihrem Anschlag auf die Drohnen gefilmt worden war. Jetzt tauchten ein paar Armeestiefel auf dem Schreibtisch auf und es hörte sich an, als würden ein paar gelangweilte Verwaltungsoffiziere außer Sichtweite des Videotransmitters irgendwo im Raum Poker spielen.

Die Kinder setzten sich mit ihrem Essen vor den Bildschirm und hörten, wie die Berichte von dem Überfall auf die Landebahn hereinkamen. Das Bild zeigte zwar nur den Schreibtisch und die verschwommenen Monitore, aber die Tonqualität war einwandfrei.

Stiefelschritte kamen und gingen, ein Soldat verkündete, dass die Kacke am Dampfen sei und dann kam General Shirley hereingestürmt.

»Statusmeldung!«, brüllte er.

»Einer der Drohnenpiloten hat gefunkt, Sir. Sie werden angegriffen. Die Drohnen werden von einem Haufen vermummter Teenager zerstört.«

»*Wie bitte?*«

»Die Drohnen, General. Sie sind zur…«

»Ich weiß, wozu sie da sind, Corporal! Halten Sie mich für einen Volltrottel? Schicken Sie sofort Truppen los, die da nachsehen! Wenn das die Aufständischen sind, will ich, dass ihr sie festnagelt!«

»Drohnen sind nicht gerade billig«, fuhr der Corporal fort. »Haben Sie denn keine Wachmannschaft am Flugplatz?«

Es entstand eine längere Pause, dann fragte eine neue Stimme: »General… was sollen wir tun?«

»Verdammt noch mal!«, tobte der General. »Die sollen sich gefälligst wie Aufständische verhalten! Die sollen sich auf den Straßen herumtreiben und Farbgranaten verteilen, nicht zur Vordertür hereinspazieren und meinen Flugplatz demolieren! Was soll denn das für ein Aufstand sein?«

»Als ich im Irak war, wurden alle unsere Lager beschossen«, bemerkte der Corporal. »Die Aufständischen greifen alles an, was nicht ordentlich verteidigt wird.«

»Corporal, Sie sind entlassen!«, brüllte General Shirley. »Wenn ich Ihre Meinung hören will, werde ich Sie danach fragen! Kazakov, dieser Mistkerl! Da drüben ist Hardware für über sechs Millionen Dollar!«

Ein Telefon klingelte und eine Frauenstimme sagte: »General, das ist Sean O'Halloran, der Kommandant des Hauptquartiers. Er fragt nach, ob Sie wissen, dass man vom Flugplatz her Explosionen gehört hat...«

»Ich bin beschäftigt... Ein direkter Angriff auf mein Lager... Dieser Russe... Okay, so lauten meine Befehle: an allen Hauptstraßen Checkpoints. Vergesst die netten Amerikaner. Schickt alle gesunden Soldaten auf die Straße, damit sie ihren Job machen. Ich will, dass die Waffen beschlagnahmt und die Aufständischen verhaftet oder erschossen werden!«

Wieder die Frauenstimme: »Der Kommandant möchte Sie sprechen, General. Er sagt, Sie seien persönlich für die Ausrüstung verantwortlich, die Ihren Männern für diese Übung zur Verfügung gestellt wurde.«

»Geben Sie mir das Telefon!«, befahl der General. »Commander, wir untersuchen die Angelegenheit und ich bin mir sicher, dass die Lage nicht so schlimm ist, wie es sich anhört.«

Noch während der General sprach, erklang eine

weitere Stimme im Raum: »General, wir erhalten gerade Meldung, dass unsere Truppen in den Straßen von Reaganistan von Heckenschützen unter Beschuss genommen werden!«

Kazakov stoppte die Wiedergabe und strahlte die Kinder auf den Sesseln um sich herum an.

»Ich bin kein Russe, verdammt noch mal, ich bin Ukrainer!«, schrie er und lachte dann schallend. »Ich spreche ja nicht häufig ein Lob aus, aber ihr Kids wart heute Abend großartig! Morgen um diese Zeit fahren wir in einer Siegesparade durch General Shirleys Lager!«

28

James beschloss, aus der Not eine Tugend zu machen und die Dunkelheit und seine US-Armeeuniform zu nutzen, um sich möglichst unauffällig durch einen Checkpoint an der Hauptstraße zur Barackensiedlung zu schmuggeln. Zum Glück interessierte sich der dort verantwortliche Offizier mehr für einen zwanzigjährigen Studenten und seine eingeschmuggelte Handykamera als für James' Ausweis.

Schließlich gelangte er in ein dreistöckiges, leeres Gebäude, kaum einen Kilometer von den Wohnblocks entfernt. Da das elektrische Licht zu auffällig gewesen wäre, nutzte er seine Taschenlampe, um die Treppe in einen Raum im zweiten Stock hinaufzusteigen. An der Wand befand sich ein Wasserhahn und in der Toilette auf dem Gang schwammen Hunderte von toten Insekten.

Da es keine Möbel gab, setzte er sich auf den rauen Beton. Ein kalter Wüstenwind heulte durch die klapperigen Türen und Fenster. Er versuchte, seinen Rucksack als Kopfkissen zu nutzen, was jedoch viel zu unbequem war, abgesehen davon, dass ihn die Sandkörner auf seinem Rücken und in seinen Boxershorts fast in den Wahnsinn trieben. Aber zum Schlafen war er sowieso zu angespannt.

Ab und zu hörte er einen Armee-Hummer auf der engen Straße vorbeifahren, Schießereien zwischen den regulären Truppen und den SAS-Heckenschützen oder auch die dumpfe Explosion einer Farbgranate. Der Menge der Schüsse nach zu urteilen, hatten die SAS-Teams begonnen, auch die Sympathisanten mit Waffen zu versorgen.

James füllte seine Flasche am Wasserhahn auf und da er hungrig war, durchsuchte er seinen und Sarges Rucksack nach etwas Essbarem. Er fand zwar nichts, aber dafür entdeckte er die kleine Geschenktüte aus dem Hotel mit dem Kartenspiel und dem *Ultimativen Blackjack-Handbuch*.

James klemmte seine Taschenlampe so zwischen die Rucksäcke, dass der Lichtkegel unauffällig aber hell genug auf die Buchseiten fiel. Dann blies er den Sand vom Boden weg, breitete die Karten zwischen seinen Beinen aus und begann zu lesen.

Nach ein paar Seiten über die grundlegenden Blackjack-Regeln und einer kurzen Biografie der Mitglieder der »Blackjack Hall of Fame« – die ein Vermögen gemacht hatten und nun in keinem Casino der Welt mehr Zutritt hatten – kam James zu den Kapiteln, die sich mit der Mathematik und der Strategie der erfolgreichsten Kartenzähler befassten.

Wahrscheinlich hätten die meisten schon bei der ersten einfachen Gleichung aufgegeben, aber das Mathematikgenie in James fand den Gedanken ziemlich reizvoll, mit ein paar einfachen Kopfrechnungen und Taktiken ein Casino zu schlagen und Millionen von Dollar zu gewinnen.

Beim Weiterlesen stellte er fest, dass man dazu nicht mal unbedingt ein Genie sein musste. Man musste nur fünf Dinge gleichzeitig im Kopf behalten können: das Blatt des Croupiers, sein eigenes Blatt, den Stand der positiven und negativen Karten, die Gesamtzahl der noch im Kartenschlitten verbliebenen Karten und schließlich – wenn man einen zusätzlichen Vorteil haben wollte – die Anzahl der noch im Spiel verbliebenen Asse.

Laut diesem Buch konnte sich jeder, der ein paar Stunden am Tag mit einem Kartenspiel übte, die grundlegenden Kenntnisse des Kartenzählens aneignen. James verstand bereits das Grundprinzip, wann man besser aufhören und wann man noch eine Karte nehmen sollte. Der nächste Schritt war, das schnelle Austeilen zu üben, mit perfekter Strategie zu spielen und dabei den Überblick über alle ausgeteilten Karten zu behalten.

Er begann, die Karten auf dem Betonboden auszuteilen, erst langsam, dann immer schneller, bis er das richtige Gefühl dafür bekam. Er hatte keine Eile: Bis Sonnenaufgang waren es noch zehn Stunden – und noch weitere viereinhalb Jahre, bis es ihm erlaubt war, sich an einen Casino-Tisch zu setzen.

✳

»Guten Morgen, Döskopp!«

James zuckte zusammen und riss die Augen auf. Sein Kopf schmerzte furchtbar. Die niedrig stehende Sonne blendete ihn und er erwartete fast, einen Gewehrlauf vor seiner Nase zu sehen. Doch zu seiner Erleichterung erkannte er schließlich Gabrielles spindeldürre Beine, die in ein paar Laufshorts steckten.

»Was willst du denn mit den Karten?«, fragte sie.

»So ist mein Bruder«, grinste Lauren. »Spielt immer gerne mit sich selbst!«

James hatte in dieser Nacht kaum geschlafen und brauchte eine Weile, bis er alle Fakten wieder beisammen hatte: Sein Kopf und sein Nacken taten ihm weh, weil er an eine Betonwand gelehnt über den Karten eingeschlafen war. Lauren und Gabrielle waren da, weil er seine Koordinaten noch am Abend zuvor per GPS an Kazakov durchgegeben hatte. Und sie hatten Zivilklamotten dabei, damit er sich wieder ans Tageslicht wagen konnte.

»Wie steht's?«, erkundigte er sich und hielt sich stöhnend den Rücken, als er aufstand.

»Kazakov schwebt auf Wolke sieben, weil die Army durchdreht. Die Drohnen sind erledigt. General Shirley läuft auf seinem Kommandoposten Amok, widerruft alle paar Stunden seine Befehle, rennt herum wie ein kopfloses Huhn und sorgt dafür, dass er niemals einen zweiten Stern an seinen Helm bekommt. Die SAS-Leute haben sechzig gelangweilte Collegestudenten rekrutiert und bewaffnet und über hundertfünfzig US-Soldaten ausgeschaltet. Oh ja, und Andy hat Bethany einen gewaltigen Knutschfleck verpasst.«

Die letzte Information brachte James zum Lachen. »Ist ja der Hammer! Und mit wie vielen Jungs hat *sie* geknutscht?«

Lauren ignorierte den Seitenhieb auf ihre beste Freundin und hob James' Buch vom Boden auf. »*Das ultimative Blackjack-Handbuch*«, schnaubte sie. »Ich fasse es nicht! Du glaubst doch nicht im Ernst, dass du die Casinos schlagen kannst, oder?«

»Das ist eine erprobte Technik«, entgegnete James und schnappte sich sein Buch wieder.

»Na, immerhin erwische ich dich zum ersten Mal mit einem Buch, das keine Pop-ups hat.«

»Du bist ja wahnsinnig witzig drauf heute Morgen«, gab James ironisch zurück, während ihm Gabrielle seine Kleidung reichte. »War es schwer, hier herüberzukommen?«

»Wir haben den richtigen Moment abgewartet«, erklärte Gabrielle. »Durch die Wanze, die Kazakov im Hauptquartier installiert hat, wissen wir noch vor den Soldaten, welche Befehle sie bekommen. General Shirley hat den Befehl gegeben, die Anzahl der Checkpoints zu reduzieren, weil unsere Heckenschützen sie ins Visier genommen und mit Farbgranaten beworfen haben.«

»Der einzige Haken war, dass wir dich über Funk nicht erreicht haben, du taube Nuss«, beschwerte sich Lauren.

»Tut mir leid«, gähnte James. »Das Headset muss mir im Schlaf heruntergefallen sein.«

»Den Amerikanern gefällt das alles gar nicht«, freute sich Lauren. »Eines der Erfolgskriterien des Generals ist ein Minimum an Verlusten unter der Zivilbevölkerung, aber jedes Mal, wenn an einem Checkpoint eine Granate hochgeht, wird ein halbes Dutzend Zivilisten in die Luft gesprengt.«

James tauschte die Uniform gegen seine zerrissenen Jeans und die alten Laufschuhe ein. »Kazakov ist der geborene Kriegstreiber«, stellte er fest. »Ich meine, er ist ein Psycho, aber man muss ihn auf gewisse Weise auch bewundern.«

»Er hasst die Amis so sehr«, bestätigte Lauren, »dass ich glaube, er wünschte sich echte Waffen.«

✳

Im Laufe des zwölf Stunden andauernden Katz- und Maus-Spiels in den Straßen von Reaganistan entdeckten die Amerikaner unweigerlich einige Waffenverstecke, brachten einige Aufständische zur Befragung ins Armeelager und sorgten für ein paar Verluste unter ihnen.

Sobald General Shirley den Befehl gab, dass sich die Truppen zum Hauptquartier zurückziehen sollten, befahl Kazakov – der kaum eine Stunde geschlafen hatte –, dass alle Aufständischen die Positionen wechseln sollten. Daher gingen Lauren und Gabrielle mit James nicht mehr in die Wohnung zurück, sondern in Kazakovs Einfamilienhaus.

Unterwegs hielten sie an einem der kleinen Supermärkte an und gaben fünfzehn Reaganistan-Dollar für Mehl, Eier, Milch, Schinken, Orangensaft, Puderzucker, Nutella, Sprühsahne und Ahornsirup aus, damit Lauren das Frühstück zubereiten konnte.

Rat, Bethany und Andy waren bereits mit einer Ladung Waffen im Haus, während Mac im Nebenhaus von einem fünfköpfigen SAS-Team bewacht wurde. Gabrielle bot ihre Hilfe beim Pfannkuchenbacken an, doch da Lauren gern kochte, wollte sie ihr Geheimrezept nicht preisgeben.

Also setzte sich Gabrielle James gegenüber auf eines der großen Wohnzimmersofas.

»Gemütlich«, gähnte James, legte sich zurück und rutschte herum, um seinen Rücken zu kratzen. »Nur dieser Sand ist echt überall.«

»Man kann nichts dagegen machen, weil die Türen und Fenster nicht richtig schließen«, nickte Gabrielle und ließ sich von seinem Gähnen anstecken. »Gestern Abend habe ich in der Wohnung geduscht und frische Sachen angezogen, aber zehn Minuten später hat es schon wieder wie wahnsinnig gejuckt.«

»Wem sagst du das«, meinte James.

»Du schürfst dir noch die Haut ab«, warnte Gabrielle und kam zu ihm hinüber. »Lass mich das mal machen.«

James setzte sich auf und sie legte ihre Handfläche auf sein T-Shirt und rieb auf und ab.

»Oh ja, genau da«, schnurrte James. »Ich dusche nach dem Frühstück, wenn ich mich so lange wach halten kann.«

»Wie kommst du eigentlich mit der ganzen Sache klar?«, erkundigte sich Gabrielle. »Ich meine, das mit Dana.«

Es war eine unangenehme Frage. James wusste, dass es Gabrielle viel mehr verletzt hatte als ihn, dass Michael und Dana miteinander herummachten.

»Ich hatte schon geahnt, dass da irgendwas nicht stimmt«, meinte James. »Erst war noch alles bestens: Ich habe eine Megageburtstagsparty zu meinem Sechzehnten bekommen, und in den Wochen darauf waren wir wie die Karnickel, und dann will Dana ganz plötzlich nicht mehr, dass ich sie anfasse und behauptet, es sei ihr alles zu viel.«

Gabrielle lächelte. »Das war bei Michael anders.

Ich glaube, es hat ihm gefallen, gleich zwei Mädchen am Start zu haben. Ich war auf dem Campus, ich wusste also, dass er Zeit mit Dana verbrachte. Aber als ich ihn darauf angesprochen habe, sagte er, ich wäre paranoid und dass sie zusammen an einem Geschichtsprojekt arbeiteten.«

»Geschlechtsprojekt scheint es eher zu treffen«, grinste James.

»Schätze, das muss ich wohl auf die Liste mit den Erfahrungen setzen«, seufzte Gabrielle. »Aber es heißt, dass man die erste große Liebe am schwersten überwindet und ich habe ihn wirklich, wirklich geliebt.«

James legte Gabrielle die Hand auf den Arm. »Ihr zwei hattet eine richtig intensive Beziehung. Wir Jungs haben mal allen Mädchen Preise verliehen und du hast den für *das Mädchen, das als erstes heiratet*, gewonnen.«

Gabrielle lachte. »Wann war das denn?«

»Vor Ewigkeiten, irgendwann im Sommer oder so. Bei einem dieser langweiligen Missionssicherheitskursen haben die Jungs über Mädchen geredet und alle möglichen Kategorien erfunden.«

»Und was haben die anderen bekommen?«

»Das sollte ich wahrscheinlich gar nicht verraten«, lächelte James. »Amy Collins hat den Preis für den *sexiesten Ex-Cherub* bekommen. Kerry den für *die schönsten Beine* und *am schwersten ins Bett zu kriegen*.«

»Das sage ich ihr«, kicherte Gabrielle.

»Bethany hat den Preis für *das beste jüngere Mädchen* bekommen, auch wenn ich bei ihr für den Preis für *das Mädchen, dem man am liebsten eins aufs Maul geben würde*, gestimmt habe«, fuhr James fort. Ihm war klar, dass er gerade viel mehr ausplauderte, als er eigentlich sollte, aber es freute ihn, dass er Gabrielle zum Lachen brachte.

»Hat Dana auch was bekommen?«

»*Beste Titten*«, nickte James. »Mann, war ich stolz!«

»Ihr Jungs seid klasse«, prustete Gabrielle und ließ sich vor Lachen neben James auf die Armlehne des Sofas plumpsen. »Was noch?«

»Ach, das war jede Menge«, meinte James. »Aber es ist schon ewig her, das meiste hab ich vergessen.«

»Du bist echt witzig, James«, stellte Gabrielle fest. »Ich glaube, das ist auch der Grund dafür, warum du mit so vielem durchkommst.«

»Du weißt, dass ich dich schon immer gern hatte«, sagte James vorsichtig und legte ihr den Arm um den Rücken. »Ich meine, wir beide …«

»Nein, nein, neiiiinnn!«, schrie Gabrielle, sprang auf und lachte noch lauter. »Wir Mädels haben darüber gesprochen, dass du neulich Kerry angemacht hast. Und Lauren und Kerry haben beide gesagt, dass du so ein scharfer Idiot bist, dass es nur eine Frage der Zeit ist, bevor du es bei mir versuchst.«

James spürte, wie ihm die Farbe aus dem Gesicht wich. »Kerry hat euch davon erzählt?«

»Du weißt doch, wie Mädels sind«, zog Gabrielle ihn auf, »wir lieben ein bisschen Tratsch.«

»Weiß Bethany davon?«, fragte James ernst. »Sie hat eine große Klappe und wenn Bruce das erfährt, haut er mir den Schädel ein.«

Gabrielle schüttelte den Kopf. »Nein, das wissen nur Lauren und ich.«

»Pfannkuchen!«, rief Lauren fröhlich und kam mit zwei Tellern frisch gebackenen Pfannkuchen herein. »Was ist denn so lustig?«

Gabrielle zeigte auf James und musste schon wieder lachen. »Rate mal, was er gemacht hat!«

»Hab ich dir doch gleich gesagt«, quiekte Lauren, als sie James einen Teller, Messer und Gabel reichte. »Fünf Minuten allein mit etwas, das auch nur annähernd weiblich ist …«

James war verlegen, aber mindestens genauso hungrig und der Duft von Laurens frischen, reichhaltigen Pfannkuchen ließ seinen Magen knurren.

»Oh, jetzt schmollt er«, neckte ihn Lauren, als er auf seinen Teller starrte. »Der arme Kleine!«

James hatte sich völlig zum Idioten gemacht und war klug genug, um zu wissen, dass alles, was er zu seiner Verteidigung hervorbrachte, die Sache nur noch verschlimmern würde.

»Die Pfannkuchen sehen lecker aus«, sagte er deshalb nur und versuchte, das Kichern zu ignorieren und sein rot angelaufenes Gesicht zu verbergen.

»Ich wünschte, ich hätte mein Handy, um Kerry eine

SMS zu schicken«, schniefte Gabrielle. »Das wird ihr gefallen!«

29

Nach dem Pfannkuchenfrühstück mit mindestens viertausend Kalorien und einer Dusche suchte sich James Kissen und eine Bettdecke und ließ sich auf ein quietschendes Bett fallen. Seine innere Uhr hatte sich noch nicht einmal richtig auf die amerikanische Zeit eingestellt, da war eine Nacht ohne Schlaf das Letzte, was er gebrauchen konnte.

Doch die Sonne schien hell und die Vorhänge waren papierdünn und so tief er den Kopf auch in den Kissen vergrub – er konnte einfach nicht einschlafen. Schließlich setzte er das Headset wieder auf und verbrachte drei schlaflose Stunden damit, der Kommunikation zwischen dem begeisterten Kazakov und seinen verschiedenen Teams zu lauschen.

Ohne anzuklopfen stand Rat plötzlich in James' Zimmer. »Ich gehe mit den anderen gleich raus, um Burger zu holen«, verkündete er. »Kommst du mit?«

James blinzelte unter der Bettdecke hervor und warf einen Blick auf seine Uhr. Es war kurz nach zwölf Uhr Mittag. »Wer sind die anderen?«

Rat zuckte mit den Achseln. »Lauren, Jake, Bethany und ich.«

»Gabrielle?«

»Nee«, antwortete Rat und begann zu grinsen. »Kaz hat sie zusammen mit Bruce für irgendeine Aktion weggeschickt. Hab schon gehört, dass du dich zum Trottel gemacht hast. Siehst du deshalb aus wie ein nasser Waschlappen?«

»Deswegen und vielleicht auch wegen ein paar anderer Dinge«, beschwerte sich James, warf die Bettdecke weg und griff nach seinen Jeans.

»Warum musst du denn so leiden?«, erkundigte sich Rat.

»Wo soll ich denn da anfangen?«, gab James zurück. »Meine Antiterror-Mission ist den Bach runtergegangen, Dana hat mich sitzenlassen, ich habe grauenvolle Kopfschmerzen, weil ich letzte Nacht nicht geschlafen hab, und offensichtlich halten mich alle Mädchen auf dem Campus für einen absoluten Vollidioten.«

Rat musste sich das Lachen verbeißen. »Nicht *alle*.«

»Ich bin nicht mehr heiß, ich bin Eis«, beklagte James sich, zog die Turnschuhe an und sah sich nach dem Reißverschlussbeutel mit seinen Reaganistan-Dollars um. »Nachdem Dana mich also vor die Tür gesetzt hat, will Kerry mich auch nicht wiederhaben, Gabrielle steht nicht auf mich und sogar so eine Tussi, die ich im Casino-Shop angesprochen habe, hat sich nur über mich lustig gemacht ...«

»Oh ja«, meinte Rat, »du hast ja *solche* Probleme mit den Frauen. Du hattest doch praktisch von dem

Tag an, als du auf dem Campus aufgetaucht bist, eine Freundin. Und noch einen Haufen anderer Weiber bei den Missionen. Aber wahrscheinlich ist das schon dein halbes Problem.«

»Hä?«, fragte James.

»Okay«, erklärte Rat achselzuckend, »dann stell dir mal vor, du wärst eine potenzielle Freundin. Auf dem Campus wissen alle, wie du bist. Du hast Kerry ungefähr sechs Mal betrogen und dann sitzenlassen …«

»Das waren keine sechs Mal«, protestierte James. »Drei vielleicht … höchstens vier.«

»Dann bist du mit Dana zusammengekommen, und sobald du von ihr fort warst, hast du mit dem erstbesten Mädchen geschlafen. Ich meine, ein Mädchen wie Gabrielle kennt deinen Ruf und wenn du vor ihr stehst, sieht sie nicht gerade den idealen Freund in dir, oder?«

»Wahrscheinlich«, schmollte James, »obwohl ich mich frage, warum ich mir ausgerechnet von jemandem Ratschläge anhöre, der auf Lauren steht.«

»Bitte schön, dann ignorier mich«, sagte Rat zufrieden, als sie die Treppe hinuntergingen. »Aber ich sage dir, bei *dem* Ruf wirst du es schwer haben, noch mal bei irgendeiner auf dem Campus zu landen.«

»Dann muss ich mich wohl auf mein gutes Aussehen und meinen Charme verlassen«, erwiderte James grinsend und legte gerade die Armbanduhr um, als sie ins Wohnzimmer kamen.

»Was für einen Charme?«, wollte Lauren wissen,

die unten wartete. »Ich bin schon in Hundehaufen getreten, die mehr Charme hatten als du.«

»Ihr habt euch ja ganz schön Zeit gelassen«, beschwerte sich Jake. »Ich bin am Verhungern!«

Er öffnete Haustür – und stellte erschrocken fest, dass draußen drei Hummer voller Soldaten anhielten. »Ach du Scheiße!«, stieß er hervor und knallte die Tür wieder zu.

»Keine Bewegung!«, drang eine Lautsprecherstimme aus einem der Hummer. »Verhalten Sie sich ruhig!«

»Hätte James nicht so lange gebraucht, wären wir jetzt schon weg«, sagte Bethany vorwurfsvoll.

»Jake, du bist am niedlichsten«, übernahm Lauren instinktiv das Kommando. »Geh zur Tür, tu verängstigt und halt sie so lange wie möglich auf.«

Das Haus war voller Waffen und Ausrüstung, sie konnten ihre Verbindung zu den Aufständischen also nicht verheimlichen. Im wahren Leben hätten sie sich in einer solchen bedrohlichen Situation mit einem Dutzend gut trainierter US-Soldaten vor der Tür vielleicht ergeben. Aber da ihnen nur Simulationsgeschosse drohten, setzten sich die Cherubs ihre Schutzbrillen auf und sahen dem Kampf entgegen.

James und Rat schossen die Treppe wieder hoch, Lauren und Bethany verschwanden in der Küche, um ihre Gewehre zu holen, und Jake öffnete vorsichtig die Haustür.

»Warum hast du die Tür wieder zugemacht?«, verlangte ein Major mit verspiegelter Sonnenbrille zu wissen. »Wer ist sonst noch da drinnen?«

Jake gab den ängstlichen kleinen Jungen. »Ich bin allein, Sir. Mein Dad ist Burger holen gegangen.«

»Keine Angst, mein Junge«, lächelte der Major und legte ihm eine Pranke auf die Schulter. »Wir haben hier nur einen Auftrag zu erfüllen, aber das wird ganz schnell gehen.«

Drei weitere Soldaten kamen die Auffahrt herauf, während zwei vierköpfige Einheiten das Haus zu beiden Seiten umrundeten.

»Dann kommen Sie doch bitte rein«, sagte Jake verlegen.

Oben suchten James und Rat ihre Rucksäcke, holten Granaten heraus und schoben neue Magazine in ihre Waffen. Dabei mussten sie geduckt bleiben, um nicht von den Soldaten hinter dem Haus gesehen zu werden.

»Ich habe zwölf Männer gezählt«, flüsterte James, nachdem er kurz aufgetaucht war, um einen Blick aus dem Fenster zu werfen. »Ich übernehme die Treppe, du schießt von hier aus.«

Lauren und Bethany trafen in der Küche ähnliche Vorbereitungen.

»Du brauchst keine Angst zu haben, mein Sohn«, sagte der Major ruhig, während er Jake durch den Flur ins Wohnzimmer schob. »Aber du musst dich jetzt auf den Boden knien und die Hände auf den Kopf legen.«

Die drei Soldaten kamen mit erhobenen Waffen hinter dem Major her. Einer folgte ihm ins Wohnzimmer, der zweite ging Richtung Küche und der dritte schlich die Treppe hinauf.

»Ein Funkgerät«, meldete ein Lieutenant besorgt, als er ein Headset am Boden liegen sah.

Der Major betrachtete es misstrauisch, sah dann Jake an und fragte wesentlich strenger als zuvor: »Gehört das deinem Vater?«

Jake suchte nach einer Ausrede. »Ich habe draußen gespielt und es auf der Straße gefunden.«

»Tatsächlich?«, fragte der Major zufrieden und hob das Headset auf. »So etwas haben wir schon lange gesucht, damit wir hören können, was unsere Feinde vorhaben.«

Jake war nervös, schließlich konnte jeden Augenblick die Hölle losbrechen. Alle Soldaten hatten Gewehre, die Cherubs ebenfalls und er hatte keine Lust, dazwischen zu geraten, wenn die Schießerei losging. Seine einzige Hoffnung war die Pistole, die er im Halfter unter der Jacke des Majors sehen konnte.

Die Hölle brach mit dem fast gleichzeitigen Knallen zweier Farbgranaten los. Lauren und Bethany hatten die Stifte abgezogen, die Granaten durch das offene Küchenfenster in den Hinterhof geworfen und sich dann hinter dem Küchentresen versteckt.

Vier Soldaten wurden getroffen. Während zwei weitere nur erstaunt ihre Kleidung nach Farbe absuchten, um zu sehen, ob sie noch lebten, tauchte Lauren hinter dem Tresen auf und setzte sie mit wohlgezielten Schüssen außer Gefecht. Bethany wirbelte herum und schoss auf den Soldaten, der gerade vom Gang hereinkam.

Währenddessen nahm Rat durch ein Fenster im ersten Stock einen Soldaten ins Visier, verfehlte ihn aber knapp, als er über eine Hecke hechtete und davonrannte. Im gleichen Augenblick steckte James seinen Gewehrlauf durch das Treppengeländer und erschoss den Soldaten, der die Treppe hinaufkam.

In diesem Moment handelte auch Jake im Wohnzimmer. Er heulte auf, als hätte ihn die Explosion erschreckt und schlang die Arme um das Bein des Majors. Noch bevor der Mann die wahren Absichten des Elfjährigen erkannte, hatte der ihm seine Pistole weggenommen und ihn aus nächster Nähe erschossen.

Aus dieser Entfernung taten die Simulationsgeschosse richtig weh. Der Major ließ einen Schwall von Flüchen los, als er auf dem Boden zusammenbrach und sich die Hüfte hielt. Gleichzeitig sprang James die Treppe in einem Satz hinunter und ballerte aus der Haustür hinaus, wobei er einen Soldaten im Vorgarten traf.

Bethany war auf den Gang gelaufen, um Jake den Rücken zu decken. Sie zielte durch die Wohnzimmertür und erschoss den letzten der vier Männer, die ins Haus gekommen waren.

Der Schuss direkt hinter ihm schreckte James auf;

instinktiv holte er mit dem Fuß nach hinten aus und traf Bethany in den Magen. Noch bevor sie einen Warnschrei ausstoßen konnte, wirbelte James herum und schoss ihr zweimal in den Bauch.

»Ups«, machte James, als sich Bethany mit rosafarbenem Oberkörper auf dem Boden krümmte. »Sorry.«

»Du Idiot!«, stöhnte Bethany. »Sehe ich etwa wie ein Soldat aus?«

»Ich glaube, wir haben alle«, stieß Jake hervor, der gerade in den Gang kam. Dann sah er seine Schwester am Boden liegen und musste lachen. »Oh je!«

»War das etwa Absicht, James?«, fuhr Bethany ihn an.

»Natürlich nicht«, grinste James. »Nur ein glücklicher Zufall.«

Bethany hätte James zu gerne auch erschossen, aber wenn Kazakov herausfand, dass sie ein Teammitglied absichtlich erschossen hatte, wären ihr die Strafrunden sicher.

»Tote Mädchen reden nicht«, erklärte Jake und wies auf die still auf dem Rasen liegenden, farbbespritzten Soldaten. »Wir sehen uns in vierundzwanzig Stunden.«

»Jake, ich habe dir gerade deinen Arsch gerettet, falls du es nicht bemerkt hast«, schimpfte Bethany.

Lauren kam aus der Küche und Rat lief die Treppe herunter, um zu sehen, was vor sich ging.

»Ziemlich beeindruckend«, fand er. »Ein Trefferverhältnis von elf zu eins gegen bewaffnete Soldaten.«

»Wer ist denn entkommen?«, fragte James.

»Einer hat sich in die Büsche verdrückt«, erklärte Rat. »Ich glaube, er ist abgehauen, aber wir sollten lieber nicht zu lange hier bleiben, denn der ruft garantiert Verstärkung.«

James war der älteste Agent und musste ein paar Entscheidungen treffen.

»Jake, Rat, ihr stellt Granatenfallen im Haus und in den Hummern auf«, befahl er. »Lauren, geh hinein und pack so viele Waffen zusammen, wie du tragen kannst. Ich erstatte Kazakov über Funk Bericht und helfe dir dann.«

30

Bethany ging zusammen mit den erschossenen Soldaten auf das Verwaltungsgebäude zu, um sich tot zu melden. Die Soldaten erkundigten sich neugierig, wieso sie von einem Haufen Kindern mit britischem Akzent und ausgezeichneten Schießkünsten überwältigt worden waren.

Bethany hielt sich an die vorgegebene Geschichte. »Unsere Eltern sind Angehörige der britischen Armee und wir wohnen in einem britischen Kältetrainingslager in einer entlegenen Gegend in Kanada. Da gibt es sonst nicht viel zu tun, und deshalb haben unsere Eltern eine Kadettengruppe gebildet, in der wir alles über Selbstverteidigung lernen und am Wochenende Paintball spielen.«

»Im Ernst«, lächelte der Major, »dein kleiner Bruder hat mich ganz schön hereingelegt. Fast hätte er mich da getroffen, wo kein Mann jemals getroffen werden will ...«

Seine Kameraden lachten und auch Bethany lächelte – und war wahrscheinlich zum ersten Mal in ihrem Leben stolz auf Jake.

»Dieser Kazakov«, fragte der Major. »Hast du den schon mal gesehen? Keiner von uns weiß, wie er aussieht.«

Bethany lächelte kokett. »Da müssen Sie sich schon mehr anstrengen, wenn Sie Informationen aus mir herausquetschen wollen.«

Einer der Soldaten blieb zurück und der Major sah sich zu ihm um. »Alles in Ordnung, Martin?«

»Mein Bauch«, gab der Soldat grimmig zurück. »Ich habe das Gefühl, als hätte ich einen Basketball verschluckt.«

»Das Gefühl kenne ich«, nickte einer seiner Kameraden. »Geht mir genauso. Ich muss wohl gestern etwas Falsches gegessen haben.«

*

Jake, Lauren, Rat und James ließen ihre Gewehre in den Wohnungen zurück und gingen dann los, um sich Burger zu holen. Den frühen Nachmittag verschlief James, und als er erwachte, war die Wohnung voll:

Gabrielle und Bruce waren von ihrer Sabotageaktion zurück, und auch Mac war mit den vier SAS-Männern gekommen, die stets an seiner Seite waren und ihn seit Beginn der Übung bewachten.

James ging in die Küche, wo die anderen um die Theke herumstanden und einem Funkgerät lauschten.

»Was ist los?«, fragte er, machte den Kühlschrank auf und nahm ein paar Schlucke aus einem Zwei-Liter-Pack Orangensaft.

»Wir hören die Wanze in der Kommandozentrale ab«, erklärte Mac. »Sieht aus, als würde euer kleines Experiment mit der Wasserversorgung Wirkung zeigen.«

James war bei der ganzen Sache nicht ganz wohl, und der Gedanke daran, für Kazakovs extreme Taktik geradezustehen, war ihm entschieden unangenehm.

»Ich habe nur Befehle befolgt«, verteidigte er sich. »Der Sarge hat mir nicht einmal gesagt, worum es ging, bevor wir im Hauptquartier waren. – Und was ist im Moment los?«

»Wir bewaffnen die Sympathisanten und bemühen uns, die Patrouillen in den Hinterhalt zu locken. Über achtzig amerikanische Soldaten haben sich schon krankgemeldet und von überall her kehren die Männer mit Bauchschmerzen ins Lager zurück.«

»Der Sarge hat etwas von zwanzig Stunden gesagt«, erzählte James und sah auf die Uhr. »Das ist also wahrscheinlich erst der Anfang.«

»Kazakov ist hellauf begeistert«, nickte Mac. »Er rechnet damit, dass bis heute um achtzehn Uhr neunzig Prozent der Amerikaner mit Durchfall einsatzunfähig sind und sich übergeben müssen. Er lässt von den Sympathisanten Flyer aufhängen, die die ganze Bevölkerung zu Freibier in der Barackensiedlung einladen.«

»Das ist doch gleich neben dem Armeelager«, sagte James, dem langsam klar wurde, worauf Kazakovs Plan abzielte. »Es sind etwa tausend amerikanische Soldaten da. Aber von denen wurden bereits über hundertfünfzig erschossen, und wenn von den übrigen neunzig Prozent krank sind, haben sie keine hundert Männer mehr, die kämpfen können.«

»Wir sprechen hier von einer regelrechten Revolution!«, grinste Jake.

»Ich glaube nicht, dass die Amis gewusst haben, auf was sie sich einlassen, als sie Kazakov zum Red Teaming eingeladen haben«, meldete sich die raue Stimme eines walisischen SAS-Mannes bewundernd zu Wort. »Ein Jahrzehnt lang war er unser taktischer Leiter und ich kann mich nicht erinnern, dass er je besiegt worden wäre, weder in einer Übung noch bei einer richtigen Operation.«

Der jüngste von Macs Bewachern nickte. »Der Mann hat schon in Kriegen gekämpft, als ich geboren wurde. Es ist geradezu kriminell, dass sie ihn nicht zu unserem Regimentskommandeur gemacht haben.«

»Warum haben sie das denn nicht?«, wollte James wissen.

»Protokoll«, erwiderte der Waliser. »Kazakov war immer nur Berater. Wenn sie einen Außenseiter ernannt hätten, hätten sich einige Leute beschwert. Aber der Mann ist ein taktisches Genie.«

Wie aufs Stichwort kam Kazakov mit ihren Funkgeräten herein.

»Ich brauche ein paar Leute!«, verkündete er. »Dreißig Fässer Bier und zweihundert Flaschen Wodka bewegen sich nicht von allein!«

*

Nachdem General Shirley zu Beginn versucht hatte, sich und seiner Armee Freunde unter der Bevölkerung zu machen, griff er nach dem Angriff auf den Flugplatz hart durch. Doch ohne die Luftüberwachung durch die Drohnen waren die Straßensperren ein leichtes Ziel für Heckenschützen und Farbgranaten, sodass er nun jene Durchsuchungs-Patrouillen ausschickte, von denen eine auch Kazakovs Haus aufgesucht hatte.

Bei dieser Taktik waren die Verluste geringer, Aufständische wurden verhaftet und Waffen beschlagnahmt. Doch ohne dauerhafte militärische Präsenz in den Straßen konnten sich Kazakovs Aufständische frei bewegen, Hinterhalte legen, Straßen blockieren und Sympathisanten rekrutieren.

In der realen Welt herrschte in einem solchen Krisengebiet hohe Arbeitslosigkeit und die Straßen wären voller gelangweilter Jugendlicher. Doch bei nur einem Fernsehsender und schwindenden Alkoholvorräten waren die jungen Männer und Frauen in Fort Reagan in ähnlicher Stimmung.

Die meisten von denen, die zwanzig Dollar pro Tag extra bekamen, um den Aufstand zu unterstützen, waren froh darüber, endlich ein Gewehr in die Hand nehmen zu können und von den SAS-Teams eine grundlegende militärische Einweisung zu bekommen, um wenigstens irgendeine Beschäftigung zu haben. Und so gelang es den Aufständischen innerhalb von nur eineinhalb Tagen, hundertfünfzig Männer und Frauen zu bewaffnen und ihnen die einfachsten Funktionen der taktischen Feuerwaffen zu zeigen.

Die Spione in der Barackensiedlung meldeten nicht nur die Truppenkonvois, die das nahe gelegene Hauptquartier verließen, sondern verübten bald auch Anschläge: Im Laufe des Tages brachten ihnen die SAS-Offiziere fortgeschrittenere Taktiken bei, wie Farbgranaten an den Straßen zu vergraben und sie mit Draht so zu verkabeln, dass sie hochgingen, wenn ein Fahrzeug darüber fuhr. Die Regeln von Fort Reagan besagten, dass ein Fahrzeug, das einen Farbfleck von mehr als zehn Zentimetern im Durchmesser aufwies, als unbrauchbar anzusehen war und die Besatzung zu Fuß weitergehen musste.

Um sechs Uhr abends ging die Sonne hinter den fernen Sandhügeln unter und überall auf den Straßen standen lahmgelegte Hummer herum. Weitere achtzig Soldaten waren erschossen worden, bei nur halb so viel Verlusten unter den Aufständischen.

Kazakov verbarg sich in einer Betonhütte in der Barackensiedlung und lauschte über seinem Empfänger dem Geschehen in General Shirleys Kommandozentrale. Der Amerikaner litt unter Bauchkrämpfen und wurde immer zorniger, je mehr Angehörige seiner Truppen an Durchfall erkrankten. Er hatte sogar Commander O'Halloran angerufen und darum gebeten, die Übung wegen eines möglichen Gesundheitsrisikos abzubrechen, wurde jedoch kurz abgefertigt: Einen wirklichen Krieg könne man ja auch nicht einfach wegen einer Lebensmittelvergiftung abbrechen, warum also ein Manöver?

Auf dem Marktplatz der Barackensiedlung hatten sich mehr als tausend junge Männer und Frauen um ein riesiges Lagerfeuer versammelt und feierten. Die dreißig Bierfässer hatten nicht lange gereicht, aber Kazakov hatte für reichlich Nachschub an Wein und anderen alkoholischen Getränken gesorgt. Laute Rockmusik erschallte, es gab gegrillte Steaks in frischen Brötchen und er hatte sogar ein paar Feuerwerkskörper organisiert.

Fast die Hälfte der Anwesenden waren entweder bewaffnete Aufständische oder unbewaffnete Sympathisanten. Normalerweise hätten so viele schlecht ausgebildete Männer und Frauen, kaum einen halben Kilometer von einem Armeelager entfernt, ein inakzeptables Risiko dargestellt. Aber jetzt gab es kaum mehr Soldaten, die gesund genug waren, um etwas unternehmen zu können.

Das einzige Anzeichen von militärischer Präsenz war ein gelegentlich vorbeikommendes Fahrzeug, das der Fahrer mit der Höchstgeschwindigkeit von 25 km/h durch die Barackensiedlung lenkte, während zwei Männer hinter ihm die Lage durch Nachtsichtgläser beobachteten.

James und die anderen Cherubs standen in einer großen Gruppe am Marktplatz. Sie beobachteten, wie die jungen Leute um sie herum flirteten, tanzten und sich immer wieder in die langen Schlangen einreihten, um für Nachschub des rasch dahinfließenden Alkohols zu sorgen. Viele der Männer trugen ihre Waffen offen zur Schau und ein paar der Betrunkensten zielten sogar auf das Feuerwerk.

»Ich muss mal«, verkündete James, zerknüllte seinen Plastikbecher und entfernte sich von der Gruppe, um in den Gassen zwischen den identischen Hütten zu verschwinden. Nach dem ruhigen Nachmittag fühlte sich James ausgeschlafen und fit.

Im Gegensatz zur vergangenen Nacht, als er in seiner gestohlenen Uniform durch die engen Straßen gehuscht war, herrschte dort jetzt viel Betrieb.

Er fand eine in den Fels gehauene Treppe, die zu einem höher gelegenen Teil der Barackensiedlung führte. Drei Männer pinkelten an die Felswand und hinter einer Hütte hatte sich bereits eine große Urinpfütze gebildet. Wenn die Bewohner das entdeckten, würden sie bestimmt nicht allzu erfreut darüber sein, aber da er nirgendwo anders hin konnte, stellte sich James einfach dazu und zog den Reißverschluss auf.

Als er wieder Richtung Marktplatz ging, kam ihm eine attraktive Blondine entgegen und fragte ihn, ob er wüsste, wo sie noch mehr zu trinken bekommen könnte.

»Die langen Schlangen sind ein echter Albtraum«, meinte James und ließ seinen Blick über das blau-weiß gestreifte Top und ihre engen Hot Pants gleiten. Sie hatte breite Schultern, einen großen Busen und schöne Beine und sah aus wie mindestens zwanzig, sodass James sich keinerlei Chancen ausrechnete.

»Ich hab sowieso genug«, erklärte das Mädchen plötzlich, stolperte nach vorne und packte James am Arm. »Ich bin spitz.«

»Ungewöhnlicher Name«, fand James.

Sie grinste kokett und tippte sich mit dem lackierten Fingernagel ans Kinn. »Wenn du willst, kannst du mich ja so nennen, aber eigentlich heiße ich Cindi-Lou.«

»Ich bin James.«

»Du bist echt süß, kleiner James«, sagte sie und trat so dicht an ihn heran, dass er fast ihre Brustwarzen spüren konnte. »Wie wär's, wenn wir einfach irgendwo hingehen und etwas tun, was deine Mami gar nicht gut finden würde?«

James grinste breit und das Mädchen umfasste seinen Nacken mit einer Hand und küsste ihn. Nach den katastrophalen Frauenerlebnissen der letzten Wochen

war das genau die richtige Medizin für sein ange-
schlagenes Ego. Er hatte Lust, endlich wieder einen
Frauenkörper zu spüren.

»Wie weit ist es bis zu deiner Hütte?«, fragte James
aufgeregt und legte Cindi eine Hand auf den Hintern.

»Gar nicht weit«, lächelte sie.

Als Cindi seine Hand nahm und ihn wegzog, bemerkte James, dass Bruce ebenfalls zum Pinkeln ging.
Bruce sagte kein Wort, aber sein Gesichtsausdruck
sprach Bände... *Du Glückspilz!*

»Du erinnerst mich an einen Typen, mit dem ich
auf der Highschool war«, sagte Cindi. »Hübsches
Gesicht, hübscher Hintern. Mit dem hab ich Sachen
angestellt, puh, da würden dir die Augen überge-
hen.«

James' Grinsen wurde noch breiter. Seine Pechsträhne war vorbei. Er war immer noch James Adams.
Und in seinem Geldbeutel befanden sich drei Kondome. Er konnte sein Glück kaum fassen, als er dem
attraktiven Hintern über eine gepflasterte Straße
folgte. Vielleicht waren ihre Schultern ein wenig zu
männlich, aber man konnte ja nicht alles haben ...

Sie traten durch eine niedrige Tür in eine düstere
Hütte, die nur aus einem einzigen Raum bestand.

»Gemütlich«, lächelte James.

Doch Cindi lächelte nicht zurück. Eine dunkle
Gestalt knallte die Tür hinter ihnen zu und Cindi
packte James' Handgelenk und drehte es ihm auf
den Rücken. Er wehrte sich, doch sie hatte den Über-

raschungsmoment genutzt und hielt ihn jetzt mit schmerzhaftem Griff fest.

»Wenn du mich trittst, breche ich dir den Arm!«, schrie sie.

Das Licht ging an, James wurden die Beine unter dem Körper weggetreten und er knallte vornüber auf einen laminierten Esstisch. Er sah zwei Frauen in Uniform. Die ältere fesselte ihm die Hände mit Handschellen auf den Rücken.

Cindi drehte James zu sich um.

»Ich habe etwas vergessen«, sagte sie, und ihr Lächeln war weder spitz noch betrunken. »Ich bin *Sergeant* Cindi-Lou Jones, United States Army Intelligence Corps. Und die beiden anderen netten Damen sind Corporal Land und Lieutenant Sahlin.«

James lächelte und versuchte, cool zu bleiben. »Schätze, aus unserem Quickie wird wohl nichts.«

Sahlin war die älteste der drei Frauen und diejenige, die mit ihrem dunkel behaarten Kinn am brutalsten aussah. Sie versetzte James einen kräftigen Schlag in die Nieren.

»Dein freches Maul kann dir ganz schönen Ärger einbringen.«

»Es gibt hier Regeln!«, rief James entrüstet. »Ihr könnt mich verhaften und befragen, aber ihr dürft keine Gewalt anwenden!«

Mit einem kräftigen Ruck zog Sergeant Jones James' Hosen und Unterhosen herunter. »Wenn du nicht spurst, mein Kleiner, dann könnte es sein, dass

dir eine schöne heiße Tasse Kaffee über deine emp-
findlichsten Teile fließt!«

Jones streifte ihr Top ab, unter dem sie eine ver-
schwitzte grüne Kampfweste trug. »Wir haben dich
auf den Überwachungskameras im Lager erkannt«,
erklärte sie. »Mit General Shirleys Karriere wird es
steil bergab gehen, wenn diese Operation nicht langsam nach seinen Wünschen verläuft. Er hat uns erlaubt, die Spielregeln ein wenig zu erweitern, wenn
es nötig sein sollte.«

»Also fang lieber an zu reden«, riet ihm Sahlin.
»Geheimdienstoffiziere wie ich sind dazu ausgebildet, kleine Jungs wie dich auf tausend verschiedene
Arten zu quälen, ohne dass man es hinterher sehen
kann.«

»Wieso seid ihr nicht auf dem Klo wie die anderen?«, wollte James wissen.

»Die Geheimdienstoffiziere wohnen und essen in
einem Gebäude auf der anderen Seite des Lagers«,
lächelte Sahlin. »Offensichtlich hat dein Mr Kazakov
ein bisschen was übersehen.«

Corporal Land war die kleinste der drei Frauen. Sie
hatte eine weiche Stimme wie eine Country-Sängerin.

»Wisst ihr was, meine Damen? Wir könnten James
doch zu den Soldaten bringen, ihn mitten ins Lager
setzen und ihnen sagen, dass er für die ganze Scheiße
verantwortlich ist.«

»Um Himmels willen!«, rief James. »Das ist eine
Übung! Was ihr da macht, ist gar nicht erlaubt!«

»Yosyp Kazakov lässt eine Menge wichtiger Leute ziemlich schlecht aussehen«, lächelte Land. »Und das gefällt uns ganz und gar nicht.«

James sah, dass Lieutenant Sahlin eine ziemlich unangenehm wirkende Metallsonde aus ihrer Hemdtasche nahm.

»Mein Kleiner«, sagte Corporal Land freundlich, kam näher und tupfte James' schweißglänzende Stirn mit einem Tuch ab. »Du fängst jetzt lieber an, uns ein paar Dinge zu erzählen, die wir gerne hören wollen. Denn wenn diese kleine Sonde unseres Lieutenants erst mal heiß ist und dahin gesteckt wird, wo die Sonne nicht scheint, dann wirst du sehr schnell merken, was los ist.«

31

Lauren, Jake, Kevin, Rat und Gabrielle schoben sich durch die Menge, als sich ein gekaperter Pick-up-Hummer seinen Weg über den Marktplatz bahnte.

»Der Feind ist geschwächt«, rief Kazakov, der hinten auf der Ladefläche stand. »Bald kommt der letzte Angriff! Der Sieg ist in Sicht!«

Die Menschenmenge wusste nicht recht, was sie von diesem kräftigen Mann mit dem komischen Akzent und dem Dreitagebart halten sollte.

»Ich weiß, was ihr denkt«, schrie Kazakov, »ihr seid

alle Amerikaner! Ihr liebt Amerika, weil es das beste Land der Welt ist!«

Das gefiel den Leuten. Einige von ihnen jubelten und gaben ein paar Freudenschüsse in die Luft ab.

»Jetzt können wir in Kazakovs Lebenslauf nicht nur ›taktisches Genie‹ sondern auch noch ›erstklassiger Schwätzer‹ schreiben«, stellte Lauren zwanzig Meter weiter hinten fest und grinste Rat an.

»Ich weiß, dass ihr nicht gerne gegen amerikanische Soldaten kämpft«, fuhr Kazakov fort, »aber das, was wir hier heute Abend tun, hilft der Armee, in Zukunft besser zu kämpfen. Wenn die Kugeln aus Stahl sind und nicht aus kompakter Kreide, wenn die Granaten aus hochexplosivem Sprengstoff sind und nicht aus Neonfarbe, dann sind die amerikanischen Truppen besser darauf vorbereitet. Was wir hier tun, wird jedem echten Amerikaner im Kampf gegen das Böse das Leben retten, überall auf der Welt. Es ist die patriotische Pflicht eines jeden Aufständischen, die Waffen zu nehmen und sich für den letzten großen Angriff auf das Hauptquartier zu rüsten. Seid ihr bereit, ein paar Leuten in den Hintern zu treten?«

Die Menge applaudierte verhalten.

»Außerdem möchte ich euch daran erinnern«, fuhr Kazakov fort, »dass ihr alle einen Zwei-Wochen-Vertrag für dieses Manöver unterschrieben habt. Aber wenn wir diese Schlacht gewinnen, ist das Manöver vorbei und ihr alle bekommt über elfhundert Dollar für zwei Tage Arbeit!«

Der Appell an den Patriotismus hatte die Leute zwar aufmerksam gemacht, doch der ans Portemonnaie zeigte wesentlich stärkere Wirkung. Jubelrufe wurden laut.

»Sind wir bereit, das Lager anzugreifen?«, schrie Kazakov.

»Ja!«, schallte es aus der Menge zurück.

»Sind wir bereit, es ihnen zu zeigen?«, schrie Kazakov und erntete weitere Jubelschreie. »Dann lasst uns losziehen und das Lager stürmen!«

Eine Welle des Aufbruchs erfasste die aufgepeitschte Menschenmasse.

»Vergesst eure Schutzbrillen nicht. *Und Gott schütze die Vereinigten Staaten von Amerika*!«, brüllte Kazakov.

Einer der SAS-Männer ließ über Lautsprecher die Hymne der US-Marines erklingen. Ein Schotte stieß die Faust in die Luft und begann »USA, USA, USA« zu skandieren, während Kazakovs Hummer sich durch die Menge zum Rand des Platzes schob.

»Sieg!«, schrie Kazakov. »Sieg!«

Die Leute stoben in verschiedene Richtungen davon. Viele waren nur zum Feiern gekommen und gingen wieder nach Hause, aber die zweihundert Aufständischen und SAS-Männer rannten aufgeputscht von Alkohol und Patriotismus zwischen den Hütten hindurch.

Lauren zog ihr Gewehr aus dem Rucksack.

»Wo sind denn James und Bruce?«, fragte sie ungeduldig.

»Ich bin hier«, antwortete Bruce, der wie aufs Stichwort wieder auf der Bildfläche erschien und Jake seinen Rucksack abnahm. »Bereit, auf Brucey-Art ein paar Schädel einzuschlagen!«

»Und wo zum Teufel bleibt James?«, fragte Gabrielle mit einem Blick auf ihre Uhr. »Er ist doch noch vor dir zum Pinkeln gegangen.«

»Ich hab ihn mit einer Tussi gesehen«, erzählte Bruce. »Er hatte die Hand auf ihrem Hintern. Sah ganz so aus, als ob sie sich in einer der Hütten in den Nebenstraßen ein wenig vergnügen wollten.«

»Was?«, stieß Lauren hervor. »Jetzt kommt doch der alles entscheidende Angriff!«

Rat grinste bewundernd. »Ist das zu fassen? War sie heiß?«

»Nette Titten, hübscher Arsch«, nickte Bruce. »Bisschen zu männlich für meinen Geschmack, aber ich würde auch nicht Nein sagen.«

Lauren ärgerte sich darüber, dass James für seine Aktion auch noch Anerkennung bekam, und sah Bruce finster an. »Diese Bemerkungen werde ich Kerry erzählen, wenn wir uns nachher treffen.«

»Ich hab doch nur gesagt, dass sie heiß war.«

»Ich hasse ihn«, grinste Rat neidisch. »Ich wette, James macht gerade in irgendeiner Hütte rum und… Wow!«

»Das ist überhaupt nicht lustig«, grollte Lauren. »Ich werde ein ernstes Wörtchen mit ihm reden müssen. Wenn er so weitermacht, wird ihm sein bestes

Stück irgendwann noch mal abfallen, weil er sich was eingefangen hat ...«

*

James hing mit heruntergelassenen Hosen über dem Esstisch. Er bezweifelte keine Sekunde, dass ein Geheimdienstoffizier genau wusste, wie man jemandem Schmerzen zufügen konnte. Die Frage war nur: Bluffte Lieutenant Sahlin? Oder war General Shirley wirklich so verzweifelt, dass er Foltermethoden angeordnet hatte? Jetzt befanden sich nur noch zwei Frauen mit ihm zusammen im Raum – Corporal Land war hinausgeschickt worden, um nachzusehen, was es mit den lauten Jubelrufen auf sich hatte.

»Du verrätst uns jetzt ganz genau, was du im Lager gemacht hast.«

James wandte den Kopf zur Seite und grinste. »Sollte ein hübsches Mädchen wie du nicht zu Hause sein, Kuchen backen und Babys kriegen?«

»Nett«, fand Sahlin, drückte James den Kopf auf die Tischplatte und strich mit der Spitze der Sonde über seine Wange. Es zischte und James ganzer Körper krampfte sich zusammen. Der beißende Geruch von verbrannten Barthaaren stieg ihm in die Nase.

»Das dürft ihr nicht!«, schrie James. »Ich bin sechzehn! Ich bin mit einer britischen Kadettengruppe hier ...«

»Halt deine verdammte Klappe!«, befahl Sahlin. »Ich hab nur deine Stoppeln berührt. Jetzt fang schon an zu reden. Du kannst mir glauben, ich habe schon härtere Nüsse als dich geknackt. Also, was hast du im Lager gemacht?«

James versuchte abzuwägen. Vielleicht bluffften sie und verletzten ihn nicht wirklich ernsthaft – aber er hatte keine Lust, es nur wegen einer militärischen Übung darauf ankommen zu lassen.

»Wir haben eine Droge in den Wassertank gekippt.«

Sahlin lächelte. »Was für eine Droge?«

»Irgendein echt komplizierter Name«, antwortete James nervös, denn er hatte ihn tatsächlich vergessen. »Die Verpackung liegt wahrscheinlich noch im Mülleimer beim Tank. Ist ziemlich giftiges Zeug, deshalb haben wir es in einem verschließbaren Plastiksack zusammen mit unseren Atemschutzmasken und so entsorgt.«

»Und dieses Zeug verursacht unsere Bauchschmerzen?«

»Genau das sollte es«, nickte James.

»Gibt es ein Gegenmittel?«

»Sehe ich aus wie ein Apotheker?«

Sahlin dachte einen Augenblick lang nach und wechselte dann das Thema.

»Was hat Kazakov vor?«

»Könnt ihr das nicht selber herausfinden?«, schnaubte James.

Sahlin verbrannte ihm mit der Sonde ein paar Haare auf dem nackten Hintern.

»Verdammt!«, schrie er auf. »Lass das! Ich koope-
riere doch, oder?«

»Aber mir gefällt dein Benehmen nicht«, erklärte
Sahlin. »Also, zu Kazakovs Plan: Sag mir alles, was
du darüber weißt!«

»Er will durchs Haupttor stürmen, solange ihr alle
über der Kloschüssel hängt!«, grinste James. »So
sieht der Plan aus und daran könnt ihr auch nichts
ändern.«

Sahlin sah Sergeant Jones an. »Jones, rufen Sie im
Hauptquartier an. Jemand soll im Müll beim Wasser-
versorgungstank nach den Packungen suchen und
feststellen, was drin war. Und sehen Sie zu, dass General Shirley erfährt, dass wir bestätigte Informationen über einen Frontalangriff haben.«

James hörte, wie Sergeant Jones in ihr Funkgerät
sprach. Und er hörte auch die sarkastische Antwort
aus dem Lautsprecher: »Schön, dass der Geheimdienst der Armee uns informiert. Sagen Sie Lieutenant Sahlin, wenn sie nicht am Ball gewesen wäre,
hätten wir den Mob von zweihundert bewaffneten
Leuten gar nicht bemerkt, der gerade durch das Tor
bricht. Wenn es euch nicht zu viel Mühe macht, könntet ihr vielleicht eure Hintern hierher schwingen und
uns helfen!«

»Diese verdammten Aufständischen!«, fluchte Sahlin. »Habe ich nicht Land rausgeschickt, damit sie
nachsieht, was es mit dem Jubel und den Schüssen
auf sich hat?«

James musste unwillkürlich lachen und bekam dafür einen Schlag in den Rücken.

»Vielleicht haben sie sie ja erschossen«, meinte Jones besorgt.

»Das ist ja großartig!«, seufzte Sahlin und schlug James auf den nackten Hintern. »Sieht aus, als hätte es nicht nur dich mit runtergelassenen Hosen erwischt, Weichei. Wir sollten hier lieber verschwinden.«

Sahlin und Jones nahmen ihre Gewehre und Taschen.

»Und was ist mit unserem hübschen kleinen Gefangenen?«, fragte Jones.

Sahlin legte lächelnd den Schlüssel für die Handschellen vor James' Nase auf den Tisch.

»Was soll das?«, beschwerte sich James. »Wie soll ich die Handschellen denn runterkriegen, wenn ich die Hände auf dem Rücken habe?«

Sahlin grinste.

»Weichei, sehe ich etwa aus wie jemand, den das auch nur die Bohne interessiert?«

Jones hatte inzwischen James' Rucksack genommen. »Er ist besser bewaffnet als wir«, stellte sie fest. »Brauchen Sie etwas davon, Lieutenant?« Sie steckte die Granaten in ihren eigenen Gürtel.

»Geben Sie mir eine Farbgranate«, verlangte Sahlin und ließ diese vor James' Augen baumeln, bevor sie den Stift herauszog. »Du bist ein echtes Ekelpaket, Weichei. Dieses Zeug in unseren Wassertank zu

322

schütten. Ein paar gute Freunde von mir sind ziemlich übel dran.«

Mit diesen Worten steckte sie James die Granate hinten in den T-Shirt-Ausschnitt.

»Bye bye, Weichei!«, lächelte Sahlin, schaltete das Licht aus und knallte die Metalltür der Hütte zu. »Schöne Explosion!«

»Miststück!«, schrie James und sprang panisch auf die Füße. Um ihn herum war es jetzt völlig dunkel.

Die Hosen baumelten ihm um die Knöchel, seine Hände waren hinter dem Rücken gefesselt und egal, wie sehr er sich auch wand, die Granate rührte sich nicht. Und sie würde in weniger als zehn Sekunden losgehen.

32

Auf den ersten Blick erschien es wie ein Selbstmordkommando, einen Trupp von zweihundert Aufständischen zu den gut bewachten Toren des Hauptquartiers zu schicken. Doch Kazakov hatte bereits zwei zweiköpfige SAS-Teams vorausgeschickt, um die Lage etwas zu entspannen.

Als sich Kazakovs Hummer näherte, kappte das erste Team gerade die Leitungen des Hauptgenerators und das gesamte US-Lager versank in Dunkelheit. Gleichzeitig setzte das zweite Team mit einer improvisierten Farbgranaten-Sequenz die drei nicht vom Durchfall betroffenen Wachen am Tor außer Gefecht.

Kazakovs Hummer brach einfach hindurch und walzte das Tor nieder, dann fuhr er auf die Türen der Kontroll- und Kommandozentrale zu. Hinter ihm strömte der Mob ins Lager und skandierte: »USA! USA! USA!«

Die Hälfte davon bestand aus jenen unausgebildeten Aufständischen, die erst vor wenigen Stunden ihre Waffen bekommen hatten. Die anderen waren besser ausgebildete Teams, die von SAS-Offizieren angeführt wurden und die Aufgabe hatten, je eine strategisch wichtige Position im Lager zu besetzen, zum Beispiel die Kommunikationszentrale oder die Krankenstation.

Bruce, Jake, Rat und Gabrielle gehörten zur Truppe des walisischen SAS-Offiziers, mit dem sie am Nachmittag in der Wohnung gesprochen hatten. Ihr Ziel war das Hauptwaffendepot – dasjenige Objekt, das wahrscheinlich im ganzen Lager am schwersten zu erobern war. Doch als die Gruppe im Dunkeln über den Bretterweg zwischen den Unterkunftszelten rannte, bot sich ihr ein völlig anderes Bild.

In der Luft hing ein beißender, säuerlicher Geruch. Aus den Zelten drang verzweifeltes Stöhnen. Einige Soldaten krümmten sich leichenblass und verschwitzt vor den Zelteingängen. Keinen von ihnen interessierte es, dass das Lager angegriffen wurde.

Sechshundert Fälle von Diarrhö hatten die Kanalisation des Lagers völlig überfordert. Die Toiletten waren übergeflossen, sodass die Soldaten hastig in den Sand gegrabene Löcher nutzen mussten oder alles, was im Zelt in greifbarer Nähe lag, von Eimern bis zu ihren eigenen Helmen. Die benutzten Behälter wurden einfach nach draußen geworfen.

»Ich muss gleich kotzen«, stöhnte Gabrielle, zog sich den Reißverschluss ihrer Jacke bis zum Hals zu und vergrub die Nase unter dem Stoff.

»Das ist ja obereklig«, fand Rat und kämpfte gegen den Brechreiz an.

Das Schlusslicht ihrer Gruppe bildete eine Studentin, die bis zum vorangegangenen Tag noch nie eine Waffe abgefeuert hatte und sich jetzt an einem Zeltpfosten festhielt und sich übergab.

»Geht weiter!«, befahl der Waliser entschlossen. »Das spielt sich nur in eurem Kopf ab, ihr müsst es ausblenden!«

Hinter den Unterkunftszelten war das Lager verlassen und die Luft zum Glück etwas besser. Normalerweise war das Waffenlager der am besten bewachte Ort, doch jetzt sahen sie nur einen einzigen Soldaten vor der Tür sitzen. Und der sah so erbärmlich aus, dass sie es nicht übers Herz brachten, ihn zu erschießen.

*

Die Granate würde James zwar nicht umbringen, aber die chemische Reaktion und die Wucht der Explosion würde ihm den Rücken verbrennen.

James hüpfte auf und ab, packte sein T-Shirt und renkte sich fast die Schultern aus in dem Versuch, die Granate loszuwerden. Knapp fünf Sekunden vor der Explosion löste sie sich schließlich vom Ausschnitt seines T-Shirts, in dem sie sich verfangen hatte, und fiel hinunter. Aber anstatt auf dem Betonboden zu landen, plumpste sie weich in die Hose um James' Knöchel.

»Verdammte Scheiße!«, schrie James voller Panik.

Er hatte schon das schreckliche Bild vor Augen, wie die Farbe nach oben explodierte und die Plastiksplitter ihn in die Nüsse trafen. Er trat sich auf die Ferse eines Schuhs und schlug sich das Knie an der Tischplatte an, als er den einen Fuß frei bekam. Sofort schüttelte er hektisch den anderen Fuß, um den immer noch seine Hosen und Shorts hingen.

Dadurch flog die Granate hoch in die Luft. Zwei Meter über dem Boden der Hütte explodierte sie in einem weißen Blitz. Die Wucht der Detonation ließ Türen und Fenster erzittern und James knallte gegen die Wand, während ihn der warme, zischende Schaum – in den sich die Farbflüssigkeit der Granate beim Kontakt mit Luft verwandelte – mit mehr als fünfzig Stundenkilometer traf. Der Schaum lief ihm aus den Haaren in die Augen und über die Beine.

James war mit der Schläfe gegen die Wand geprallt, doch immerhin war er weniger schwer verletzt, als wenn die Granate direkt auf seiner Haut explodiert wäre. Er blieb einen Augenblick benommen liegen und versuchte, wieder zu Atem zu kommen, während der Schaum zischte.

Vorsichtig richtete er sich auf. Das Problem war, dass er sich trotz seiner Granatenabwehr immer noch halb nackt und gefesselt im Dunkeln befand und zuerst einmal Licht brauchte, wenn er den Schlüssel für die Handschellen finden wollte.

Er hatte nur eine vage Vorstellung von der Anordnung der Möbel und tastete sich zur Tür. Da er vorwärts in den Raum gekommen und gleich auf den Tisch geknallt worden war, hatte er den Lichtschalter nicht gesehen, doch er wusste, wo er ungefähr sein musste, nachdem Sahlin kurz vor dem Verlassen der Hütte das Licht ausgeschaltet hatte.

Er drehte sich langsam mit dem Rücken zur Wand herum, konnte jedoch mit seinen gefesselten Händen nicht sehr weit tasten. Also drehte er sich schließlich mit dem Gesicht zur Wand und spürte irgendwann den Schalter, den er mit seiner glitschigen Nasenspitze betätigte.

Der pinkfarbene Schaum, der literweise aus der Granate explodiert war, hatte sich im ganzen Raum verteilt, auch auf der nackten Glühbirne an der Decke, die jetzt rosa gedämpftes Licht ausstrahlte. James zog sich mühsam die Hosen hoch und setzte sich dann auf einen der Stühle.

Er presste die Pobacken zusammen und schob die Hände mit einiger Anstrengung unter seinen Hintern und weiter unter die Oberschenkel, bis er mit den Füßen durch seine Arme steigen konnte und die Hände endlich vor dem Körper hatte.

Jetzt musste er nur noch den Schlüssel irgendwo unter der Schaummasse finden, um die Handschellen loszuwerden.

*

Die US-Streitkräfte versammelten alle einsatzbereiten Männer zur Verteidigung der Kommandozentrale. General Shirley und einige seiner ranghöchsten Offiziere hatten sich mit den kargen Vorräten an Durchfallmitteln eingedeckt und ein halbes Dutzend gesunder Männer strategisch um das Gebäude herum positioniert.

Der Mob der Aufständischen versuchte heranzukommen, doch mehr als ein Dutzend von ihnen wurden von den hinter Sandsäcken lauernden Soldaten gekonnt abgeschossen. Kazakovs Hummer wurde von einer gut gezielten Farbgranate getroffen, während er selbst gerade noch rechtzeitig abspringen konnte.

Kazakov duckte sich hinter das farbverschmierte Fahrzeug und beobachtete das Gebäude der Kommandozentrale durch sein Fernglas, während sieben SAS-Männer seine Befehle erwarteten. Dabei handelte es sich um einige der fähigsten Soldaten der britischen Armee, und doch hingen sie an Kazakovs

Lippen wie Pilger, die auf die Anweisungen ihres Heilsbringers warteten.

»Wir nehmen eine einzige Stelle ins Visier«, entschied Kazakov, »und setzen alles ein, was wir haben. Jede Menge Rauch, jede Menge Farbgranaten. Sucht Bretter, Bettlaken und alles Mögliche, das die Farbe abhält.«

»Vielleicht sollten wir einfach abwarten?«, schlug ein SAS-Mann vor. »Kein Wasser, kein Strom. Sie können nicht viel tun.«

»Nein«, erklärte Kazakov bestimmt. »Jetzt ist der beste Zeitpunkt. Bei Ausbruch der Diarrhö ist das meiste verseuchte Wasser schon wieder abgeflossen gewesen und dann wurde häufig die Toilettenspülung benutzt. Sobald die Soldaten wieder sauberes Wasser in ihren Organismus bekommen, werden sie sich besser fühlen. Schon in einer knappen Stunde könnte das Kräftegleichgewicht wieder zu ihren Gunsten ausschlagen.«

Sie brauchten ein paar Minuten, um den Angriff vorzubereiten. Als ein paar Rauchgranaten die Luft zu vernebeln begannen, traten zwei der größten SAS-Männer auf Lauren und Kevin zu.

»Kazakov hatte gerade eine gute Idee«, erklärte einer von ihnen. »Ihr beide reitet Huckepack.«

»Wie bitte?«, fragte Lauren verblüfft.

»Es ist ein einstöckiges Gebäude. Wir laufen zur Seitenwand und wenn wir da sind, werfen wir euch beide auf das Dach. Dort gibt es bestimmt ein Oberlicht oder eine Wartungsluke, durch die ihr hindurch-klettern und drinnen irgendwelchen Schaden anrichten könnt.«

Lauren war erschöpft und wäre am liebsten so früh wie möglich ins Bett gegangen, aber Kevin wollte sich unbedingt beweisen, nachdem er beim Überfall auf den Flugplatz nicht dabei gewesen war.

Die beiden Soldaten warteten noch etwas ab, bis sich der Rauch weiter ausgebreitet hatte, dann bückten sie sich und nahmen die beiden Kinder auf ihre Schultern. Was bei Kevin kein Problem war, während Lauren eine ziemlich kräftige Dreizehnjährige war, deren Gewehr und voller Rucksack sie nicht gerade leichter machten.

»Du bist ganz schön schwer«, keuchte ihr Träger, als er sie hochhob.

Währenddessen wurden die Aufständischen auf ihrem Vormarsch zur Kommandozentrale weiter von den Scharfschützen unter Beschuss genommen. Im Gegensatz zu einem Kampf mit richtigen Kugeln dienten ihnen Matratzen und Bretter als Schutzschilde gegen die Farbe, während die Scharfschützen wiederum auf den Boden oder auf Wände zielen konnten, weil es keinen Unterschied zwischen einem direkten Treffer und einem Querschläger aus Kreidestaub gab. Soldaten wie Aufständische nahmen die Schlacht gleichermaßen ernst – niemand wollte einen militärischen Tadel oder die Zivilisten-Gage riskieren.

Kevin war schon seit Jahren nicht mehr getragen

worden und musste unwillkürlich lachen, als er hucke-pack durch das Chaos manövriert wurde. Immer wieder rissen Schüsse Löcher in den Rauch, doch der SAS-Mann erreichte die Seitenwand des Gebäudes, ohne getroffen zu werden. Kevin griff nach der Regenrinne, richtete sich dann auf den Schultern des Mannes auf und zog sich aufs Dach.

»Wo ist Lauren?«, rief er.

Der Soldat sah sich um, doch von Lauren und ihrem SAS-Mann war keine Spur zu sehen.

»Sieht aus, als wärst du auf dich gestellt, Junge.«

Der Rauch vernebelte Kevins Sicht und unter seinem Gewicht bog sich das flache Kunststoffdach gefährlich durch. Das Gebäude war rechteckig und etwa fünfzehn mal dreißig Meter lang. An den Seitenwänden gab es keine Fenster, daher kam das einzige Licht von den Oberlichtern, die man zur Belüftung öffnen konnte. Die meisten waren halb mit Sand bedeckt und so musste Kevin erst über das Dach kriechen und den Sand mit dem Ellbogen wegwischen, bevor er nach drinnen sehen konnte. Die Hauptenergiequelle war zwar ausgeschaltet, doch es brannte eine Notbeleuchtung und ein Reservesystem versorgte die Computerbildschirme mit Strom.

Inzwischen rückten die Aufständischen immer näher und die Kampfhandlungen breiteten sich immer weiter aus, sodass gelegentlich ein Schuss übers Dach hinweg sauste. Vorsichtig kroch Kevin weiter und erreichte etwa zehn Meter hinter der Dachrinne eine

Aluminiumkuppel mit mehreren schräg stehenden Oberlichtern.

Er sah in einen von Taschenlampen erleuchteten Raum hinunter. Dort gab es Schreibtische für mehrere Dutzend Männer, wenngleich sich dort im Augenblick nur drei aufhielten, die um eine riesige Karte von Fort Reagan herum saßen. Einen davon erkannte Kevin als General Shirley. Er sah gestresst aus, stützte sich mit dem Ellbogen auf den Kartentisch und hielt ein Telefon in der Hand.

Kevin konnte ihn durch den Schlachtenlärm nur schlecht hören, doch General Shirley schien mit dem Kommandanten des Hauptquartiers zu sprechen.

»Commander, Sie müssen verstehen, dass wir hier ein ernsthaftes Gesundheitsproblem haben. Kazakov hat die Grenzen des Anstands überschritten ... Sie wissen ganz genau, dass ich mich nicht ergeben will. Das will ich auf keinen Fall in meinem Bericht stehen haben, aber wenn Sie dieses Manöver aus wohlbegründeten Gesundheits- und Sicherheitsaspekten abbrechen, dann wäre ich ...«

Während sich der General am Telefon wand, schätzte Kevin die Breite der Belüftungsschlitze ab. Gerade breit genug für eine Farbgranate. Das Problem war nur, dass der General und sein Stab sie fallen hören würden und daraufhin acht oder neun Sekunden Zeit hatten, in Deckung zu gehen.

Kevin nahm eine Granate – seine letzte – aus dem Rucksack. Er zog den Stift heraus, zählte acht Sekunden auf seiner Uhr und warf sie durch den Schlitz. Da die Gefahr bestand, dass die Explosion die Scheiben splittern ließ, rollte er sich weg und suchte hinter der Aluminiumkuppel Schutz.

Im nächsten Moment hörte er den Explosionslärm und als Kevin wieder einen Blick hinunter in den Raum wagte, stellte er fest, dass die Granate über dem Tisch kaum einen Meter von General Shirley entfernt detoniert war. Auch die beiden anderen Offiziere waren getroffen worden.

»Verdammt!«, schrie der General. »Dieser russische Scheißkerl!«

Da der General es nicht gewohnt war, an seinem Schreibtisch in die Luft gejagt zu werden, hatte er keine Schutzbrille getragen und nun mit Farbe in den Augen zu kämpfen. Von seinem Erfolg ermutigt, legte sich Kevin auf den Rücken und trat mehrmals gegen das gehärtete Glas des Oberlichts, bis es aus dem Rahmen krachte. Dann ließ er sich durch das Loch gleiten und landete mit den Füßen voran auf dem Kartentisch.

General Shirley hatte es nicht für möglich gehalten, noch wütender werden zu können – bis ihm seine brennenden Augen verrieten, dass er gerade von einem elfjährigen Jungen getötet worden war.

»Er setzt sogar Kinder ein!«, brüllte er außer sich vor Wut, fegte einen Stapel Papiere von seinem Tisch und donnerte mehrmals den Telefonhörer dagegen. »Kennt die Verdorbenheit dieses Mannes denn gar keine Grenzen?«

»Nun raufen Sie sich mal nicht die Haare«, meinte Kevin fröhlich, als er vom Tisch sprang. »Oh Augenblick, Sie haben ja gar keine ...«

33

Die Opfer der letzten Schlacht – es waren weitere siebzig – mussten sich alle im Verwaltungsgebäude in der Nähe des Stadions für tot erklären lassen, bevor sie in die Reinigungsstation nebenan gehen konnten.

Die meisten von ihnen hatten nur oberflächliche Treffer auf der Kleidung und ein paar Farbspritzer auf der bloßen Haut abbekommen. Da die Farbe bei Kontakt mit Wasser aufschäumte und sich ausbreitete, wurden die Opfer mit einer süß duftenden Lösung eingesprüht, bevor sie die einzelnen Duschkabinen aufsuchen konnten. Stark verschmutzte Kleidung wurde durch billige Baumwollhosen und T-Shirts ersetzt und danach gewaschen und getrocknet. Währenddessen verbrachten die Toten vierundzwanzig Stunden in einem Schlafsaal, bevor sie wieder ins Manöver einrücken durften.

Bei Treffern aus nächster Nähe oder Farbe in den Augen war der Reinigungsprozess jedoch nicht ganz so einfach. Die Farbe war zwar nicht giftig, konnte aber zu Reizungen führen, wenn sie zu einer kalkigen Kruste eintrocknete, und musste daher sorgfältig entfernt werden.

James war nackt und stand mit den Handflächen an einer gefliesten Wand, während ihn ein schlaksiger Soldat mit lauwarmem Wasser abspritzte. Eine Kollegin im Gummianzug übernahm die weitere Arbeit, besprühte ihn mit einem Anti-Schaum-Gel und rubbelte ihn mit einer Bürste an einem langen Stiel von oben bis unten ab. Eine würdelose Prozedur.

»Backen auseinander«, befahl sie und James lief ein Schauer über den Rücken, als sie ihm einen Sprühstoß eisigen Gels verpasste.

»Umdrehen.«

Gerade in diesem Moment erklang eine Ankündigung über den Lautsprecher.

»Hier spricht General Sean O'Halloran, der Kommandant des Hauptquartiers. Aufgrund der erfolgreichen Aktion der Aufständischen wird diese Übung jetzt *ausgesetzt*. Das Zivilpersonal kehrt in die Unterkünfte zurück, das militärische Personal ins Lager. Bitte achten Sie auf weitere Meldungen. Ende der Durchsage.«

James hörte ein paar Jubelrufe von den Aufständischen, die hinter einer Trennwand aus Sperrholz in der Schlange zur Dusche standen.

»Alles fertig, Süßer«, sagte die Frau in Gummi und warf James ein Handtuch zu. »Setz dich da drüben hin und warte auf die Untersuchung.«

James trocknete sich schnell ab, nahm dann seinen Rucksack und eine Tüte mit seinen schmutzigen Sachen und setzte sich mit dem Handtuch um die Hüften auf einen der Plastikstühle. Ein kräftiger Mann mit grauer Körperbehaarung war der Einzige, der außer ihm dort wartete.

Am anderen Ende des Raums lag ein dunkelhäutiger Soldat und wurde unter grellem Licht von ein paar Sanitätsoffizieren untersucht, die sichergehen wollten, dass keine Farbreste mehr auf seiner Haut waren. Besondere Aufmerksamkeit richteten sie auf die Reinigung seiner Augen mit destilliertem Wasser und Wattepads.

James hörte das Funkgerät in seiner Tasche knistern und zog es hervor.

»Kazakov, sind Sie das?«

»Ahh!«, rief Kazakov fröhlich. »Was habe ich gehört? Du hast uns wegen einer Frau im Stich gelassen?«

James war die Geschichte peinlich und er war sich nicht sicher, ob er die Wahrheit sagen sollte.

»Die Sache hatte einen ziemlichen Haken«, sagte er zögernd. »Der Geheimdienst der Armee hat mich auf einer Überwachungskamera wiedererkannt. Am Ende haben mich drei weibliche Geheimdienstoffiziere festgehalten und mir mit allen möglichen ekelhaften Sachen gedroht.«

Kazakov schnaubte und es hörte sich an, als ob mehrere Cherubs im Hintergrund lachten. »Von einer hübschen Frau reingelegt! Die ganze Erfahrung, die tolle Ausbildung und du fällst auf die Femme fatale herein! Auf den ältesten Trick der Welt!«

»Sie hat gedroht, mich mit einer Sonde zu verbrennen«, beschwerte sich James. »Das war echt nicht okay!«

»Der alte General Shirley ist am Ende ziemlich verzweifelt gewesen«, lachte Kazakov. »Hast du ihre Namen mitbekommen? Dann werde ich mich in meinem offiziellen Bericht über sie beschweren.«

»Land, Sahlin und Jones«, antwortete James. »Sahlin war der Boss. Wo sind Sie denn jetzt?«

»Ich bin mit dem Commander in der Kommandozentrale und warte auf Shirley. Ich bin schon gespannt, wie er versucht, sich aus dem Schlamassel herauszureden.«

»Warum ist er denn nicht da?«, fragte James.

»Klein Kevin hat ihn mit einer Granate erwischt«, lachte Kazakov. »Und da er keine Brille aufgehabt hat, muss er erst gereinigt werden.«

Bis dahin hatte James keine Verbindung zwischen dem uniformierten General, der ihnen im Stadion die Einweisung gegeben hatte, und dem schlaffen Kerl auf dem Stuhl neben ihm hergestellt. Doch der sah ihn jetzt böse an.

»Gib das her«, verlangte General Shirley und riss James das Gerät aus der Hand. »Kazakov, Sie Betrüger, glauben Sie ja nicht, dass Sie damit durchkommen!«

»General«, antwortete Kazakov herzlich, »ich

freue mich immer, wenn ich einen würdigen Gegner habe. Wenn aber keiner greifbar ist, freue ich mich fast ebenso sehr, kleine Scheißer wie Sie auszulöschen.«

James musste sich beherrschen, um nicht laut zu lachen.

»Sechs Millionen Dollar teure Drohnen!«, tobte Shirley. »Das steht nicht im Regelbuch, Kazakov. Sind Sie wahnsinnig geworden?«

»Wir haben fünf Teenager dorthin geschickt«, brüstete sich Kazakov. »Eine Pfadfindertruppe! Und Sie haben Ihre wertvollste Informationsausrüstung nur von ein paar Technikern bewachen lassen!«

»Und das mit dem verdammten Abführmittel ist so was von hinterhältig und niederträchtig!«, schrie Shirley. »Die Kanalisation ist verstopft und die Männer müssen in ihre eigenen Helme scheißen!«

Kazakov knurrte, was sich für James wie das Schnurren einer Katze anhörte.

»Im Krieg geht es darum, die schwächsten Stellen des Gegners zu finden und auszunutzen. Es gibt keine Regeln, General, da hält man sich nicht an eine Vorlage. Ohne sauberes Wasser ist eine Armee geschlagen. Hat man Ihnen das auf der Militärschule nicht beigebracht?«

»Kazakov, ich führe diese Manöver seit über dreißig Jahren durch und eine so hinterhältige Gemeinheit ist mir noch nie begegnet!«

»Wissen Sie, was Ihr Problem ist, Shirley?«, brüllte

Kazakov zurück. »Als Sie in West Point ihre glänzenden Schuhe poliert und Bücher gelesen haben, war ich in Afghanistan. Bei minus fünfzehn Grad und bis zu den Knöcheln in gefrorenem Matsch und dem Dreck anderer Männer. Ich habe gegen Guerillas gekämpft, die ihre eigene Großmutter gefressen hätten, wenn es für sie von Vorteil gewesen wäre. Krieg *ist* gemein und hinterhältig. Wenn man kämpft, dann kämpft man, um zu gewinnen. Im Krieg gibt es keine Regeln, General. Vergessen sie Humanität, vergessen Sie NATO-Richtlinien, entmilitarisierte Zonen und Nahrungsmittelabwürfe. Aus diesen Gründen habt ihr Amis in Vietnam verloren und aus diesen Gründen treten sie euch im Irak in den Arsch!«

»Immerhin haben wir den Kalten Krieg gewonnen«, gab der General zurück. »Wir haben euch in euren kommunistischen Hintern getreten. Und da wir schon von Afghanistan reden, haben die Russen diesen Krieg nicht auch verloren?«

»Den Krieg hat nicht die Armee verloren, das haben die Politiker erledigt!«, schrie Kazakov.

Gleich darauf erklang eine andere Stimme aus dem Funkgerät.

»General Shirley, diese Streiterei ist sinnlos«, sagte General O'Halloran ruhig. »Im Augenblick hängen tausend Soldaten, achttausend bezahlte Zivilisten und das teuerste Militärübungsgelände der Welt in der Luft. Ich schlage vor, wir treffen uns um zwanzig Uhr im Büro und beraten über eine Strategie, wie wir diese Übung mit einem überarbeiteten Szenarium neu starten können.«

»Ich werde da sein«, knurrte Shirley. »Aber ich arbeite nicht mit diesem Russen zusammen. Ich will meine Männer nicht seinen illegalen Methoden aussetzen und ich will, dass er aus Fort Reagan verschwindet!«

»Wir wollen keine übereilten Entscheidungen treffen«, entgegnete General O'Halloran und James musste lächeln, als er im Hintergrund Kazakov brüllen hörte: »Ich bin kein Russe, verdammt noch mal, ich bin Ukrainer!«

Das Funkgerät knisterte. General Shirley machte Anstalten, es James wiederzugeben, doch im letzten Augenblick holte er aus und schmetterte es gegen die Wand, dass die Kunststoffhülle zerbrach. Dann stand er ruckartig auf und nahm die Plastiktüte mit seinen schmutzigen Sachen.

Die Sanitäter drehten sich nervös zu ihm um.

»General, wir sollten nachsehen, ob Ihre Augen …«

»Ich sehe ausgezeichnet«, grollte der General, stürmte um die Trennwand herum und schob sich bis ans vordere Ende der Schlange zu den Duschen vor.

Theoretisch gesehen unterstand General Shirley während der Übung den Befehlen des festangestellten Personals von Fort Reagan, aber niemand hatte Lust, sich mit ihm anzulegen. Bevor er in der ersten frei werdenden Dusche verschwand, drehte er sich mit rotem Gesicht noch einmal um und erkannte mehrere seiner Leute in der Schlange hinter ihm.

»Auf der anderen Seite der Trennwand sitzt ein Junge«, kläffte er wütend. »Kurze Haare, blaue Augen, kaum älter als sechzehn. Er ist der Grund dafür, warum ihr in den letzten Stunden so viel Zeit auf dem Klo verbringen durftet. Ihr wollt euch doch sicher dafür bei ihm bedanken, oder?«

James wand sich auf seinem feuchten Plastikstuhl, als die kräftig gebauten Soldaten von der anderen Seite an die Wand hämmerten und ihm eine Reihe von ziemlich unangenehmen Dingen androhten – von Hintern versohlen über Kastrieren bis hin zur guten alten Schlagstockzüchtigung.

»Du bist tot!«, schrie einer und hämmerte so wild gegen die Wand, dass sie erzitterte.

James hatte sich im Laufe der Zeit schon einige Feinde gemacht, aber ein ganzes Bataillon Soldaten, das war neu für ihn. Und es gefiel ihm nicht im Geringsten.

34

Kevin, Lauren, Rat sowie einige SAS-Offiziere und andere Aufständische saßen im Empfangsbereich vor General Shirleys Kommandozentrale herum, scharrten mit den Füßen, gähnten und hüteten sich, Wasser zu trinken, für den Fall, dass es noch Spuren von Phenolphtalein in den Leitungen gab.

Draußen roch es stark nach Desinfektionsmitteln. Die Soldaten standen Schlange, um Rehydrierungs- und Durchfallmedikamente zu bekommen, die per Hubschrauber von einem Krankenhaus in Las Vegas eingeflogen worden waren. Diejenigen, die es nur leicht getroffen hatte, konnten bereits wieder ein paar einfache Pflichten übernehmen und begannen damit, das Lager aufzuräumen. Eine Technikercrew, die für die Wartung der Einrichtung von Fort Reagan verantwortlich war, arbeitete daran, die Verstopfungen in der Kanalisation zu beseitigen.

Außerhalb des Armeelagers kam es zu wütenden Ausschreitungen, als sich das von Kazakov verbreitete Gerücht, die Zivilisten würden nach ihrem Sieg bei voller Bezahlung nach Hause geschickt, als falsch erwies.

In der Kommandozentrale traf sich Mac mit Kazakov, Kommandant O'Halloran, General Shirley sowie einigen anderen Offizieren. Boten kamen und gingen und versuchten vom medizinischen und technischen Personal in Erfahrung zu bringen, wann die Soldaten ebenso wie das Hauptquartier wieder soweit hergestellt sein würden, dass man die Übung fortsetzen konnte.

Erst gegen Mitternacht waren sich alle darüber einig, dass ein neues Szenarium ausgearbeitet werden musste und in achtundvierzig Stunden eine neue

Übung begann. Alle, bis auf Kazakov und General Shirley, die sich gegenseitig an die Kehle gingen.

Kazakov nannte Shirley einen schlechten Verlierer. Shirley behauptete, Kazakov hätte mit faulen Tricks gekämpft und die Gesundheit seiner Männer aufs Spiel gesetzt. Shirley und O'Halloran waren beide Ein-Stern-Generäle, aber als Kommandant des Hauptquartiers hatte O'Halloran das letzte Wort.

O'Halloran war weder von Shirleys Fähigkeiten als Befehlshaber begeistert noch von Kazakovs unorthodoxen Methoden – die sowohl die Drohnen, den teuren Hangar als auch die Kanalisation ruiniert hatten.

Seine diplomatische Lösung bestand darin, die Übung ohne Kazakov und mit Shirley als neutralem Beobachter von vorne zu beginnen, während zwei von Shirleys Vertretern die beiden gegnerischen Seiten anführen würden.

»Scheißkerle«, schrie Kazakov und schreckte Lauren und die anderen aus dem Halbschlaf, als er die Tür zum Vorzimmer mit einem wütenden Tritt aufstieß. Im letzten Moment jedoch drehte er sich um und riss den Videotransmitter von der Seitenwand eines Computerbildschirms. Triumphierend hielt er ihn Shirley unter die Nase.

»Sehen Sie das?«, grinste er. »Ein weiterer Ihrer kleinen Fehler. Ich habe jedes Kommando gehört. Ich kannte Ihre Befehle noch vor Ihren Soldaten!«

Shirley war niedergeschmettert. Er wusste, dass es eine Untersuchung zum Ablauf der Übung und dem entstandenen Sachschaden geben würde. Und selbst wenn man dabei zu dem Schluss käme, dass Kazakovs Taktik gegen die Regeln von Fort Reagan verstoßen hatte, würde der General immer noch schlecht aussehen, nachdem sein Bataillon von einer wesentlich kleineren und schwächer ausgerüsteten Truppe geschlagen worden war.

»Warum gehen Sie nicht zurück nach Russland, wo Sie hingehören?«, zischte er wütend und schlug ungeschickt zu.

Mit seinen neunundvierzig Jahren war Kazakov nur ein Jahr jünger als der General, doch im Gegensatz zu dem untersetzten Amerikaner hatte er sich fit gehalten und war besser in Form als die meisten halb so alten Männer. Er tauchte unter dem Schlag weg und versetzte Shirley einen Stoß, der diesen aus dem Gleichgewicht brachte und ihn vorwärts auf einen Schreibtisch stürzen ließ, wobei er einen Monitor aus der Halterung riss und einen Stapel Papiere hinunterfegte.

Kazakov schnappte sich ein Plastikklemmbrett, schlug dem General damit auf den kahlen Kopf und leerte dann einen Becher voller Stifte und Kugelschreiber über ihm aus.

»Füllen Sie Ihre Formulare aus, General«, riet er ihm. »Halten Sie sich an Ihre Stifte, aber versuchen Sie nicht, so zu tun, als seien Sie ein Soldat. Echte Soldaten sterben aufgrund von Entscheidungen, die solche Idioten wie Sie treffen!«

Mac und der Kommandant folgten Kazakov in das Vorzimmer.

O'Halloran sah Kazakov finster an.

»Packen Sie Ihre Sachen und melden Sie sich am Empfang. Auf Parkplatz sechzehn steht eine schwarze Limousine. Der Schlüssel liegt am Empfang. Sagen Sie mir, wo Sie geparkt haben, wenn Sie zurückfliegen, dann schicken wir jemanden, der den Wagen vom Flughafen wieder abholt.«

Kazakov sah ihn überrascht an. »Kann ich nicht über Nacht bleiben? Ich habe seit zwei Tagen kaum geschlafen und bis nach Vegas sind es vier Stunden.«

»Ich will hier kein böses Blut mehr«, entgegnete O'Halloran. »Dreißig Kilometer östlich gibt es ein Motel.«

Mac sah Kazakov an, als er mit Lauren, Kevin und Rat im Schlepptau zum Ausgang ging.

»Ich glaube, Sie sollten James lieber mitnehmen«, sagte er. »Es ist bereits bekannt geworden, dass er derjenige war, der das Wasser verseucht hat. Und wenn er zur Zielscheibe wird, fürchte ich, dass die Dinge außer Kontrolle geraten könnten.«

*

James war um halb acht wach, doch der erschöpfte Kazakov schnarchte weiter. Das Motel war ziemlich merkwürdig. Es musste irgendwann in den Achtzigerjahren von jemandem eingerichtet worden sein, der rotes Plastik cool fand. Doch jetzt waren die Oberflächen staubig, die Batterie in der Wanduhr war leer und es sah alles danach aus, als seien sie seit Monaten die Einzigen, die hier abgestiegen waren.

James war am Verhungern und wanderte rastlos in die Morgensonne hinaus. Ihre schwarze Ford-Limousine war der einzige Wagen weit und breit. Die Wüste erstreckte sich in alle Richtungen und auf der zweispurigen Straße regte sich keinerlei Verkehr.

James' leerer Magen führte ihn zur Rezeption, vor deren Tür ein zerrissenes Fliegengitter baumelte. Außerdem lagen ein paar Werbeflyer für Besuche im Area 51 und billigen Casinos herum.

»Kann man hier irgendwo in der Nähe etwas zu essen bekommen?«, fragte er.

Die knochige alte Frau hinter dem Tresen beäugte ihn über ihre Halbbrille hinweg. »Zwanzig Kilometer östlich ist ein Burger King.«

»Zwanzig Kilometer«, hakte James nach und ahmte unwillkürlich ihren Akzent nach. »Nichts in Laufweite?«

Die Frau sah in an, als sei er begriffsstutzig. »Siehst du hier irgendwas in Laufweite? Aber hinter Zimmer sechzehn ist ein Verkaufsautomat.«

James fand ihn und steckte Vierteldollar um Vierteldollar hinein, bis er endlich eine billige Limonade und ein paar Schokokekse zum Frühstück hatte. Dann duschte er, trocknete sich mit einem Handtuch ab, das so dünn war, dass er seine Haut hindurchsehen konnte, aß seine Kekse und machte schließlich beim

Ankleiden so viel Lärm wie möglich, in der Hoffnung, dass Kazakov endlich aufwachen würde. Doch der große Ukrainer war völlig weggetreten und lag mit offenem Mund und einer kleinen Speichelpfütze auf dem Kopfkissen da.

James wollte unbedingt etwas Richtiges zu essen. Nach den Keksen und der Limonade war er zwar etwas zufriedener, doch die süßen Sachen hatten einen schlechten Geschmack hinterlassen. Jetzt überlegte er, ob er den Fernseher anschalten sollte, doch er fürchtete, dass Kazakov wütend sein würde, wenn er ihn so offensichtlich weckte. Und Kazakov war niemand, mit dem er sich anlegen wollte.

Die Vorhänge hielten nicht viel Licht ab, daher setzte er sich aufs Bett und las noch einmal ein paar Kapitel in seinem Blackjack-Handbuch. Dann nahm er die Karten und übte das Kartenzählen. Nach einer halben Stunde musste er aufs Klo, doch als er aufsah, bemerkte er, dass Kazakov ihn mit einem Auge anstarrte.

»Hi«, sagte James verlegen. »Wie lange sind Sie schon wach?«

Da Kazakov in den letzten zwei Tagen viel herumgebrüllt hatte, war seine Stimme heiserer als normal. »Vielleicht zwanzig Minuten.«

James lächelte. »Und da starren Sie einfach nur so vor sich hin?«

»Nichts ist einfach nur so«, behauptete Kazakov, warf die Decke fort und setzte sich auf. »Es ist interessant zu sehen, was Menschen tun, wenn sie sich unbeobachtet fühlen. Wie läuft's?«

»Was?«

»Das Kartenzählen.«

»Schwer zu sagen«, antwortete James. »Ich hab noch nie an einem Casino-Tisch gesessen und weiß nicht, wie schnell sie die Karten geben. Und ich habe noch nicht versucht, zu zählen, wenn um mich herum Leute sind und die Spielautomaten klingeln. Im Buch heißt es, dass es etwas ganz anderes ist, als wenn man für sich allein übt.«

Kazakov stand auf. Er war nackt, furzte dreimal laut und geruchsstark und seufzte erleichtert.

»Jetzt einen Schiss und eine Dusche«, verkündete Kazakov, während James die Nase unter sein T-Shirt steckte, um den beißenden Geruch zu dämpfen. »Und dann suchen wir uns irgendwo ein Frühstück.«

35

Eine Sache, die Kazakov an Amerika hasste – neben vielen anderen Sachen –, waren die Straßen. Die Wüstenlandschaft war ihm zu langweilig und die Federung des Wagens zu weich und daher ließ er James fahren.

Das erste Restaurant, das auf ihrem Weg lag, war ausgerechnet jenes 24-Stunden-Diner, aus dem sie auf dem Hinweg von der Chefin mit einer Waffe hinauskatapultiert worden waren. Obwohl er fast verhungerte, machte sich James nicht einmal die Mühe, Kazakov zu fragen, ob sie bei einem Drive-In-McDonalds anhalten sollten. Als sie endlich das erste vernünftige Restaurant erreichten, waren sie schon auf halbem Weg in Vegas und es war nach Mittag.

»Vielleicht sollte ich auf dem Campus anrufen«, schlug James vor, als er Kazakov an einem senfgelben Tisch gegenüber saß. »Damit sie uns einen Rückflug besorgen und so.«

»Könntest du machen«, sagte Kazakov, der den Mund voller Cheeseburger und Fritten hatte, sodass er nur abgehackt sprechen konnte. »Nur… ich habe auf dem Campus nichts vor, bis in zehn Tagen die nächste Grundausbildung anfängt. Und warum willst du so dringend nach Hause?«

James zuckte mit den Achseln. »Ich hatte gedacht, Sie hassen Amerika und alles, wofür es steht. Das haben Sie zumindest während der Fahrt hierher über fünfzehn Mal gesagt.«

Kazakov kniff die Augen zusammen. »Ich will meine dreitausend Dollar wiederhaben.«

»Oha«, lachte James. »Sie wollen wieder spielen, Boss. Nichts für ungut, aber ich habe gesehen, was im Reef neulich passiert ist. Sie trinken zu viel und sind ein miserabler Verlierer.«

»Aber dieses Kartenzählen«, entgegnete Kazakov und hob eine Augenbraue, »du hast gesagt, es funktioniert.«

James lächelte. »Es bringt einem einen Vorteil, aber dazu muss man unglaublich viel üben. Ich darf an keinen Spieltisch, bis ich einundzwanzig bin, und selbst wenn Sie ein Gespür für Mathematik hätten, bräuchte ich Tage, um es Ihnen beizubringen.«

Kazakov kramte in seiner Tasche und legte den Videotransmitter, mit dem er die Kommandozentrale von Fort Reagan verwanzt hatte, auf den Tisch.

»Ich kenne die Grundregeln von Blackjack. Ich trage die Kamera, du zählst die Karten und gibst mir ein Zeichen, wenn ich kaufen soll.«

James war geschockt. »Sie machen wohl Witze! Ich müsste den ganzen Tisch sehen können und auf diesem winzigen Bildschirm kann ich gar nichts erkennen.«

»Den Empfänger kann man an meinem Laptop anschließen. Die Kamera selbst ist hochauflösend. Da ich nicht wusste, was ich brauchen würde, habe ich ein komplettes Überwachungssystem mitgenommen. Wanzen, Kameras, Weitwinkel, Telefotos, Auslöser, Relais, Signalgeber. Ist alles im Auto.«

James sah sich vorsichtig um, ob ihnen jemand zuhörte, dann sagte er leise: »Es ist legal, Karten im Kopf zu zählen. Aber wenn Sie anfangen, Geräte und Kameras einzusetzen, dann betrügen Sie das Casino und das ist kriminell. Ich habe die Gefängnisse hier in der Gegend kennengelernt und glauben Sie mir, da wollen Sie bestimmt nicht enden.«

»Ich bin fast fünfzig«, entgegnete Kazakov entschlossen. »Ich habe kein Haus und nur eine kleine Pension von der Regierung. Ich bin nicht so reich wie Mac. Ich kann es mir nicht leisten, dreitausend Dollar zu verlieren.«

»Tja, Glücksspiel ist nun mal riskant«, sagte James. »Das hätten Sie vorher wissen können.«

»Nun komm schon, James«, bat Kazakov. »Wo ist denn dein Abenteuergeist? Ich habe den Ausdruck in deinen Augen gesehen, als du auf dem Bett gesessen und die Karten in deinem Kopf gezählt hast. Du hast dich total konzentriert. Du willst es jetzt ausprobieren, du willst keine fünf Jahre mehr warten.«

Kazakov merkte James an, dass er langsam schwach wurde.

»Wir haben das beste Werkzeug«, fuhr Kazakov fort. »Du musst nur die Karten zählen und mir ein Zeichen geben, wenn die Chancen gut für uns stehen. Unsere Ausrüstung ist CHERUB-Material: das Neueste vom Neuen. Die Kamera ist so groß wie ein Stecknadelkopf und die Übertragungsgeräte sind so sicher, dass sie von keinem Überwachungssystem entdeckt werden können.«

James wusste, dass er bei CHERUB rausfliegen und wahrscheinlich auch noch vor Gericht landen würde. Doch andererseits hatte Kazakov recht: Die CHERUB-Technologie war besser als alles, was sich normale Casino-Betrüger leisten konnten. Außerdem fühlte sich James nach dem, was in letzter Zeit geschehen war, leer und ausgebrannt; seine Antiterror-Mission war schiefgelaufen, Dana hatte ihn sitzenlassen, er war aus Fort Reagan hinausgeworfen worden und es war Tatsache, dass er mit seinen sechzehneinhalb Jahren seine CHERUB-Karriere zum größten Teil hinter sich hatte.

Er brauchte einen Sieg, um sein Leben wieder auf die Reihe zu bekommen – und ein Casino mit einem Stapel Dollarscheine zu verlassen, wäre da genau das Richtige.

»Vielleicht könnten wir einen Testlauf machen«, schlug er unsicher vor. »In einem der kleineren Casinos. Unsere Limousine hier hat verdunkelte Scheiben, ich könnte also von einem Parkplatz aus arbeiten.«

»Guter Junge«, strahlte Kazakov und klatschte James über den Tisch hinweg ab. »Du weißt, dass es klappen wird!«

*

Als er die schwarze Limousine nach Las Vegas steuerte, dachte James über sich selbst nach. Er war dafür bekannt, sich in riskante Abenteuer zu stürzen und Ärger zu bekommen, und trotzdem hatte er immer noch Lust auf mehr. Diese Lust konnte er beim CHERUB-Training und bei den Missionen ausleben, und schließlich war sein Hunger nach Risiko und Abenteuer auch einer der Gründe gewesen, warum er überhaupt rekrutiert worden war. Aber was bedeutete das für seine Zukunft?

Wenn James seine Kollegen wie Kerry und Shakeel

betrachtete, dann sah er sie als Dreißigjährige mit Kindern vor sich, die Freunde zum Grillen einluden und am Wochenende den Heimwerker spielten. Doch sich selbst sah er nie so. Vielleicht konnte er seine mathematische Begabung einsetzen, um Karten zu zählen oder Aktien zu handeln und damit reich werden – aber was, wenn das nicht funktionierte?

James war klug genug, sich wegen ihres Vorhabens Sorgen zu machen, doch als sie auf dem Parkplatz einer riesigen Shopping-Mall ankamen, um ihre Ausrüstung zu sichten, spürte er kribbelnde Aufregung in sich aufsteigen. Es war gut, Kazakov an seiner Seite zu wissen. Der Ukrainer war zwar ziemlich impulsiv, aber auch intelligent und hatte es schon mit wesentlich härteren Gegnern als den Casino-Securitys zu tun gehabt – und gegen sie gewonnen.

In einem der Läden besorgten sie Kazakov ein etwas weniger militärisches Outfit: elegante Hosen, ein weißes Hemd, einen Blazer und eine Sonnenbrille. Und vor allem kauften sie ihm einen Schal. Wenn die Kamera am Revers oder am Hemd befestigt war, ließ sich ihr Blickwinkel kaum mehr unauffällig verändern, aber an einem lose um den Hals geschlungenen Schal konnte man sie leicht auf und ab bewegen, um den bestmöglichen Blick auf den Tisch zu garantieren.

»Eines gefällt mir in Amerika«, grinste Kazakov als er sich das Hemd zuknöpfte. »Hier haben so viele Leute Übergewicht, dass ich alles in meiner Größe bekomme.«

353

James fand Amerika cool und Kazakovs bissige Bemerkungen langweilten ihn, aber er erwiderte nichts darauf, denn er saß gerade hinten im Auto und verband den Empfänger mit dem Laptop.

»Was siehst du?«, fragte Kazakov.

James drehte den Bildschirm zu Kazakov hin. Sie hatten ein Fischauge angebracht, um eine Weitwinkelansicht zu erhalten, die an den Rändern verzerrt war.

»Die Übertragung ist ausgezeichnet, ich kann schwenken und zoomen, aber Sie müssen den mittleren Platz am Tisch nehmen, damit ich eine vernünftige Chance habe, die Karten zu zählen.«

Kazakov zeigte James die Rückseite seiner Uhr, an der er einen vibrierenden Signalgeber angebracht hatte. »Du wirst zwar hören können, was ich sage, aber es ist zu gefährlich, einen Stöpsel im Ohr zu tragen. Wir müssen uns einen Code überlegen.«

»Der Platz an der Uhr ist besser als am Bein«, fand James. »Ich schicke zwei Impulse, wenn Sie mitgehen sollen, drei, wenn Sie aussteigen sollen. Ein langer Impuls bedeutet, dass ich nicht mehr mitzählen konnte, zwei lange, dass es Ärger gibt.«

»Okay«, sagte Kazakov. »Wir brauchen aber noch ein paar Signale dafür, ob ich die Kamera nach oben oder unten richten muss.«

James schüttelte den Kopf. »Sie müssen die Kamera immer aufs Spiel gerichtet halten. Wenn sie abschwenkt, verliere ich zwei oder drei Züge, und

bis das Bild dann wieder stimmt, habe ich mich verzählt.«

»Ich kann nicht völlig still sitzen«, erklärte Kazakov.
»Das würde verdächtig aussehen.«

»Sie müssen ja nicht stocksteif dasitzen«, erklärte
James. »Aber bewegen Sie sich nicht zu weit von
Ihrer Ausgangsposition, sonst sehe ich nicht alle Kar-
ten.«

Kazakov öffnete die Wagentür und stieg aus. »Ich
laufe mal ein wenig damit herum, bevor wir richtig
anfangen.«

»Gute Idee«, stimmte James zu. »Gehen Sie ins
Café, üben Sie, still zu sitzen, ohne dabei auszusehen,
als würden Sie still sitzen. Ich rufe Sie an und sage Ihnen Bescheid, wie das auf dem Bildschirm wirkt. Oh,
und wenn Sie da sind, bringen Sie mir einen Kaffee
und einen Obstsalat mit!«

✻

Es dauerte zwei Stunden, bis Kazakovs Bewegungen so geschmeidig und exakt waren, dass sie James
zufriedenstellten: Kazakov konnte mit der Kamera
an seinem Schal herumlaufen, sich setzen und die
Kamera sofort so justieren, dass sie einen mehrere
Meter weit reichenden Blick in alle Richtungen über-
trug.

Das Kartenzählen brachte dem Spieler einen leichten Vorteil, wenn er einfach nur die ausgeteilten
Karten und die noch im Stapel verbleibenden Karten

zählte. Doch wenn Kazakov während des Spiels die Zahl der verbleibenden Karten im Auge behielt, dann konnte James unabhängig davon die Asse zählen und die Chancen noch weiter erhöhen. Mithilfe einer einfachen Tabelle kalkulierte er die Summe, die Kazakov einsetzen sollte, und ließ diese in der rechten Ecke des Laptops neben den übertragenen Bildern stehen.

Kurz vor vier Uhr nachmittags parkten sie vor dem Wagon Wheel Hotel und Casino. James händigte Kazakov die fünfhundert Dollar Feriengeld aus, die von seinem Einkaufsbummel aus den ersten Tagen in Las Vegas übrig geblieben waren, und zog mit mulmigem Gefühl weitere dreihundert am Automaten. Im Casino wechselte Kazakov James' Geld zusammen mit zweitausend Dollar von seiner eigenen Kreditkarte in Chips um.

Sie hatten in der entlegensten Ecke des offenen Casino-Parkplatzes geparkt, und nun saß James im Fond mit den getönten Scheiben und sah über den Laptop-Bildschirm zu, wie Kazakov an den Reihen von jaulenden Spielautomaten entlang ging und den Blackjack-Tisch suchte.

Das Wagon Wheel war eher als Casino für Einheimische bekannt. Es hatte keine zehntausend Zimmer und kein Sphinxmodell in der Lobby wie die großen Casinos am Strip, aber laut James' Handbuch verfügte es über einen der stadtbesten Blackjack-Tische mit zwei Spielen.

Bei zwei Spielen waren die Gewinnchancen höher,

sobald man günstige Karten hatte, als wenn mit sechs oder acht gespielt wurde. Es war auch leichter, zu sehen, wie viele Karten noch übrig waren, weil der Croupier sie in der Hand hielt und sie nicht in einem Kartenschlitten verblieben.

»Der hier?«, murmelte Kazakov auf Russisch, als er sich einem Tisch zuwandte.

Nach dem Gesetz von Nevada musste jeder Spieltisch die Regeln und die Einsatzlimits deutlich ausweisen. Da die Casinos gerne ein paar Zusatzregeln zu ihren Gunsten einführten, las James sie kurz durch und drückte dann zweimal die F5-Taste auf dem Laptop, um das vibrierende Signal unter Kazakovs Uhr zu aktivieren und ihm anzuzeigen, dass er sich dort hinsetzen konnte.

Der mittlere Platz war belegt, also ließ sich Kazakov einen Stuhl weiter links nieder. Mit ihm zusammen spielten noch drei ältere Damen. Kazakov setzte gerade das Tisch-Minimum von zehn Dollar, um ein Gefühl für die Sache zu bekommen, als ihn eine der Damen ansprach und ihm sagte, dass ihr sein Akzent gefiele und ihr Cousin als Diplomat in Odessa gearbeitet habe. Das Schwierigste für einen Kartenzähler waren Ablenkungen, womit Kazakov jedoch kein Problem hatte, da James ja den kniffligen Teil des Jobs übernahm.

Über Kazakovs Mini-Laptop auf dem Schoß, der über den Zigarettenanzünder mit Strom versorgt wurde, konnte James die Karten gut sehen, zumal die Gespräche der Frauen mit dem Croupier das Spiel verlangsamten.

Kazakov wählte eine einfache Blackjack-Strategie und gewann die ersten drei Spiele, doch James sah enttäuscht, dass viele hohe Karten über den Tisch gingen. Er zählte bis minus fünf, was stark erhöhte Chancen für das Casino bedeutete. Kazakov setzte zwischen zehn und zwanzig Dollar, doch der Vorteil des Casinos machte sich bald bemerkbar und als die letzten Karten ausgeteilt wurden, hatte Kazakov seinen vorherigen Gewinn und weitere achtzig Dollar verloren.

Ein Cowboy gesellte sich an den Tisch und der Croupier wurde von einer Kollegin abgelöst. Jetzt musste James mindestens zwölf Karten pro Spiel zählen, und die neue Croupière unterhielt sich nicht und teilte schneller aus als ihr Vorgänger. Doch diesmal entwickelte sich die Zahl zu Kazakovs Gunsten und James drückte zweimal die F5-Taste, um ihm zu signalisieren, dass er den Einsatz erhöhen sollte.

Kazakov setzte jetzt zwischen dreißig und fünfzig Dollar pro Spiel, doch obwohl der Vorteil aufseiten des Spielers lag, hatte er immer noch kein Glück. Das Kartenzählen konnte zwar die Chancen gegenüber dem Casino erhöhen, jedoch nicht den Gewinn eines bestimmten Spiels garantieren – und Kazakov bekam einfach nicht die richtigen Karten.

Als die Croupière die Karten mischte, um neu zu geben, hatte Kazakov kaum mehr als vierhundert

Dollar übrig, während der Cowboy neben ihm mit der sogenannten Selbstmordmethode – nämlich seiner bloßen Eingebung zu folgen – zweihundert Dollar gewonnen hatte.

James konnte Kazakovs Gesicht nicht erkennen, aber der Trainer war eindeutig nervös und rieb sich die Fingerknöchel. Eine hübsche Bedienung spendierte ihm einen Orangensaft und dem Cowboy einen Bourbon. Kurz darauf verließen die drei Damen lächelnd den Tisch und gaben der Croupière ein Trinkgeld von zwanzig Dollar.

Da jetzt nur noch zwei Spieler am Tisch saßen, rutschte Kazakov auf den mittleren Platz. Im folgenden Spiel hatte er bei einem Einsatz von vierzig Dollar einen Blackjack – die perfekte Kartenkombination von einundzwanzig Punkten. Kazakov gewann ein paar weitere Spiele mit kleineren Einsätzen von zehn und zwanzig Dollar, und zum zweiten Mal wendete sich das Blatt zugunsten des Spielers.

Kazakov erhöhte seinen Einsatz auf das Tischlimit von fünfzig Dollar und gewann sieben der nächsten acht Spiele. Als noch weitere Karten ins Spiel kamen, ergab James' Zählung, dass der Vorteil wieder aufseiten des Casinos lag, aber Kazakovs Glückssträhne hielt an und am Ende der zweiten Runde hatte er ihre Verluste ausgeglichen und saß vor dreihundert Dollar Gewinn.

»Es funktioniert«, flüsterte er auf Russisch.

In den nächsten eineinviertel Stunden spielte Kazakov weiter und vermehrte langsam seinen Gewinn. Manchmal wendete sich das Blatt gegen ihn und er verlor etwas oder trat auf der Stelle, aber sobald er im Vorteil war, erhöhte er seinen Einsatz und damit seine Gewinne. Aus seinen knapp dreitausend Dollar in Chips waren viertausendsiebenhundert geworden und der Spielmanager, der für die Tische in diesem Teil des Casinos zuständig war, stimmte Kazakovs Antrag zu, das Tischlimit von fünfzig auf hundert Dollar zu erhöhen.

James sah, dass der Manager und ein Kollege herumzuschleichen begannen und beobachteten, wie sich Kazakovs Chipsstapel erhöhte. Der Croupier und das leitende Casino-Personal waren natürlich darin geschult, Kartenzähler zu erkennen. Außerdem wurde jeder Tisch von Kameras überwacht und so war Kazakov nach eineinhalb Stunden und mehreren Tausend Dollar Gewinn klar, dass im Kontrollraum jede seiner Bewegungen aufmerksam verfolgt wurde.

Wenn er weiterhin jedes Mal den Einsatz erhöhte, sobald die Zahlen zu seinen Gunsten standen, würde er noch mehr Verdacht erregen und man würde ihn schließlich bitten, das Casino zu verlassen. Daher musste er ab jetzt gelegentlich mit Absicht verlieren, um das Casino zu verwirren, auch wenn das natürlich Geld kostete.

Nach zweieinviertel Stunden bemerkte James, dass der Manager nervös wurde. Er tauschte die Croupière aus und brachte neue Karten, dann setzte er das

Tischlimit wieder auf fünfzig Dollar herunter, um Kazakovs Gewinne einzuschränken.

James wollte bei seinem ersten Kartenzähl-Versuch nicht zu viel riskieren. Ihm taten die Augen weh, weil er so intensiv auf den winzigen Laptop-Monitor starrte, ihm war schwindelig und außerdem hatte er Hunger und musste aufs Klo. Daher gab er Kazakov das Signal zum Aufbruch.

Kazakov gab dem Croupier fünfzig Dollar Trinkgeld und ging zur Casino-Kasse, um seine Chips einzutauschen. James rieb sich die Augen und trank eine halbe Flasche Wasser, bevor er wieder auf den Monitor sah. Vor dem Kassenschalter waren dicke goldene Gitterstäbe und die Kassiererin ließ Kazakovs Stapel von Zwanzig- und Fünfzig-Dollar-Chips in eine automatische Zählmaschine fallen.

Auf dem blau erhellten Display tauchte die Summe von 8760 $ auf.

»Sie hatten einen guten Tag«, stellte die Kassiererin fröhlich fest. »Verwahren Sie das Geld so bald wie möglich an einem sicheren Ort.«

36

James hatte sich vor Sorge fast in die Hosen gemacht, weil er seine gesamten Ersparnisse riskiert und seine CHERUB-Karriere aufs Spiel gesetzt hatte. Doch jetzt war er vor Freude außer sich. Sein Drittel am Gewinn machte ganze zweitausendneunhundertzwanzig Dollar aus, was bedeutete, dass er seinen Einsatz fast verdreifacht hatte. Und Kazakovs Anteil von fünftausendachthundertvierzig Dollar ließen ihn jene dreitausend vergessen, die er vor ein paar Abenden im Reef Casino verloren hatte.

Auf den letzten Kilometern ins Zentrum von Las Vegas tauschten James und Kazakov gut gelaunt und wie die besten Freunde Geschichten über Parkplatzwächter, böse Blicke vom Spielmanager und darüber aus, dass James sich einmal verzählt hatte, weil er so heftig niesen musste.

James lenkte den Ford auf den vierspurigen Las-Vegas-Strip. Hinter dem Stratosphere-Tower am Nordende des Strips ging die Sonne unter und die Neonlichter begannen zu strahlen. Von einer fünfzig Meter hohen Videowand leuchtete Werbung für ein Elton-John-Konzert.

»Ich habe gehört, dass die All-you-can-eat-Buffets hier ziemlich gut sein sollen«, sagte Kazakov.

James war schockiert: Dass Kazakov ernsthaft etwas Amerikanisches lobte, war, als wenn man die königliche Familie dabei erwischen würde, wie sie im Kentucky Fried Chicken das Sparmenü verputzte.

»Das beste Buffet von Vegas gibt's im Bellagio«, grinste James. »Essen so viel man will für dreißig Mäuse pro Person. Wir wollten neulich schon dorthin, doch Kerry und Rat hatten nicht genug Geld dabei.«

Das Bellagio war eines der besseren Hotels mitten auf dem Strip und berühmt für den großen See und die Springbrunnen vor dem Gebäude. Wie alle wichtigen Casinos war es riesig; um zum Restaurant zu gelangen, mussten sie erst über einen nicht enden wollenden Parkplatz gehen und – wie immer, wenn man in Vegas irgendwohin gelangen wollte – durch ein mehrere Fußballfelder großes Casino spazieren.

In den marmornen Gängen und auf den plüschigen Teppichen der Spielhallen wimmelte es von teigigen Männern im smarten Freizeitlook mit dicken Brillengläsern und strähnigen Haaren.

»Was ist das denn?«, fragte Kazakov, als sie sich für das Buffet an einer Schlange von mindestens fünfzig Personen anstellten. »Ein Aknepatienten-Kongress?«

Die drei Männer vor ihnen warfen mit Fachausdrücken über Schrifterkennungsprogramme um sich, sodass James die Verbindung zu einer Anzeigentafel herstellte, die er in der Stadt gesehen hatte.

»Compufest«, erklärte er, als sie zwei Schritte weiter vor rückten. »Eine wichtige Konferenz der Computerindustrie.«

»Wohl eher ein Streberfest«, spottete Kazakov. »Gib mir sechs Wochen und ich mache echte Männer aus ihnen.«

»Die sehen vielleicht nicht so aus, aber die haben richtig Geld«, sagte James. »Ich hab mich schon über die vielen Mercedes und Bentleys auf dem Parkplatz gewundert.«

Für dieses Buffet lohnte sich das lange Schlange-stehen und James griff ordentlich zu – er häufte sich jede Menge Bratenscheiben auf den Teller, nahm dann Fisch und Pasta nach und schloss das Festmahl mit einem halben Dutzend kleiner Dessertkuchen ab.

»Und«, sagte Kazakov, als sie beide endlich so satt waren, dass sie keinen Bissen mehr hinunterbrachten. »Wie wäre es mit einer neuen Runde Blackjack? Das Tischlimit von fünfzig Dollar hat uns echt runterge-zogen. Wie wäre es, wenn wir es an den Tischen mit richtig hohem Einsatz versuchen?«

»Sie haben Schlagsahne an der Nase«, stellte James fest und nahm seine Kaffeetasse hoch. »Als wir im Reef waren, bin ich ins Internet gegangen und habe herausgefunden, dass es im Vancouver Casino angeblich Tische mit hohem Einsatzlimit, zwei Kar-tenspielen und geringer Beteiligung gibt. Es liegt am Südende des Strips.«

»Worauf warten wir dann noch?«, fragte Kazakov.

James zuckte mit den Achseln. »Die Sache ist die: Das Vancouver ist ein neues Casino, hat also wahr-scheinlich ein brandneues Sicherheitssystem, und je höher die Einsätze, desto besser werden die Tische bewacht. Ich glaube, wir haben unser Glück heute Nachmittag im Wagon Wheel ausgereizt. Wir hätten eben gleich reagieren müssen, als der Manager das Limit wieder auf fünfzig Dollar heruntergesetzt hat.«

»Okay«, meinte Kazakov. »Wir haben aus knapp dreitausend Dollar heute Nachmittag fast neuntausend gemacht. Wenn wir unseren Einsatz noch mal verdreifachen, haben wir fast dreißig Riesen.«

James lächelte. »Ehrlich gesagt, spielt der erste Einsatz keine große Rolle, solange man nicht ganz am Anfang eine richtige Pechsträhne hat und alles verliert. Wenn man anstatt fünfzig Dollar fünfhundert pro Blatt setzt, ist der mögliche Gewinn zehnmal größer.«

»Hunderttausend Dollar«, sagte Kazakov und schlug sich fröhlich mit der Hand auf die Brust. »Das würde mir gefallen.«

»Davon könnte ich auch was gebrauchen«, nickte James. »Mein Anteil sollte für eine schöne Harley Davidson reichen.«

*

Das sechzig Stockwerke hohe Hotelgebäude war das höchste der Stadt. Mit seinem modernen weißen Interieur wollte das Vancouver ganz offensichtlich ein jüngeres Publikum anziehen als die anderen Casinos mit ihren schweren Marmordekorationen und üppigen Teppichmustern.

James kannte inzwischen die meisten der großen Hotel-Casinos und hatte festgestellt, dass sie trotz ihrer protzigen Versuche, sich durch Themen und Attraktionen voneinander zu unterscheiden, im Grunde alle gleich waren. Alle hatten mehrstöckige unterirdische Parkhäuser, ein paar Tausend Hotelzimmer, einige schicke Restaurants und ein riesiges Casino als Herzstück.

James war immer noch voll von dem Buffet, als er sich hinten in den Wagen setzte und über die Kamera an Kazakovs Schal das bunte Casino-Treiben beobachtete. Die Aussicht auf weitere Gewinne versetzte ihn in Aufregung, und nach dem Erfolg im Wagon Wheel war er zuversichtlich.

Auf dem Gelände wimmelte es nur so von den Teilnehmern des Compufestes, als Kazakov die kilometerlangen Gänge schnell entlanglief und über eine spektakuläre Glasbodenbrücke über den Hotelpool schritt, um endlich zu einer Reihe von Aufzügen zu gelangen, die nach unten in das Casino führten.

Nirgendwo waren sich die Mega-Casinos ähnlicher als in ihren fensterlosen Spielsälen: Da alle Spielautomaten und Tische vom Staat Nevada genehmigt werden mussten, standen überall fast identische Maschinen herum, mit den immer gleichen farbigen Blinklichtern und Piep- und Klingeltönen.

Gerade als Kazakov an dem auf einen Sockel montierten Pick-up vorbeikam und an den armen Schweinen, die die Automaten darum herum fütterten, wurde James' Bildschirm auf einmal schwarz. *Kein Signal* leuchtete auf.

Ein paar Sekunden später war das Bild wieder da, doch es war grobkörnig und der Sound abgehackt. Für einen Moment schien es sich zu stabilisieren, doch als Kazakov jenen Bereich des Casinos entdeckte, in dem mit höheren Einsätzen gespielt wurde, fiel das Signal ein weiteres Mal aus.

James befürchtete, dass die Störungen von einem Gerät im Casino herrührten, welches Sendesignale blockieren sollte. Doch als er das Menü für die Videoüberwachungssoftware aufrief, bemerkte er, dass die Signalstärke weit unten im roten Bereich lag. Er nahm das Handy und rief Kazakov an.

»Was soll das heißen, kein Signal?«, fragte Kazakov gereizt. »Du bist doch höchstens einen Kilometer entfernt. In Fort Reagan hatten wir mindestens die sechsfache Reichweite. Bist du sicher, dass du es richtig eingerichtet hast?«

»Ja, ich bin sicher«, antwortete James. »Fort Reagan ist offenes Gelände. Hier sitze ich unter drei Schichten parkender Autos und Sie laufen unter einem sechzigstöckigen Hotelwolkenkratzer herum.«

»Verdammt«, knurrte Kazakov. »Mit einem Signalverstärker könnten wir es wahrscheinlich schaffen, aber ausgerechnet den habe ich nicht nach Fort Reagan mitgenommen.«

»Wir könnten es in einem der kleineren Casinos versuchen«, schlug James vor. »Oder in einem der alten Läden in der Freemont-Street.«

»Es muss doch noch einen anderen Weg geben«, widersprach Kazakov. »Du musst eben näher herankommen. In eine Toilettenkabine oder so was.«

James schüttelte enttäuscht den Kopf. »Nein, die Casinos haben überall Wachen und Videokameras. Kommen Sie zum Auto, wir fahren zu einem der kleineren Läden.«

»Lass mich mal kurz nachdenken«, verlangte Kazakov. »Ich rufe gleich zurück.«

Seufzend warf James sein Handy auf den Sitz neben sich. Eigentlich war *er* der Kopf hinter ihrer Operation, aber Kazakov behandelte ihn manchmal immer noch wie ein Kind.

Eine Weile beobachtete er das erneut grobkörnig aufflackernde Bild auf dem Monitor, doch als Kazakov noch tiefer ins Casino vordrang, fiel es ganz aus. Es vergingen fast zehn Minuten, bis sein Handy klingelte.

»Ich habe einen Platz für dich gefunden«, verkündete Kazakov. »Bring den Laptop mit, wir treffen uns im Business-Center.«

»Business-Center?«, fragte James verwundert nach.

Fünf Minuten später stand er davor. Der mit einer Glaswand von der Rezeption abgetrennte Raum verfügte über mehrere Dutzend Schreibtische, die an drei Seiten durch Stellwände abgeschirmt waren. Außerdem gab es dort eine Reihe von Faxgeräten, Laserdruckern und sogar Maschinen, die wie Laminieroder Bindegeräte aussahen.

»He, Miss!« Kazakov lächelte eine adrett gekleidete Rezeptionistin hinter ihrem Schalter an. »Da ist mein Junge. Er braucht einen Schreibtisch, damit er an seinem Geschichtsprojekt arbeiten kann, denn wenn ich ihn oben im Zimmer lasse, sieht er nur fern, spielt Nintendo und räumt die Minibar leer.«

Die Rezeptionistin lächelte James an. »Hausaufgaben können einen ganz schön fertigmachen, nicht wahr?«, fragte sie.

»Wenn er einen guten College-Platz will, muss er auch etwas dafür tun«, knurrte Kazakov.

»Nun gut«, entgegnete die Rezeptionistin fröhlich. »Das Business-Center kostet vierzig Dollar in der ersten Stunde, danach fünfundzwanzig. Dazu gehören ein Schreibtisch, Internetzugang, Drucker, Fax und Telefon. Auslandsgespräche und Farbdrucke kosten extra.«

Kazakov zahlte bar für drei Stunden. »An die Arbeit!«, verlangte er streng, als die Rezeptionistin James ins Business-Center führte. »Und kein MSN!«

»Viel Glück an den Tischen!«, wünschte ihm die Rezeptionistin.

37

Die Rezeptionistin lächelte James freundlich an, als er sich einen Tisch in der hintersten Ecke des leeren Business-Centers suchte.

»Mich wundert, dass hier nicht mehr los ist wegen der großen Computerkonferenz in der Stadt«, bemerkte er.

»Die sind uns allen meilenweit voraus«, antwortete sie. »Die haben ihre Blackberries und Smartphones. Ich muss hier zwar jede Menge ausdrucken und binden, aber während des Compufestes nutzt heutzutage niemand mehr die Schreibtische.«

Sobald sie sich entfernte, klappte James den Laptop auf.

Als Allererstes überprüfte er die Überwachungssoftware. Die Signalstärke zeigte neun von zehn Strichen an. Das Bild war klar und der Ton deutlich, doch dann erschrak er und wäre fast von seinem Stuhl hochgesprungen, als die Rezeptionistin ein Tablett mit Kaffee, Orangensaft und einem kleinen Teller mit Keksen neben ihm abstellte.

»Nervennahrung«, lächelte sie. »Sag mir Bescheid, wenn du Hilfe brauchst, bei den Druckern oder so.«

»Danke«, sagte James, »aber ich brauche eigentlich nur Ruhe. Ich muss mich richtig reinknien und dieses Projekt endlich hinter mich bringen.«

Er fühlte sich unwohl, als er Kazakov über den Bildschirm beobachtete. Der Ukrainer kaufte am Schalter Chips für achttausend Dollar und ging dann in den Spielbereich mit den hohen Einsätzen.

Bis dahin hatte James seine kriminelle Aktivität dadurch zu rechtfertigen versucht, dass Kazakov derjenige war, der das Risiko im Casino trug – während er selbst hundert Meter weit weg auf einem Parkplatz saß und die Entdeckungsgefahr gleich null war.

Aber jetzt war er ebenfalls im Casino und im Gegensatz zu Kazakov, der nur eine versteckte Kamera und einen vibrierenden Signalgeber unter seiner Armbanduhr hatte, verfügte er über einen drahtlosen

Empfänger, einen mit Videoüberwachungssoftware vollgestopften Laptop und Bilder von einem Black-jack-Tisch auf dem Elf-Zoll-Monitor.

Der Bereich, in dem mit hohem Einsatz gespielt wurde, war durch eine Samtkordel abgetrennt, ob-wohl Geld das einzige Zugangskriterium war. Die Einrichtung sah hier luxuriöser aus als im Rest des Casinos und das Personal war aufmerksamer, wäh-rend es sich bei den Spielautomaten und Tischen um die gleiche staatlich genehmigte Ausstattung han-delte wie überall.

Als Kazakov sich auf die Blackjack-Tische zube-wegte, bemerkte James erstaunt einen Mann, der seine Kreditkarte in einen Automaten gesteckt hatte und Fünfzig-Dollar-Beträge so schnell verlor, wie es die rotierenden Kirschen und Melonen zuließen. In modernen Casinos wie dem Vancouver stammten achtzig Prozent des Profits aus den Spielautomaten, auch wenn die Casinos nach außen hin versuchten, das Glücksspiel als gepflegtes und elegantes Vergnü-gen für James-Bond-Typen erscheinen zu lassen.

Normalerweise waren die Bereiche, in denen es um hohe Summen ging, relativ leer, doch das Compufest hatte eine Menge wohlhabender Leute in die Stadt gespült, die jetzt Tausende von Dollar über die Tische warfen und den gutaussehenden Bedienungen für einen Gratisdrink und ein hübsches Lächeln Fünfzig-Dollar-Trinkgelder gaben.

Kazakov war das ganz recht. Da es den Casinos nur

um ihr eigenes unteres Limit ging, würden die Spielmanager weniger darauf achten, dass er gewann, wenn genügend andere Idioten Geld verloren, als gäbe es kein Morgen mehr. James prüfte die Regeln des Tisches und signalisierte Kazakov, dass er sich setzen konnte.

»Guten Abend, Gentlemen«, grüßte Kazakov, wählte den Platz in der Mitte und stellte die Spielchips vor sich auf den Tisch.

Die Croupière war eine wunderschöne Asiatin in einem trägerlosen weißen Abendkleid mit dem Logo des Vancouver-Casinos auf dem Rücken. Das Minimum für diesen Tisch lag bei hundert Dollar, das obere Limit bei großzügigen zweitausend Dollar, das die Computerfreaks hemmungslos ausnutzten und sich demonstrativ nichts daraus machten, zu verlieren.

James saß schon eine Stunde lang im Business-Center, blinzelte in den Bildschirm und zählte Karten, während Kazakov völlig unbehelligt spielte. Der Spielmanager – sowie ein weiteres Dutzend Zuschauer und Begleiter – beobachtete ein Baccarat-Spiel am anderen Ende des Raumes, bei dem ein indischer Geschäftsmann bis zu hunderttausend Dollar pro Spiel setzte.

Kazakov erwischte weniger gute Karten als im Wagon Wheel und die Zahlen sprachen hauptsächlich gegen ihn, aber er wusste inzwischen, dass es beim Kartenzählen erst einmal darum ging, seine Chancen zu erhöhen.

Normalerweise standen die Chancen für den Black-jack-Spieler immer ein wenig schlechter als für den Croupier, wodurch das Casino auf lange Sicht stets gewann. Ein guter Kartenzähler jedoch verschaffte sich einen ebensolchen Vorteil gegenüber dem Casino und konnte damit rechnen, im Schnitt ein Prozent pro Blatt zu gewinnen. Das bedeutete, dass er – bei sechzig Spielen, die der Croupier in der Stunde austeilte – sein Geld alle neunzig Minuten verdoppeln konnte. Selbst ein vorsichtiger Kartenzähler, der absichtlich ein paar Fehler einstreute, um die Aufmerksamkeit von sich abzulenken, konnte seinen Einsatz alle vier Stunden verdoppeln.

Kazakov hatte nach einer Stunde kaum zweitausend Dollar gewonnen, doch dann kam eine Glückssträhne: James signalisierte ihm, dass die Karten stark zu seinen Gunsten standen und gleichzeitig verließen die anderen vier Spieler den Tisch. Also erhielt Kazakov alle im Spiel verbleibenden Karten, und das bei exzellenten Chancen.

Er setzte zweitausend pro Spiel, gewann dreimal hintereinander, verlor dann einmal, bekam zweimal Asse und gewann beide Spiele. Danach hatte er einen Blackjack mit einer drei-zu-zwei-Chance.

James saß im Business-Center, behielt die Rezeptionistin im Auge, die einen Stapel Kopien machte, und versuchte, sich seine Aufregung nicht anmerken zu lassen. Kazakov hatte in sechs Minuten über zehntausend Dollar gewonnen.

»Ich scheine einen guten Abend zu haben«, sagte Kazakov, zog die Sonnenbrille herunter und schenkte der Croupière ein seltenes Lächeln. »Meinen Sie, es ist möglich, den Einsatz für diesen Tisch auf fünftausend pro Spiel zu erhöhen?«

Der Spielmanager kam herüber und nickte der Croupière nur kurz zu, bevor er wieder verschwand. Er hatte sich noch um zahlreiche weitere volle Tische zu kümmern, da spielte Kazakovs Glückssträhne – wie erhofft – keine große Rolle. Ein Dutzend anderer Spieler, einschließlich des Inders, der mittlerweile mehr als eine halbe Million Dollar beim Baccara verloren hatte, fütterten die Casino-Kassen mit hohen Einsätzen.

Ein Blick auf die Uhr verriet James, dass er nur noch fünfundvierzig Minuten hatte, bis seine drei Stunden im Business-Center abgelaufen waren. Da so spät auch niemand mehr kommen würde, um zu arbeiten, leerte die Rezeptionistin bereits die Papierkörbe und schaltete die Kopierer aus. James hatte sich so hingesetzt, dass sie nichts von seinem Bildschirm sah, aber sie wartete ganz offensichtlich darauf, dass er zusammenpackte und ging, damit sie abschließen konnte, und er fühlte sich zunehmend unwohler.

Kazakov feierte das neue Tischlimit mit einem Fünftausend-Dollar-Einsatz im ersten Spiel mit neuen Karten. Die Croupière gewann und James hätte sich beinahe verschluckt und laut gehustet, als er sah, dass er beim Umdrehen einer Spielkarte ein Jahr Taschengeld verloren hatte.

Im nächsten Spiel setzte Kazakov nur zweitausend, verlor aber erneut. Eben noch hatte er zehntausend gewonnen und zwei Minuten später siebentausend wieder verloren. Nach mehr als zwei Stunden, in denen James sich auf die Karten konzentriert hatte, begannen seine Augen zu brennen. Theoretisch wusste er zwar, dass die Chancen beim Kartenzählen immer die gleichen waren und dass die Wahrscheinlichkeit letztlich immer gewann, ob man nun zehn Dollar setzte oder eine Million. Aber seine Nerven lagen blank, als er beobachtete, wie Kazakov bei jedem Spiel den Preis eines Gebrauchtwagens setzte.

James riss sich zusammen und sendete Kazakov auch weiterhin die Signale zu erhöhen oder zu verringern, je nachdem, wie ihre Chancen standen. Und Kazakov hörte auf ihn und gewann noch ein paar Spiele. Währenddessen kamen wieder mehr Leute an den Tisch, die jedoch jeweils nur zwei- bis fünfhundert pro Spiel setzten, was die Aufmerksamkeit etwas ungünstig auf Kazakovs größere Einsätze lenkte.

Als die Croupière mischte, sah James erneut auf die Uhr: Dies würde ihre letzte Runde werden. Prompt verbesserte sich das eben noch nichtssagende Zahlenverhältnis noch einmal zu ihren Gunsten und Kazakov begann, in jedem Spiel das Limit von fünftausend zu setzen.

Er gewann acht von zehn Spielen, einschließlich eines Blackjacks. Zweiunddreißigeinhalbtausend Dollar in acht nervenzerreißenden Minuten.

»Ich mache jetzt Schluss und gehe nach Hause«, verkündete die Rezeptionistin. »Wenn du deine Hausaufgaben noch ausdrucken willst, musst du es jetzt tun.«

Gebannt von der plötzlichen Glückssträhne hatte James gar nicht bemerkt, dass sie hinter ihn getreten war und ihm jetzt über die Schulter sah.

»Oh ja…«, stammelte James und sah sich nervös um, während er versuchte, mit einem Auge die Karten im Blick zu behalten. »Ich bin gleich fertig. Keine Umstände, ich kann die Arbeit in meinem Zimmer ausdrucken, wenn ich zurück bin.«

»Was machst du denn da?«, fragte sie misstrauisch. »Sieht nicht gerade nach Hausaufgaben aus.«

Hastig klappte James den Laptop zu.

»Das ist privat«, stieß er hervor. »Internet, Webcam …«

Damit machte er sich zwar erst recht furchtbar verdächtig, aber er war sich nicht sicher, wie viel sie bereits wusste. Hatte sie nur einen kurzen Blick auf den Bildschirm erhaschen können und dabei lediglich bemerkt, dass er keinen Geschichtsaufsatz tippte – oder hatte sie genug gesehen, um zu erkennen, dass da eine Kamera auf einen Blackjack-Tisch gerichtet war?

Die Rezeptionistin war nicht sonderlich groß und James überlegte, dass er sie KO schlagen könnte, damit sie ihn nicht verriet. Aber als sie sich von ihm abwandte, um die letzten Laserdrucker auszuschalten, schien sie nicht weiter beunruhigt.

James nahm sein Handy und rief Kazakov an.

»Lösen Sie die Chips ein und holen Sie das Auto«, flüsterte er schnell. »Vielleicht bin ich paranoid, aber die Rezeptionistin könnte etwas gesehen haben und ich will kein Risiko eingehen.«

»Wo sollen wir uns treffen?«

»Holen Sie einfach den Wagen und gehen Sie raus«, verlangte James nervös. Als er über die Schulter blickte, sah er zu seinem Entsetzen, dass die Rezeptionistin vorne am Telefon mit jemandem sprach. »Ich sage Ihnen, wo wir uns treffen, sobald ich sicher bin, dass mir niemand folgt.«

38

James stopfte den Laptop in seinen Rucksack und lächelte die Rezeptionistin an, als er das Business-Center hastig verließ. Dabei hielt er sich strikt an alle Regeln, die er in seiner Ausbildung gelernt hatte: Er setzte sich eine Sonnenbrille und eine blaue Baseball-kappe auf und sah nach unten, damit er auf den Bildern der Überwachungskameras nicht erkannt werden konnte.

»Vielen Dank für Ihre Hilfe, Miss.«

Die Rezeptionistin war immer noch am Telefon, sah auf und nickte ihm zu. Ihr Gesichtsausdruck ließ sich nicht deuten.

James überlegte fieberhaft: Was hatte sie auf seinem Laptop gesehen? Rief sie gerade den Sicherheitsdienst des Casinos an, um ihn zu verpfeifen? Oder vielleicht doch nur ihren Freund, um ihm zu sagen, dass sie nicht früher nach Hause gehen konnte, weil da so ein dämlicher Schüler an seinen Hausaufgaben herumstöpselte?

Wie auch immer, er konnte es nicht riskieren, auch nur eine Minute länger zu bleiben, um es herauszufinden. Kazakov hatte das Casino vom hinteren Parkplatz aus betreten und würde jetzt gute zehn Minuten brauchen, um zum Schalter zu gehen und seine Chips gegen Dollar einzutauschen, und dann noch einmal fünf oder sechs, um das Auto zu holen.

Aber selbst wenn die Casino-Security informiert worden war, würde sie länger brauchen, um sich die Überwachungsbänder vom frühen Abend anzusehen und Kazakov anhand der Beschreibung der Rezeptionistin ausfindig zu machen. Und auch wenn sie Kazakov dann fanden, hätte er Kamera und Signalgeber längst weggeworfen, sodass es unmöglich sein würde, ihm irgendetwas nachzuweisen.

In den meisten Hotels befand sich die Rezeption am Haupteingang, jedoch nicht unbedingt in Las Vegas, wo die Casinos mehr Wert auf optimale Vergnügungsmöglichkeiten legten als auf bequeme Übersichtlichkeit. James blieb vor einem Schild stehen, auf dem unzählige Pfeile zu Theatern, Parkplätzen, Sehenswürdigkeiten, Restaurants, Spas und verschiedenen

Hotels wiesen, aber so etwas wie ein Ausgang schien nicht gefragt zu sein.

Also verließ James sich auf seinen Instinkt. Er war ebenso wie Kazakov vom hinteren Parkplatz aus gekommen, wenn er also in die entgegengesetzte Richtung ging, musste er irgendwann auf den Strip stoßen.

Sein Weg führte ihn an einer Reihe von Restaurants vorbei, die mit Computerleuten und vereinzelten Touristen vollgestopft waren. Danach kam er in einen spektakulären Innenhof mit einem riesigen Marmorspringbrunnen unter der Glaskuppel. Pärchen gingen Arm in Arm, ein Casino-Angestellter spielte auf einem Akkordeon und ein paar kleine Kinder standen am Brunnen, warfen Münzen hinein und bespritzten sich mit Wasser.

Der nächste Wegweiser zeigte nach links in eine Shopping-Mall und nach rechts zu einem anderen Teil des riesigen Casinos, doch als James um den Springbrunnen herumging, entdeckte er Förderbänder und ein Schild mit der Aufschrift *3-D-Kino und Strip*.

Er sah sich unauffällig um, als bewunderte er den Brunnen. Nichts wies darauf hin, dass ihm jemand gefolgt war. James war erleichtert. Vielleicht hatte er ja nur ein wenig paranoid reagiert. Da entdeckte er einen Toilettenwegweiser, dem er nach dem reichlichen Buffet und den drei Stunden im Business-Center dankbar folgte.

Rasch schlüpfte er in den Gang hinein, der zu einem luxuriösen Waschraum mit mehr als fünfzig Urinalen führte. Über jeder Schüssel leuchtete blaues Neonlicht und zwischen den Waschbecken lagen frische Handtücher auf Edelstahlregalen bereit. James feuchtete eines davon an und rieb sich über seine angestrengten, brennenden Augen. Dann trocknete er sich die Hände ab und lief den Gang zurück zum Springbrunnen.

Am Ende des Ganges standen drei Männer in schwarzen Anzügen, die Funkgeräte und Namensschilder mit dem Logo des Casinos trugen. Sie sahen nicht zu James herüber, und er beschwor sich, ruhig zu bleiben, während er sich nach einem Notausgang umsah. Doch nachdem er an den ersten beiden Männern vorbeigekommen war, verstellte ihm der dritte den Weg.

»Entschuldigung«, sagte er. Auf seinem Namensschild stand: *Joseph – Sicherheitsdienst*. Er war schon ein wenig älter, sah aber gut trainiert aus.

»Ich?« James lächelte unschuldig, während ihm der Schweiß im Nacken ausbrach.

Der Laptop in seinem Rucksack war voller Beweise. Sie brauchten zwar Kazakovs Passwort, aber das war kein Problem für jemanden, der sich ein bisschen damit auskannte. Und dann würden sie die Überwachungssoftware finden, und auch wenn James keine Videoaufzeichnung gemacht hatte, konnten sie aus dem Arbeitsspeicher bestimmt einige Sequenzen des Blackjack-Spiels wiederherstellen.

»Würdest du wohl bitte mit uns kommen«, befahl Joseph freundlich. »Wir würden dir gerne ein paar Fragen stellen.«

»Es tut mir leid«, sagte James und kratzte sich am Kopf. »Worum geht es denn? Es ist nämlich so, dass ich mich hier mit meinem Vater treffen soll.«

Währenddessen wurde James von den Leuten, die den Gang zu den Toiletten aufsuchten, offensichtlich für einen Laden- oder Taschendieb gehalten und misstrauisch beäugt.

»Komm einfach mit in mein Büro«, erwiderte der Security-Mann. »Es sind nur ein paar Fragen, wahrscheinlich handelt es sich um ein Missverständnis.«

James überlegte blitzschnell. Wenn sie ihn mit dem Laptop im Büro festhielten und die Cops riefen, war er erledigt. Mit etwas Glück würde ihm CHERUB zwar den Hals retten, um unangenehme Fragen wegen der Überwachungssoftware zu vermeiden, und er konnte nach England zurückfliegen, wo ihn Zara vom Campus werfen würde. Aber wenn er Pech hatte, würde CHERUB ihn hier verrotten lassen, als warnendes Beispiel für alle anderen Cherubs, ihre Ausbildung niemals zu kriminellen Zwecken einzusetzen.

Da ihm keine der beiden Möglichkeiten gefiel, ging James zum Angriff über. Der größere der beiden Männer hinter ihm griff nach seinem Arm, doch James warf sich nach hinten und traf ihn mit dem Ellbogen ins Gesicht. Noch während der Mann stürzte, rannte James zu den Förderbändern hinüber.

Die langen, ansteigenden Bänder erinnerten ihn an die Förderbänder auf Flughäfen, nur dass diese hier zu beiden Seiten von Plasmabildschirmen gesäumt waren, auf denen die Vergnügungen des Vancouver-Casinos angepriesen wurden; außerdem begrüßte eine geschmeidige Stimme die Neuankömmlinge und forderte diejenigen, die das Haus verließen, dazu auf, bald wiederzukommen.

»Weg da!«, schrie James und eine Mutter riss ihren Achtjährigen aus dem Weg.

Zwei der Security-Männer waren keine zehn Meter hinter ihm, doch der dritte und größte lag immer noch am Boden und sah Sterne. James hätte seinen beiden nicht mehr ganz jungen Verfolgern leicht davonrennen können, wenn nicht ständig Leute im Weg gewesen wären, die er zur Seite schubsen oder anschreien musste, sodass die Männer stetig aufholten.

Nach ungefähr der Hälfte der Strecke mündete das Förderband in eine Brücke mit Glasbrüstung, die außerhalb des Casino-Gebäudes in etwa zehn Meter Höhe über Hecken und Blumenbeete führte. Immerhin konnte James jetzt ein gutes Stück rennen, bis sich vor ihm zwei kräftige Männer auf sein Rufen hin umdrehten und ihre Gesichter ihm verrieten, dass sie ihm auf keinen Fall Platz machen würden.

Die Security-Leute waren jetzt keine fünf Meter mehr hinter ihm und James wusste, dass sie ihn erwischen würden, noch bevor er die beiden Männer niederschlagen und weiterlaufen konnte.

Er sah nach unten und überlegte, ob er einfach hinunterspringen sollte, doch der Park war mit Betonsteinen eingefasst und stand voller Scheinwerfer, die die Fassade des Casinos in der Dunkelheit anstrahlten.

Ein paar Sekunden bevor er zwischen den Männern in der Falle saß, hechtete James auf die Brüstung und über eine zwei Meter breite Lücke auf das andere Förderband, das die Leute in die Gegenrichtung mitnahm.

Er schlug mit dem Kopf auf die geriffelte Metallfläche des Förderbandes auf und der Laptop fiel krachend aus dem Rucksack, dessen Reißverschluss er nicht ganz zugezogen hatte. Er packte ihn schnell und rannte gegen die Laufrichtung des Bandes durch die Menge. Nach fünfzig Metern hatte er trotz allem einen Vorsprung auf die Sicherheitsleute gewonnen, bis er plötzlich auf eine große Gruppe älterer Damen stieß.

Jede Menge Schimpfworte und ein kräftiger Hieb von einem Gehstock prasselten auf ihn ein, als er sich zwischen den Hintern hindurchkämpfte, die ihm teilweise so breit erschienen wie das Förderband. Als er endlich an den alten Mädchen vorbei war, lagen die restlichen zwanzig Meter des Förderbandes leer vor ihm. Doch seine Freude war nur von kurzer Dauer, als er zwei junge und ziemlich fit aussehende Security-Leute am Ende entdeckte.

Die beiden, die hinter ihm her waren, liefen parallel

zu ihm auf dem anderen Band. James überlegte, ob er umdrehen sollte, doch im gleichen Moment wurde ihm klar, dass er auch in der anderen Richtung mit Security-Empfang rechnen konnte. Er hatte nur eine einzige Chance.

Mit einem kurzen Blick nach unten ging er sicher, dass er nicht auf einer Zaunspitze, einem Scheinwerfer oder scharfkantigen Betonsteinen landen würde, dann schwang er sich über die Glasbrüstung des Förderbandes und ließ sich zehn Meter tief in den Park fallen. Er landete im Stockdunkeln, Äste knackten und er spürte einen scharfen Schmerz, als ein Bambusrohr seinen Rücken zerkratzte.

Er rappelte sich auf und erkannte zu spät, dass er sich noch gar nicht auf dem Boden befand. Er stürzte seitwärts und stieß einen Schrei aus, als er einen Schritt in die Luft machte.

James fiel von einer niedrigen Hecke in ein Blumenbeet, während die Security-Leute von oben ins Dunkle hinab spähten. Glücklicherweise hatten sie weder Taschenlampen noch Lust hinterher zu springen.

James klaubte den Laptop aus den abgebrochenen Zweigen und steckte ihn wieder in den Rucksack, dann schlich er sich geduckt zwischen Blumen, Büschen und Sträuchern hindurch. Eine Minute später hatte er die Dunkelheit hinter sich gelassen und fand sich am Rand eines großen, kunstvoll angelegten Blumenbeetes wieder, das zu dem Gehweg am Strip hin anstieg, auf dem kaum dreißig Meter entfernt die Fußgänger spazierten.

Das Blumenbeet war von Scheinwerferlicht hell erleuchtet und die Blumen – die alle unecht waren, wie James aus der Nähe erkannte – bildeten unter einer großen kanadischen Flagge die Worte: *Vancouver Las Vegas – Lebe deinen Traum!*

James schlich sich so nahe wie möglich an den Zaun heran, der den Park vom breiten Gehweg des Strips trennte. Die Freiheit war verlockend nahe, doch der Zaun ragte fünf Meter in die Höhe, wobei der obere Teil auch noch mit klebriger Teerfarbe gestrichen war, die das Hinaufklettern verhindern sollte.

Die Sicherheitsleute waren ihm zwar vom Förderband nicht in die Tiefe gefolgt, aber sie hatten gesehen, wohin er verschwunden war, also würde es bestimmt nicht lange dauern, bis ihn ihre Kollegen im Park suchten. Er überlegte, ob er Kazakov anrufen sollte. Doch selbst wenn der Trainer einen Plan gehabt hätte, wäre er doch niemals vor der Security bei ihm gewesen.

Also blieb James nichts anderes übrig, als den Park nach einem Ausgang abzusuchen. Er schlich den Weg zurück, den er gekommen war und hielt sich an einen schmalen Pfad hinter den Hecken, um vom Strip aus nicht gesehen zu werden.

Auf der anderen Seite der beiden Glasbrücken, von deren Förderband James gesprungen war und unter denen er nun den Park durchquerte, befand sich ein noch größerer Bereich mit Büschen und Rasenflächen, und über James ragte das weiße Hochhaus des Hotels auf. Er zuckte zusammen, als er hörte, wie sich eine Feuertür öffnete und er gleich darauf eine Taschenlampe aufblitzen sah.

Plötzlich erklang von oben ein Rasseln und Licht leuchtete auf. Im ersten Moment dachte James, dass es etwas mit der Suche nach ihm zu tun hatte. Bis er erkannte, dass sich fünfzehn Meter über ihm ein schmaler Betonfahrbalken befand, auf dem sich eine Einschienenbahn mit vier Waggons rasselnd näherte. Dann bremste der Zug ab, um in den Bahnhof des Vancouver-Casinos einzufahren.

James folgte den Schienen über ihm durch den Park bis zu der Stelle, an welcher der Bahnhof an das dritte Stockwerk des Hotels anschloss. Erfreut stellte er fest, dass die Notausgangstreppe zwischen den Bahnsteigen lag und in der hintersten Ecke des Parks endete. Hinter James leuchteten drei Taschenlampen durch die Büsche und er begann zu rennen.

Er hoffte, dass die Treppe zu einem Notausgang führte, der wiederum direkt in die Straße mündete. Doch auf dem Betonboden waren nur Pfeile aufgemalt, die auf einen breiten Pfad im hinteren Teil des Parks wiesen.

James war wütend. Irgendwo im Dunkeln musste er den Notausgang verfehlt haben, doch da ihm die Suchteams bereits auf den Fersen waren, konnte er nicht mehr umdrehen und danach suchen. Er konnte nur noch die Treppe hinauf stürmen und hoffen, dass er den Zug erwischte, bevor er wieder abfuhr – vorausgesetzt, dass nicht auch aus dieser Richtung Sicherheitsleute kamen.

James stieg über ein Tor am Fuß der umzäunten Betontreppe und raste die sechzig Stufen – jeweils zwei auf einmal nehmend – hinauf. Oben führte eine Glastür zu dem breiten Bahnsteig, von dem aus die letzten Passagiere in den wartenden Zug stiegen.

Am anderen Ende des Bahnsteigs schloss sich bereits eine Automatiktür, damit niemand mehr in den Einstiegsbereich kam. Gleich würden sich auch die Zugtüren schließen. James schoss durch die Glastür, wodurch er einen schrillen Alarm auslöste, und erreichte in letzter Sekunde den Bahnsteig. Er zwängte sich gerade noch zwischen die Türen und klemmte sich die Schulter ein, die Türen piepten und eine Bandansage mahnte ihn, sie nicht zu blockieren. Die anderen Fahrgäste sahen ihn verwundert an, während er sich befreite und schließlich in einem der geräumigen Abteile im vorderen Zugteil stand. In diesem Moment begann der Elektromotor unter dem Boden zu summen und der führerlose Zug glitt leise aus dem Bahnhof.

James hatte keine Ahnung, wie sehr er schwitzte, bis er sich setzte und bemerkte, dass sein T-Shirt an der Plastiklehne seines Platzes klebte. Noch bevor er wieder richtig zu Atem gekommen war, klappte er den Laptop auf. Der Zug wurde schneller, fuhr am

Haupteingang des Casinos vorbei und tauchte dann schwungvoll auf eine große, offene Fläche ab, auf der zu beiden Seiten parkende Autos an ihnen vorbei glitten.

»*Der nächste Halt ist das Reef. Wir bitten alle Passagiere, sich festzuhalten, wenn der Zug zum Stehen kommt.*«

James ignorierte die Durchsage vom Band. Während sie durch die Nacht glitten, spiegelten sich die blinkenden Casino-Lichter in den gewölbten Fensterscheiben des Zuges.

James klickte auf das Menü in der Hoffnung, dass Kazakovs Computer über dieselben Sicherheitsprogramme verfügte wie die der CHERUB-Agenten und der Einsatzleiter.

Denn mit dem einfachen Löschen der Daten war es nicht getan. Bei diesem Vorgang bekam der Computer nur die Anweisung, die Daten wenn nötig überschreiben zu können. Doch selbst wenn die Dateien sechsmal überschrieben wurden, waren sie nicht völlig verschwunden, sondern jederzeit von Computerspezialisten wiederherstellbar.

James war erleichtert, als er auf ein Datenvernichtungsprogramm stieß. Er öffnete es und klickte sieben von über fünfzig Optionen an:

Alle Daten und Activity-Logs löschen
Gesamtes Cache und User-Records löschen
Alle eigenen Dateien löschen

*Schnelle Methode zur vorläufigen Daten-
vernichtung verwenden
Daten mit DOD Standard 5220.22-M vollständig
löschen
Schlummerfunktion ausschalten, bis die
Datenvernichtung durchgeführt ist
Programm nach Ausführung löschen und alle
Spuren der Löschung vernichten*

James klickte auf *Start* und auf dem Monitor leuchtete ein Warnhinweis auf:

*Vorläufige Datenvernichtungsdauer auf diesem
Computer voraussichtlich 28 Minuten – Fragmente
können danach immer noch lesbar sein.*

*Vernichtung nach DOD Standard 5220.22-M über-
schreibt alle Daten 35 Mal und benötigt ungefähr
11,3 Stunden. (Dies übersteigt die Akkulaufzeit
Ihres Rechners um 8,1 Stunden.)*

Der Prozess ist irreversibel.

Start? Ja/Nein

James klickte auf *Ja* und sah, wie einige Menüs kurz
aufblitzten. Sobald er sicher war, dass die Daten-
löschung in Gang gesetzt war, klappte er den Laptop zu und ließ der Software ihren Lauf. Wenn in

den nächsten achtundzwanzig Minuten niemand den Computer in die Finger bekam, würde es selbst ein Spezialist schwer haben, belastende Hinweise auf die Überwachungsaktion zu finden; und Sequenzen des Spiels wiederherzustellen wäre schlichtweg unmöglich.

Der Zug neigte sich nach rechts und wurde langsamer, um in den Bahnhof des Reef-Casinos einzufahren. Zu James' Überraschung blieb er über einer sechsspurigen Straße direkt an einer Ampel stehen, vor der sich der Verkehr staute. Das war nicht der Bahnhof des Reef und auch keine andere reguläre Haltestelle.

»Was ist los?«, wunderte sich einer der drei weiteren Fahrgäste in seinem Abteil. Nervös nahm James sein Handy aus der Tasche und überlegte, ob er Kazakov anrufen sollte.

Da ertönte eine Durchsage, die diesmal nicht vom Band kam. »Meine Damen und Herren, bitte entschuldigen Sie die Unannehmlichkeiten dieser Verzögerung. Leider meldet unser Computersystem ein kleineres Problem mit diesem Zug, und einer unserer Schutzschalter hat ein Sicherheitssystem ausgelöst. Es gibt keinen Grund zur Beunruhigung, aber wir werden den Zug einen Augenblick lang anhalten müssen, während wir den Motor ausschalten und die Steuerungssoftware neu hochfahren.«

James wusste, dass daran etwas faul war. Als er durch die Glastür gestürmt war, hatte er Alarm ausgelöst, und seitdem hatten die Sicherheitsleute genügend Zeit gehabt, sich die Videoüberwachung anzusehen und ihn zu identifizieren. Doch den wahren Grund für diesen Halt verschwiegen sie natürlich, um jegliche Panik zu vermeiden.

James sah sich verzweifelt im Abteil um, während er Kazakovs Nummer wählte, um ihm den Stand der Dinge mitzuteilen. Als er es am anderen Ende der Leitung klingeln hörte, entdeckte er die schwarze Überwachungskamera in der Decke und ihm dämmerte, dass die Sicherheitsteams wahrscheinlich jede seiner Bewegungen beobachteten. Wahrscheinlich warteten sie nur darauf, dass bewaffnete Polizisten auf dem Bahnsteig eintrafen, bevor sie den Zug einfahren ließen.

Als er seinen Blick wieder senkte, fiel ihm ein grüner Hammer hinter Glas auf. Darunter stand die Anweisung, wie man damit im Notfall die Scheiben einschlagen konnte.

»Wo sind Sie?«, fragte James besorgt, als Kazakov endlich ans Telefon ging.

»Das Wechseln hat ewig gedauert«, stöhnte Kazakov. »Ich musste ein Formular ausfüllen, bevor sie mir meinen Gewinn ausgezahlt haben. Offensichtlich Geldwäscheregeln. Ich bin im Auto und fahre die Rampen im Parkhaus hinunter.«

»Gut«, sagte James, presste das Gesicht an die Scheibe und legte die Hand an die Augen, um trotz der sich spiegelnden Lichter etwas zu erkennen. Er flüsterte, damit ihn die Fahrgäste am anderen Ende des Abteils nicht hören konnten. »Die Security ist hinter mir her. Ich sehe ein großes Denny-Restaurant an der Nordseite des Reef-Drives ungefähr fünfhundert Meter vor der Kreuzung zum Strip. Ich versuche, mich da mit Ihnen zu treffen.«

»Wo bist du jetzt?«, wollte Kazakov wissen.

»Keine Zeit für Erklärungen«, erwiderte James knapp. »Seien Sie nur in fünf Minuten da.«

Er steckte das Handy ein und rammte dann seinen Ellbogen gegen das Glas über dem Hammer.

39

Da James nicht länger beobachtet werden wollte, schwang er den Hammer zuerst gegen die Überwachungskamera. Nach zwei Schlägen brach das Gehäuse auseinander – und einer der Fahrgäste sprang von seinem Platz auf.

»Was zum Teufel machst du da?«

James versuchte, möglichst bedrohlich auszusehen.

»Ich werde Ihnen nichts tun«, sagte er. »Hinsetzen!«

Doch sein Gegenüber war groß und ließ sich von einem Sechzehnjährigen nicht einschüchtern. James war hin- und hergerissen: Wenn er auf einer Mission zuschlagen musste, dann diente das letztendlich einem guten Zweck, aber wie war das jetzt? Es gefiel ihm nicht, jemandem die Nase einzuschlagen, nur damit er ein paar schnelle Dollar machen konnte.

Der Kerl blieb einen Augenblick lang stehen und James dachte schon, dass seine Drohung doch gewirkt hätte. Als er aber mit dem Hammer die Kamera aus der Halterung riss, trat der Mann einen Schritt näher und versetzte ihm mit beiden Händen einen Stoß.

James war verzweifelt. Er konnte sich unmöglich einfach hinsetzen und auf die Handschellen warten, also schlug er zu. Nach einem harten Schlag ins Gesicht rammte er ihm das Knie in den Magen, und der Mann krümmte sich und taumelte zurück. Ein letzter Stoß ließ ihn mit dem Kopf gegen die erste Tür schlagen.

»Ich habe Sie gewarnt, sich da rauszuhalten«, brüllte James ihn an, als seine Frau aufschrie. »Und die da soll gefälligst mit dem Krach aufhören!«

Es war einer der furchtbarsten Momente in James' Leben. Er hatte Angst. Er hatte jemanden geschlagen, der ihn nur daran hindern wollte, den Zug zu demolieren. Trotz einer langen Reihe von schlechten Entscheidungen und dummen Handlungen schien dieser Moment der schlimmste zu sein.

Doch das bedeutete nicht, dass James bereit war, aufzugeben und sein ganzes Leben in den Sand zu setzen. In einer Ecke des Fensters klebte ein dreieckiger Aufkleber mit einem roten Punkt in der Mitte, um den herum zu lesen war: *Hier einschlagen*.

James schlug kräftig zu. Der erste Schlag ließ das Verbundglas splittern, der zweite verwandelte es in ein Netz aus kleinen Scherben. James trat zurück, umfasste mit beiden Händen den Haltegriff über ihm und trat mit beiden Füßen zu. Seine Turnschuhe stießen durch das Glas, drückten das Scheibenrechteck hinaus und ließen es auf die Straße darunter krachen.

James beugte sich durch das Loch, doch was er sah, entsprach ganz und gar nicht seiner Vorstellung. Das einspurige Gleis wurde vom Zugwagen gänzlich umfasst, sodass ihn draußen nur der Sturz auf die sechsspurige Straße in fünfzehn Metern Tiefe erwartete. Nervös sah er zu dem großen Kerl zurück, der an der Tür auf dem Boden saß, sich den Bauch hielt und prüfte, ob seine Sonnenbrille noch heil war.

James war bei der ganzen Sache unwohl. Aber zugleich stellte er sich vor, wie Lauren und all seine Freunde reagieren würden, wenn man ihn hinauswarf – und aus irgendeinem Grund schien ihm diese Erniedrigung schlimmer als das Risiko, zu Tode zu stürzen.

Aus dieser Höhe konnte er definitiv nicht springen. Selbst wenn er sich bei der Landung nicht beide Beine brach, würde er zwei Sekunden später von einem Auto überfahren werden. Er musste also zuerst aufs Dach klettern, um sich von dort irgendwie auf den Betonfahrbalken des Zuges fallen zu lassen.

Auf dem Höhenhindernis des Campus' hatte er zwar schon schwierigere Abschnitte überwunden, doch hier war das Problem, dass er keine Ahnung hatte, ob er überhaupt irgendwo hinunterkommen würde – abgesehen von den Bahnhöfen, an denen bestimmt die Cops auf ihn warteten.

Außen am Zug befand sich ein Haltegriff für die Wartungscrews und Putzteams, die für den Außenbereich zuständig waren. James hielt sich daran fest, trat auf einen Plastiksitz und dann aufs Fensterbrett.

»Du bringst dich um!«, rief die Frau.

»Gut so!«, antwortete der Mann.

James war stark und konnte sich problemlos zum Zug umdrehen und die Beine aufs Dach schwingen. Da die Einschienenbahn ihre Energie von den Gleisen darunter bezog, gab es keine Überleitungen oder Kabel, die ihn daran hinderten, rasch über das gewölbte Dach zum anderen Ende der Bahn zu laufen.

An beiden Enden hatte der Zug eine aerodynamisch abgeflachte Nase. James beugte sich über das Heck, um zu sehen, wie es dahinter weiterging, und blickte direkt in das Gesicht eines etwa sechsjährigen Mädchens, das drinnen auf einem Sitz stand und hinaussah. Sie kreischte erschrocken auf und ein Tourist drehte sich um und filmte James mit seiner Videokamera, als er über die Glasnase glitt und unsicher auf dem etwa einen Meter breiten Betonstreifen vor dem Zug landete.

Erst jetzt wurde ihm klar, dass der Zug mit seinen beiden Nasen in beide Richtungen fahren konnte. Vielleicht erwartete ihn im Reef ein Begrüßungskomittee, aber vielleicht lenkten sie den Zug auch einfach wieder zum Vancouver zurück und überfuhren ihn dabei.

Er durfte nicht darüber nachdenken. Die Elektroschiene und die Antriebe für den Zug waren an beiden Seiten des Fahrbalkens eingebaut, sodass vor James ein schmaler, aber völlig ebener Streifen Beton lag, der sich in der Dunkelheit verlor.

Rennen wäre zu gefährlich gewesen, daher ging er so schnell wie möglich bis zu dem ypsilonförmigen Stützpfeiler des Fahrbalkens zwanzig Meter hinter dem Zug. Jeder Arm des Y trug eines der Gleise, aber es gab weder Fußstützen noch Sprossen, an denen er hätte hinunterklettern können. Selbst wenn er in die Gabel des Y gerutscht wäre, wäre er noch zu hoch oben gewesen, um zu springen.

Als er weiterging, hörte er ein verdächtiges Rumpeln. Zuerst dachte er, sein Zug würde ihn tatsächlich verfolgen, doch es war ein anderer, der aus dem Bahnhof beim Reef auf einer zweiten, gegenüberliegenden Spur angefahren kam. Er beschleunigte stark und als er an ihm vorbeisauste, war er an die achtzig Stundenkilometer schnell. Der Luftzug ließ James zusammenkauern und sich an den Seiten des Betonstreifens festhalten.

Als er sich wieder aufrichtete, suchte er erneut verzweifelt nach irgendeiner Stütze mit Sprossen oder einem Punkt, an dem die Gleise über ein Gebäude führten, sodass er auf ein Dach springen konnte. Während sich der Zug auf dem Nebengleis entfernte, entdeckte James im Schein der Rücklichter endlich einen möglichen Ausweg: Keine fünfzig Meter weiter war unter den Schienen eine alte Reklametafel für einen Call-Girl-Service angebracht.

James warf nervös einen Blick nach hinten und joggte dann auf das Schild zu. Der Zug bewegte sich zwar nicht, aber vom Strip bogen drei Polizeiwagen mit blitzenden Blaulichtern auf den Reef Drive ein.

Die Tafel war etwa zehn Meter hoch, aus Aluminiumblech und wurde von drei hölzernen Streben gehalten, die auf dem Dach eines Fast-Food-Restaurants befestigt waren. Sie endete nur ein paar Zentimeter unterhalb des Fahrbalkens. James ließ sich über den Betonrand gleiten und setzte den Fuß auf das Aluminium.

Da die Reklametafel dem Wüstenwind standhalten musste, wusste er, dass sie sein Gewicht tragen würde. Doch er erschrak trotzdem, als er den Aluminiumholm am oberen Rand der Tafel packte: Der ganze Rahmen bog sich und das Aluminium wölbte sich unter seinem Gewicht.

Das nächste Stück, das er zu bewältigen hatte, erinnerte ihn an das Herunterrutschen an der Stange des Campus-Höhenhindernisses, außer dass man hier – um die Sache ein wenig komplizierter zu gestalten – auch noch an den Scheinwerfern vorbei musste, die oben an der Tafel montiert waren. Die Gehäuse waren so heiß, dass James aufpassen musste, um sich nicht daran zu verbrennen, und Schwärme von Wüstenmotten schwirrten darum herum.

James brauchte eine halbe Minute für die drei Meter vom Gleis bis zu einer der hölzernen Streben. Er hielt sich an der Seite fest und rutschte langsam an der um fünfundvierzig Grad geneigten Holzstrebe hinunter, bevor er sanft auf dem Flachdach des Fast-Food-Restaurants landete.

Abseits des Strips waren die Straßen von Las Vegas relativ einsam. Soweit James es beurteilen konnte, hatte ihn niemand hinunterklettern gesehen, aber die Polizei würde natürlich ziemlich schnell herausfinden, welchen Weg er genommen hatte, wenn sie mit den Taschenlampen auf die Schienen leuchtete.

James duckte sich und schlich über das Dach des einstöckigen Gebäudes. Als er über die Regenrinne sah, bemerkte er erfreut, dass er sich an einer Ziegelmauer vor einem leeren Parkplatz befand und nicht etwa an einer Seite mit Glasfenstern, hinter denen die vielen Gäste saßen.

Er sprang vom Dach und lief zur Vorderseite, während ihm der Geruch von Essensresten und Frittieröl in die Nase stieg. James stellte fest, dass hier eine ganze Reihe von Fast-Food-Restaurants um einen kleineren Parkplatz hinter dem Reef Drive herum gebaut waren.

An den Tischen vor den Restaurants saßen die Gäste in der kalten Nachtluft und genossen ihre Burger und Hühnchen und achteten nicht auf James, der sich bemühte, sein Aussehen zu verändern. Er nahm die Baseballkappe ab und zog sich das dunkle Sweatshirt aus, unter dem er ein helloranges Polohemd trug.

Der Weg von hier führte direkt zum Reef Drive. An den Casinos am Strip erstrahlten die Lichter und davor verliefen die Zuggleise und der erhöhte Gehweg. James' Zug fuhr jetzt im Schritttempo in den Bahnhof am Reef ein, während direkt unter der Brücke zwei Polizeiwagen parkten. Wegen des zerschmetterten Zugfensters hatten sie eine Seite der Straße gesperrt.

James ging an ein paar Souvenirläden vorbei auf das hell erleuchtete Dennys-Schild zu und wartete auf eine Lücke im Verkehr. Er sprang vor einen Reisebus, hechtete über die metallene Leitplanke in der Straßenmitte und ging dann die andere Seite entlang, die von den Cops abgesperrt wurde.

Zu seiner Erleichterung sah er, dass Kazakov in dem schwarzen Ford wartete. Er riss sich den Rucksack von der Schulter und ließ sich auf den Beifahrersitz fallen.

»Was ist passiert?«, stieß Kazakov hervor. »Hast du etwas mit den ganzen Cops da zu tun?«

»Erst fahren, dann reden«, befahl James. »Die finden schnell raus, wohin ich verschwunden bin und dann sperren sie den ganzen Block ab.«

Kazakov setzte aus der Parklücke. »Wenn die Cops hinter uns her sind, sollten wir lieber die Stadt verlassen.«

»Ja«, nickte James, »der Flughafen hier könnte ein

wenig heiß werden. Wir sollten nach Los Angeles fahren. Von da aus gehen jede Menge Flüge nach Großbritannien.«

Kazakov sah James an. »Wir fahren die Nacht durch und nehmen morgen Früh einen Flieger. Du rufst auf dem Campus an und bittest sie dort, uns die Flüge zu besorgen.«

»Mach ich«, stimmte James zu. »Aber was ist, wenn sie fragen, warum wir nicht von Vegas aus fliegen?«

»Mir doch egal«, entgegnete Kazakov, »erzähl ihnen, wir hätten Lust auf eine Rundfahrt gehabt oder so.«

»Und was ist mit dem Auto? Es gehört Fort Reagan.«

»General O'Halloran hat gesagt, wir sollen es am Flughafen stehen lassen. Er hat nicht gesagt, an welchem«, grinste Kazakov.

Die Hauptautobahn zwischen Kalifornien und Nevada verlief auf der westlichen Seite parallel zum Strip. James war zunächst viel zu überwältigt gewesen, um darauf zu achten, wohin sie fuhren. Jetzt bemerkte er überrascht, wie der Wagen beschleunigte. Als er aus dem Fenster sah, erkannte er, dass Kazakov eine Auffahrt auf die achtspurige Interstate 5 genommen hatte.

Es war elf Uhr abends. Es herrschte viel Verkehr, aber es gab keinen Stau und James lehnte sich erleichtert in seinen Sitz zurück und freute sich über den unauffälligen schwarzen Ford. Das Südende des Strips verschwand bereits hinter ihnen und James realisierte zum ersten Mal, dass sie tatsächlich davongekommen waren mit … *Mit was eigentlich?*

Er schoss hoch.

»Wie viel?«, stieß er hervor.

»Die Quittung ist im Handschuhfach«, lächelte Kazakov.

James klappte das Fach auf und fand eine durchsichtige Plastikhülle mit einem Stapel Banknoten darin. Er öffnete die Hülle und warf einen Blick auf die Quittung.

Vancouver-Casino

92 300 $

Bitte beehren Sie uns wieder, wenn Sie in der Stadt sind!

»Nicht schlecht für einen Abend«, fand James grinsend. »Gar nicht schlecht.«

Knapp zehn Minuten vorher hatte er einen der schlimmsten Augenblicke seines Lebens durchgemacht. Er war ein wahnsinniges Risiko eingegangen und fühlte sich immer noch miserabel, weil er den Typ im Zug niedergeschlagen hatte. Doch zugleich erfasste ihn eine Welle der Begeisterung und in seinem Kopf schwirrten tausend Dinge herum, die er sich mit über dreißigtausend Dollar leisten konnte: tolle Klamotten, Ausgehen, teures Essen, nette Kleinigkeiten für Freundinnen, Ferien, ein richtig scharfes Motorrad.

»Erzähl niemandem auf dem Campus davon«, warnte ihn Kazakov. »Und gib das Geld vorsichtig aus. Protz bloß nicht damit herum!«

»Ich weiß, Boss«, lächelte James. »Ich bin ja nicht blöd.«

In diesem Moment scherte ein großer Geländewagen vor ihnen ein und zwang Kazakov, auf die Bremse zu steigen.

»Amerikanischer Idiot!«, brüllte er und drückte auf die Hupe. »Los, ruf endlich auf dem Campus an und besorg uns die Flugtickets«, befahl er James dann. »Ich halte es in diesem Land keinen weiteren Tag aus!«

40

Zehn Tage später

»Herein!«, rief James.

Nach dem Nachmittagsunterricht lag James auf seinem Bett und versuchte, den Gedanken an einen besonders schwierigen Aufsatz zu verdrängen, den er für seinen Englisch-Abschluss schreiben musste.

Lauren betrat das Zimmer. Sie sah müde aus und ihre Haare waren nass, als käme sie gerade aus der Dusche.

»Willkommen zu Hause«, begrüßte James sie lächelnd. »Wie war's? Wie lief der Rest des Manövers?«

Lauren ließ sich auf den Schreibtischstuhl fallen.

»Nicht schlecht.« Sie stieß sich mit ihren Socken

vom Teppich ab, sodass sich der Stuhl langsam mit ihr herumdrehte. »Aber als Kazakov weg war, war's total lahm. Sie haben lauter Sonderregeln eingeführt. Beide Seiten hielten sich streng an die Vorschriften und der amerikanische Befehlshaber hatte natürlich keine Ahnung davon, wozu Cherubs fähig sind. Am sechsten Tag war der Sarge so gelangweilt, dass wir mit den SAS-Leuten eine Minirevolte gestartet, unseren Kommandanten umgebracht und einen Aufstand angezettelt haben.«

»Der alte Rebell!«, grinste James. »Irgendwie habe ich den Eindruck, dass sie uns so schnell nicht mehr nach Fort Reagan einladen werden.«

»Sie haben uns vier Tage früher rausgeschmissen«, erzählte Lauren. »Und das war auch das Beste, was sie machen konnten, denn anstatt gleich zurückzufliegen sind wir noch in Vegas geblieben. Meryl hat dort ja immer noch Freunde und uns Tickets für *Spamalot* und ein paar andere Shows besorgt.«

»Schade, dass ich nicht dabei war«, sagte James.

Da fiel Laurens Blick auf ein bunt gestreiftes Hemd an James' Schrank.

»Paul Smith«, grinste sie. »Das muss an die hundert Pfund kosten. Ziemlich viel für jemanden, der angeblich Jakes Handy abbezahlen muss.«

»Ich hatte eben Glück«, log James. »Ich war mit Kazakov in einem Outlet-Store. Hat nur dreißig gekostet. Ich glaube, sie haben das Teil falsch ausgezeichnet.«

»Nachdem du weg warst, ist Rat auf einer Treppe gestürzt und hat sich am Knöchel verletzt«, sagte Lauren und drehte sich langsam auf dem Stuhl hin und her. »Wir haben schon gedacht, dass er gebrochen sein könnte, deshalb wurde Rat nach Vegas gebracht, um ihn röntgen zu lassen.«

»Und was war?«

»Null Problem«, grinste Lauren. »In Fort Reagan gibt es keine Zeitungen und dieser eine Fernsehsender, den wir da bekommen haben, schien nur eine Art Entwicklungsland zu zeigen. Aber als ich dann im Wartezimmer war, habe ich mir eine Zeitung genommen, um zu sehen, was in der Welt so alles passiert.«

Lauren zog eine halbe Seite der *Las Vegas Sun* aus der Tasche und begann zu lesen. »*Einem Teenager ist die gewagte Flucht aus einer Einschienenbahn gelungen, nachdem er aus dem Vancouver-Casino gejagt worden war. Der Junge soll der Komplize eines Russen sein, der im VIP-Bereich des neuesten Mega-Casinos am Strip einen Kartenzähl-Coup gelandet hatte.*«

Lauren hielt das Bild des Zugwaggons mit dem zerschmetterten Fenster hoch. Darunter waren unscharfe Überwachungskamerabilder der beiden Verdächtigen zu sehen. James kannte die Bilder schon, nachdem er im Internet recherchiert hatte, wie viel die Polizei wusste.

»Na und?«, fragte James und versuchte, nicht zu grinsen.

»Oh, komm schon«, verlangte Lauren. »Ich bin doch nicht blöd! Wenn das das beste Bild von euch beiden ist, dann habt ihr euch gut verkleidet und nicht in die Überwachungskameras gesehen, aber ich *kenne* dich. Und diese dämliche Baseballkappe hattest du schon, bevor Mum gestorben ist.«

James sah sie nervös an. »Du hast davon doch niemand anderem erzählt, oder?«

»Und riskiert, dass man dich rausschmeißt? Natürlich nicht. Du bist vielleicht ein Idiot, aber du bist immer noch mein Bruder.«

»Ich habe eine Menge Geld gemacht«, grinste James. »Dreißigtausend an einem Tag. Wenn ich einundzwanzig bin, brauche ich Kazakov und die Überwachungssoftware nicht mehr, dann kann ich das legal machen. Ich hab mir ein paar Bücher bei Amazon bestellt, in denen die besten Kartenzähltricks stehen, mit denen man noch mehr …«

Lauren unterbrach ihren Bruder und las weiter aus dem Artikel vor: »*Dan Williams, Fischer aus Louisiana, versuchte die Flucht des Teenagers zu verhindern und wurde nach Angaben der Polizei von dem kräftigen Jugendlichen brutal niedergeschlagen. Williams trug zwei gebrochene Rippen davon und musste über Nacht im Krankenhaus bleiben, weil er über Brustschmerzen klagte.*«

James senkte betroffen den Blick. »Das tut mir wirklich wahnsinnig leid. Aber ich hab ihn gewarnt, sich nicht einzumischen.«

Lauren schnaubte verächtlich. »Du musst ja unheimlich stolz auf dich sein.«

»Wir könnten nächste Woche nach London fahren«, schlug James hilflos vor. »Covent Garden, die Designerläden ... und ich bezahle.«

»Nein danke«, lehnte Lauren bissig ab. »Das hätte nur einen ziemlich unangenehmen Beigeschmack. Ich habe wirklich geglaubt, dass du in den letzten Jahren erwachsener geworden wärst. Aber jetzt sieht alles wieder danach aus, als könnte ich dich eines Tages im Gefängnis besuchen.«

»Ich weiß, dass es dumm war«, gab James zu. »Sehr dumm sogar, aber jetzt ist es nun mal, wie es ist. Ich bin nicht stolz darauf, aber ich bereue es auch nicht unbedingt. Und weißt du, das Geld ist in einer Kiste hinter meiner Badeinrichtung, falls du jemals irgendwie Hilfe brauchst.«

»Vielleicht solltest du es lieber einem wohltätigen Zweck spenden.«

James schüttelte entschlossen den Kopf. »Ich habe für dieses Geld meine CHERUB-Karriere und mein Leben aufs Spiel gesetzt. Und außerdem, was interessieren ein Zehn-Milliarden-Dollar-Casino schon dreißig Riesen?«

Lauren holte tief Luft und gähnte ausgedehnt.

»Jetlag«, stöhnte sie. »Ich versuche, wach zu bleiben bis nach dem Essen, aber dann geh ich gleich ins Bett.«

»Wir sehen uns wahrscheinlich unten«, sagte James.

»Ich muss noch einen Aufsatz über Sonette schreiben… Was zum Teufel ist eigentlich ein Sonett?«

»Da winken dir ja mal wieder Bestnoten«, grinste Lauren und ging zur Tür. Doch dann drehte sie sich noch einmal um. »Oh, da ist noch etwas, was dich wahrscheinlich freut.«

»Was denn?«

»Vorgestern«, begann Lauren und unterdrückte ein weiteres Gähnen, während sie sich die Augen rieb. »Vorgestern hatten Bruce und Kerry einen Riesenstreit im Hotel. Sieht ganz so aus, als hätten sie sich getrennt.«

Epilog

Nach einem siebenwöchigen Prozess wurden der Anführer der Street Action Group (SAG), CHRIS BRADFORD, und ein früherer Milizionär, RICH DAVIS (alias RICH KLINE), wegen terroristischer Verschwörung verurteilt.

Bradfords Urteil lautete auf fünfzehn Jahre Gefängnis. Davis bekam angesichts seiner früheren Verurteilungen wegen Terrorismus lebenslänglich, mit der besonderen Empfehlung des Richters, dass er nicht vor Ablauf von fünfunddreißig Jahren entlassen werden sollte.

Ein unabhängiges Gutachten stellte fest, dass die Sicherheitsüberprüfung durch das von LAUREN ADAMS angeführte Team wertvolle Hilfe geleistet hatte, um fahrlässiges Vorgehen, schlecht ausgebildetes Personal und strukturelle Schwächen im neuesten Luftverkehrskontrollzentrum von Großbritannien aufzudecken.

Die Eröffnung des Zentrums wurde um drei Monate verschoben, in denen der Zaun durch eine fünf Meter hohe Mauer ersetzt und mit neuester Überwachungstechnik ergänzt wurde. Der Vertrag mit der Sicherheitsfirma wurde gekündigt, wobei einige der Angestellten, darunter JOE PRINCE, von dem neuen Auftragnehmer übernommen und nach einer gründlichen Weiterbildung wieder vor Ort eingesetzt wurden.

Aufgrund seiner wenig herausragenden Leistung bei der Übung in Fort Reagan wurde GENERAL NORMAN SHIRLEY zu einer zivilen Einheit versetzt. Nach drei Monaten auf seinem neuen Posten ging der General in Frühpension.

Jede zweiwöchige Übung in Fort Reagan kostet über fünfundzwanzig Millionen Dollar und die Taktiken des Red Teamings werden von den Militärberatern noch sorgfältig geprüft. Aber auch wenn General Shirley empört gewesen war und GENERAL SEAN O'HALLORAN sich von der Zerstörung seines Flugplatzes nicht gerade begeistert gezeigt hatte, bezeichnete die US-Planungsabteilung für Militärstrategie die unorthodoxe und hochaggressive Taktik von YOSYP KAZAKOV als ein hervorragendes Beispiel für den Guerillakrieg.

Kazakov wurde ein hochbezahlter Posten als Berater der US-Armee im Pentagon, Washington DC, angeboten, doch er lehnte mit der Begründung ab, dass ihm sein Job bei CHERUB gefiele und er es sich nicht vorstellen könne, in Amerika zu leben.

Das Sicherheitsbüro des Vancouver Hotel und Casino konnte nur die Zeugenaussage einer Rezeptionistin vorweisen, um die polizeiliche Untersuchung des möglichen Betrugs durch einen russischen Verdächtigen zu veranlassen. Keines ihrer elektronischen Störungsgeräte oder Signalfindungsgeräte hatte irgendeine Art der Videoübertragung verzeichnet.

Der Sicherheitschef des Casinos schloss daraus, dass die topaktuellen und den höchsten technischen Standards entsprechenden Schutzsysteme des Vancouver nur von hochempfindlichen Überwachungsgeräten überlistet werden konnten, wie sie von Geheimdiensten wie dem MI5 oder der CIA eingesetzt werden. Deshalb befand er das Risiko, dass sich das normale Publikum derartiger Geräte bediente, für verschwindend gering.

Das Vancouver-Hotel erstattete Anzeige gegen einen Jugendlichen, der eine Überwachungskamera und ein Fenster in einem ihrer Züge beschädigt hatte.

Der Fischer DAN WILLIAMS verklagte die Besitzer des Vancouver Hotels auf Schadenersatz und behauptete, dass sie es in Kauf genommen hätten, ihn durch das Anhalten des Zuges mit einem gefährlichen und möglicherweise gewalttätigen Kriminellen zusammenzusperren, ohne Rücksicht auf seine Sicherheit oder die der anderen Fahrgäste.

Williams einigte sich außergerichtlich auf eine Summe von 375 000 Dollar. Zwei weitere Fahrgäste, darunter Williams' Frau, erhielten Zahlungen in Höhe von je 114 000 Dollar.

DANA SMITH und MICHAEL HENDRY trennten sich nach vier Wochen. Michael bat GABRIELLE O'BRIAN um Verzeihung, doch sie meinte, das könne er vergessen.

JAMES ADAMS feilt derzeit weiter an seinen Blackjack-Fähigkeiten und hat seinen engsten Freunden von seinem Lebenstraum erzählt, mit einer Harley Davidson durch Amerika zu kurven und mit dem Kartenzählen Millionen zu machen. Dabei betont er immer wieder, dass zwar der Einsatz von Überwachungsgeräten illegal ist, um ein Casino zu betrügen, das Zählen der Karten aber nicht.

Weitere Bände sind in Vorbereitung.
Nähere Angaben dazu auf den folgenden Seiten.

Robert Muchamore
Top Secret
Die Rache

Band 11, ca. 380 Seiten, ISBN 978-3-570-30826-4

Cherub-Agent Dante Scott hat eine düstere Vergangenheit –
die ihn prompt einholt, als er sich zusammen mit Lauren und James
undercover in eine Motorrad-Gang einschleusen soll: ausgerechnet
in jene Gang, deren brutaler Boss Dantes Familie ermordet hat!
Seitdem sind zwar einige Jahre vergangen, doch die Zeit hat Dantes
Wunden noch lange nicht geheilt. Und jetzt ist er bereit, alles dafür
zu tun, um seine Familie zu rächen ...

www.cbt-jugendbuch.de

Robert Muchamore
Top Secret
Die Entscheidung

Band 12, ca. 380 Seiten, ISBN 978-3-570-30830-1

James' letzte Mission als Cherub-Agent führt ihn auf eine tropische
Insel. Doch statt Traumstränden erwartet ihn ein Albtraum:
Er soll die Familie des korrupten Regierungschefs bewachen, der
aus einer Tsunami-Katastrophe rücksichtslos Kapital schlagen will.
Als ihn dann auch noch Ex-Cherub Kyle in einen höchst riskanten,
inoffiziellen Plan einweiht, muss James sich entscheiden – zwischen
seiner Loyalität zu CHERUB und seinem besten Freund ...

www.cbt-jugendbuch.de

30054

Robert Muchamore
Top Secret

Sein Name ist Adams. James Adams. Und er ist Mitglied
der Spezialeinheit CHERUB des britischen Geheimdienstes,
die Jugendliche zu Undercover-Agenten ausbildet.
Die jungen Agenten werden weltweit immer da eingesetzt,
wo sie als unverdächtige Jugendliche brisante Informationen
beschaffen können. Doch vorher müssen sie sich in einer
harten Ausbildung qualifizieren!

Der Agent
384 Seiten, ISBN 978-3-570-30184-5

Die Mission
384 Seiten, ISBN 978-3-570-30481-5

Heiße Ware
352 Seiten, ISBN 978-3-570-30185-2

Der Verdacht
384 Seiten, ISBN 978-3-570-30482-2

Der Ausbruch
352 Seiten, ISBN 978-3-570-30392-4

Der Deal
448 Seiten, ISBN 978-3-570-30483-9

Der Auftrag
368 Seiten, ISBN 978-3-570-30451-8

Der Anschlag
380 Seiten, ISBN 978-3-570-30484-6

Die Sekte
384 Seiten, ISBN 978-3-570-30452-5

Das Manöver
416 Seiten
ISBN 978-3-570-30818-9

6279